La Lettre de Queenie

Tout ce qu'elle n'a pas pu dire à Harold Fry

Rachel Joyce

La Lettre de Queenie

Tout ce qu'elle n'a pas pu dire à Harold Fry

Traduit de l'anglais par Béatrice Shalit

Roman

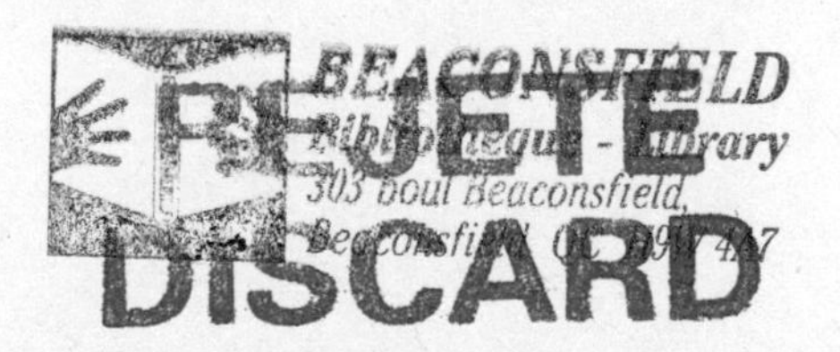

Du même auteur

La lettre qui allait changer le destin d'Harold Fry arriva le mardi..., XO Éditions, 2012 ; Pocket, 2013.

Deux secondes de trop, XO Éditions, 2014.

Première publication en Grande-Bretagne
en 2014 par Doubleday,
une marque de Transworld Publishers

Pour la version originale :

Titre original : *The Love Song of Miss Queenie Hennessy*

ISBN : 978-2-84563-773-3

Pour mes sœurs, Amy et Emily,
et en souvenir d'un jardin à Roquecor.

Tout voyage a une destination
que le voyageur ignore.

Martin Buber,
La Légende du Baal-Shem

LA PREMIÈRE LETTRE

Centre de soins palliatifs St. Bernardine
Berwick-upon-Tweed
Lundi 11 avril

Cher Harold,

Tu seras sans doute surpris de recevoir ce courrier. Notre dernière rencontre date de longtemps, je sais, mais ces temps-ci, j'ai beaucoup pensé au passé. L'an dernier, j'ai été opérée d'une tumeur, mais le cancer s'est disséminé et il n'y a plus rien à faire. Je suis en paix et je ne souffre pas, mais je voulais te remercier de l'amitié dont tu as fait preuve envers moi autrefois. Transmets mes amitiés à ta femme. Je pense toujours à David avec affection.

Bien amicalement,

Q. H.

LA DEUXIÈME LETTRE

St. Bernardine
13 avril

Alors voilà

Il y a longtemps, Harold, tu m'as dit :

— Il y a tant de choses que nous ne voyons pas.

— Que veux-tu dire ? ai-je demandé, tandis que mon cœur faisait un bond dans ma poitrine.

— Les choses qui sont juste sous nos yeux, as-tu répliqué.

Tu conduisais comme tu le faisais toujours et j'étais assise sur le siège passager. La nuit tombait, je m'en souviens, et nous retournions sans doute à la brasserie. Au loin, les lampadaires parsemaient de taches de lumière la lisière bleue velours de Dartmour et la lune était, elle, une discrète tache de craie.

J'avais la vérité sur le bout de la langue. Je ne pouvais plus le supporter.

— Range-toi sur le côté, ai-je presque crié. Écoute-moi, Harold Fry...

De ta main, à laquelle tu portais un gant de conduite, tu as désigné quelque chose devant nous.

— Tu vois ? Combien de fois sommes-nous passés par ici ? Et je n'ai jamais remarqué ça.

J'ai regardé ce que tu désignais et tu as ri.

— C'est curieux, Queenie, que nous soyons si peu observateurs.

Alors que j'étais sur le point de t'ouvrir mon cœur, tu admirais l'inclinaison d'un toit. J'ai ouvert mon sac. J'ai sorti un mouchoir.

— Tu as un rhume ? as-tu demandé.

— Tu veux un bonbon à la menthe ? ai-je dit.

Une fois de plus, le moment était passé. Une fois de plus, je ne t'avais rien dévoilé. Nous avons continué à rouler.

C'est la seconde lettre que je t'écris, Harold, et cette fois ce sera différent. Pas de mensonges. Je vais tout t'avouer, parce que tu avais raison ce jour-là. Il y avait tant de choses que tu ne voyais pas. Il y a tant de choses que tu ne sais pas encore. J'ai gardé enfouis en moi mes secrets pendant vingt ans, et je dois les laisser sortir avant qu'il ne soit trop tard. Je vais essayer de tout te dire mais accorde-moi une petite part de silence.

Dehors, je vois les remparts de Berwick-upon-Tweed. Le fil bleu de la mer du Nord traverse l'horizon. L'arbre à ma fenêtre est hérissé de nouveaux bourgeons pâles qui scintillent dans le crépuscule.

Allons-y.

Nous n'avons pas beaucoup de temps.

Tout ce qu'il vous reste à faire, c'est d'attendre

Ta lettre est arrivée aujourd'hui. Nous étions dans la salle de jour pour les activités du matin. Tout le monde dormait.

Sœur Lucy, qui est la plus jeune des bénévoles, demanda si quelqu'un voulait l'aider à faire son nouveau puzzle. Personne ne répondit.

— Un Scrabble ? demanda-t-elle.

Personne ne bougea.

— Et le piège à souris ? dit-elle. C'est un jeu agréable.

J'étais assise sur une chaise près de la fenêtre. Dehors, les conifères craquaient et tremblaient sous le vent. Une mouette solitaire traversait péniblement le ciel.

— Le jeu du pendu ? dit sœur Lucy. Ça intéresse quelqu'un ?

Un patient fit oui de la tête et sœur Lucy alla chercher du papier. Mais quand elle eut tout rassemblé, des crayons, un verre d'eau et le reste, il somnolait de nouveau.

La vie est différente pour moi au centre de soins palliatifs. Les couleurs, les odeurs, la manière dont la journée s'écoule. Mais je ferme les yeux, et la chaleur du radiateur devient le soleil sur mes mains, l'odeur du déjeuner, celle de l'iode dans l'air marin. J'entends les patients tousser, mais ce n'est plus que le vent dans mon jardin du bord de mer. Je peux m'imaginer toutes sortes de choses, Harold, si je décide de le faire.

Sœur Catherine entra dans la pièce avec la livraison du matin.

— Le courrier, dit-elle très fort. Regardez ce que j'ai là !

Soudain intéressés, nous nous sommes tous redressés.

Sœur Catherine fit passer plusieurs enveloppes marron à un Écossais appelé monsieur Henderson. Il y avait une carte postale pour la nouvelle jeune femme. (Elle est arrivée hier, je ne connais pas son nom.) Le grand monsieur qu'on appelle le roi Nacré a eu un nouveau colis, mais je suis là depuis une semaine et je ne l'ai pas encore vu en ouvrir un seul. La dame aveugle, Barbara, a reçu un mot de sa voisine, et sœur Catherine l'a lu. « Le printemps arrive », disait le mot. La femme bruyante appelée Finty a ouvert une lettre l'informant que si elle grattait la petite fenêtre en aluminium, elle découvrirait qu'elle avait gagné un prix formidable. Sœur Catherine traversa la pièce, une enveloppe à la main.

— Et Queenie, quelque chose pour vous... N'ayez pas l'air si effrayée.

Je connaissais ton écriture. Un seul regard et mon cœur battit la chamade. Génial ! Je n'ai pas eu de nouvelles de cet homme depuis vingt ans, pensai-je, aujourd'hui il m'envoie une lettre et me voilà au bord de la crise cardiaque.

J'ai regardé le sceau de la poste. Kingsbridge. Je me suis alors immédiatement représenté le bleu boueux de l'estuaire, les petits bateaux amarrés au quai. J'entendais l'eau taper contre les bouées en plastique et le claquement des gréements contre les mâts. Je n'osais pas ouvrir l'enveloppe. Je la regardais encore et encore et je me souvenais.

Sœur Lucy se précipita à mon secours. Elle passa son doigt minuscule sous le rabat et le fit glisser d'un bout à l'autre de l'enveloppe pour l'ouvrir.

— Je vous la lis, Queenie ?

J'essayai de refuser, mais le non se transforma en un drôle de son qu'elle prit pour un oui. Elle déplia la feuille et son visage rosit. Puis elle commença à lire.

— C'est de quelqu'un qui s'appelle Harold Fry.

Elle lut le plus lentement possible mais il n'y avait que quelques mots. « *Je suis vraiment désolé. Amicalement.* »

— Oh, il y a un post-scriptum, dit sœur Lucy. Il écrit : « *Attends-moi.* »

Elle haussa les épaules d'un air guilleret.

— Eh bien, c'est gentil. L'attendre ? Je suppose qu'il va vous rendre visite.

Sœur Lucy replia la lettre avec soin et la remit dans l'enveloppe. Puis elle la plaça sur mes genoux, comme si l'affaire était close. Une larme brûlante glissa le long de mon nez. Je n'avais entendu personne prononcer ton nom depuis vingt ans. J'avais seulement gardé les mots à l'intérieur de ma tête.

— Oh ! dit sœur Lucy, ne vous en faites pas, Queenie, tout va bien.

Elle attrapa un des mouchoirs de la grande boîte qui était posée sur la table basse et essuya avec soin le coin de mon œil fermé, ma bouche tendue, et même la chose qu'il y a sur le côté de mon visage. Elle me prit la main et je ne pus que penser à ma main dans la tienne, il y a longtemps, dans un local à fournitures.

— Peut-être Harold Fry viendra-t-il demain, dit sœur Lucy.

Finty grattait encore la fenêtre en aluminium de sa lettre sur la table basse.

— Allez, petit salaud, grommelait-elle.

— Vous avez dit Harold Fry ? demanda sœur Catherine.

Elle bondit sur ses pieds et frappa dans ses mains comme si elle avait attrapé une guêpe. C'était le son le plus fort qui avait retenti de toute la matinée et tout le monde réagit de nouveau.

— Comment ai-je pu oublier ? poursuivit-elle. Il a appelé hier. Oui, hier. Il téléphonait d'une cabine. (Elle s'exprimait avec des petites phrases saccadées, comme quelqu'un qui serait en train d'essayer de trouver une signification à ce qui n'en a pas.) La ligne était mauvaise et il n'arrêtait pas de rire. Je ne comprenais pas un traître mot de ce qu'il disait. Maintenant que j'y pense, il répétait la même chose. Que tu l'attendes. Il voulait que je te dise qu'il venait à pied.

Elle tira un post-it jaune de sa poche et le déplia avec hâte.

— À pied ? s'exclama sœur Lucy, comme si c'était une idée totalement saugrenue.

— J'ai supposé qu'il voulait savoir comment venir de l'arrêt du bus. Je lui ai dit de tourner à gauche et de continuer tout droit.

Quelques-unes des bénévoles se mirent à rire, et j'ai acquiescé comme si elles avaient raison, raison de rire, parce que c'était trop pénible, vois-tu, de montrer mon désarroi. Je me sentais à la fois faible et brûlante.

Sœur Catherine regarda son post-it jaune.

— Il vous fait dire que pendant tout ce temps qu'il va passer à marcher, vous devez l'attendre. Il a ajouté qu'il partait de Kingsbridge.

Elle se tourna vers les autres religieuses et les bénévoles.

— Kingsbridge ? Quelqu'un sait où ça se trouve ?

Sœur Lucy dit qu'elle le savait peut-être, mais sœur Catherine parut sûre du contraire. Quelqu'un expliqua qu'il avait une vieille tante qui y avait habité. Et puis l'une des bénévoles affirma :

— Je connais Kingsbridge. C'est dans le sud du Devon.

— Le sud du Devon ? (Sœur Catherine pâlit.) Vous croyez qu'il veut dire qu'il va marcher jusqu'ici, dans le Northumberland ?

Elle ne riait plus, et d'ailleurs plus personne ne riait. Ils me regardaient et regardaient la lettre et paraissaient à la fois inquiets et perdus. Sœur Catherine replia son post-it et le fit disparaître dans la poche de sa robe.

— En plein dans le mille ! s'écria Finty. J'ai gagné une croisière de luxe ! Une aventure de quatorze jours, tous frais payés, sur le *Princesse d'émeraude.*

— Vous n'avez pas lu les petits caractères, grommela monsieur Henderson. (Puis il répéta plus fort :) Cette femme n'a pas lu les petits caractères.

Je fermai les yeux. Un peu plus tard, je sentis les religieuses qui passaient leurs bras sous mes jambes pour me soulever et me mettre dans le fauteuil roulant. C'était ainsi que mon père me portait quand j'étais une petite fille et que je m'étais endormie sur le canapé. « *Stille, stille** », disait ma mère. Je tenais fermement ton enveloppe et mon carnet. Une lumière écarlate dansa devant mes paupières quand nous sommes passées de la salle de jour au couloir puis devant les fenêtres. Je gardai les yeux fermés tout le long du chemin, même quand on me déposa sur le lit, même lorsque j'entendis le bruissement des rideaux qu'on tirait, puis la porte se fermer : j'avais trop peur que le flot de mes larmes ne s'arrête jamais si j'ouvrais les yeux.

Je me disais : « Harold Fry va venir. J'ai attendu vingt ans, et maintenant il vient. »

* « Silence, silence ». En allemand dans le texte original. [Toutes les notes sont de l'éditeur français.]

Un plan invraisemblable

— Queenie, Queenie Hennessy ?

Quand je me réveillai, un nouveau bénévole se tenait devant ma fenêtre. Pendant un moment il me parut fait de lumière.

— Vous pleuriez dans votre sommeil, dit-il.

Maintenant que je regardais plus attentivement, je découvris que ce n'était pas un homme. C'était une femme, grande et large d'épaules, vêtue d'un habit de religieuse, d'une cornette et d'un gilet bleu marine en tricot. Je cachai mon visage avec ma main. L'étrangère ne me fixait pas mais ne détournait pas non plus le regard, comme le font en général les gens, vers mes doigts, mes pieds ou n'importe quelle partie de moi qui ne serait pas mon visage. Elle se contenta de sourire.

— Êtes-vous bouleversée à cause de cet homme, ce Harold Fry ? demanda-t-elle.

Je me rappelai ce que tu avais annoncé. Que tu marchais pour venir me voir. Mais à présent je ne parvenais plus à voir l'espoir que cela représentait, je ne voyais que les kilomètres. Après tout, je suis à un bout de l'Angleterre et toi à l'autre. Le vent a de la douceur dans le sud du pays, mais dans le Northumberland, il est si fort qu'il peut te soulever du sol. Il y a une raison à cette distance entre nous, Harold. Je devais être aussi loin de toi que je pouvais le supporter.

La religieuse s'éloigna de la fenêtre, emportant dans son mouvement un petit cactus en pot posé sur le rebord. Elle dit qu'elle avait entendu parler de ton si excitant message. Elle savait que tu marchais de Kingsbridge à Berwick-upon-Tweed et que tout ce que j'avais à faire, c'était d'attendre. Elle se pencha pour ramasser le cactus.

— Je ne connais pas monsieur Fry personnellement, bien sûr, mais apparemment vous avez appelé dans le vide et un écho vous est revenu. C'est un homme bien.

Elle sourit au cactus comme si elle venait de le bénir.

— Au fait, je suis sœur Mary Inconnu. (Elle tenta de prononcer le mot à la française, en détachant les syllabes : *An-con-nou.*) Ravie de faire votre connaissance.

Elle prit une chaise et s'assit près de mon lit. Ses mains reposaient sur ses genoux, grandes et rouges. Des mains pour faire la vaisselle. Ses yeux étaient d'un vert vif et clair.

— Mais regardez-moi, essayai-je de dire.

Ça ne marcha pas. Alors je pris mon carnet et mon crayon. Je lui écrivis un message : ***Comment je vais faire ? Comment est-ce que je peux l'attendre ?*** Je jetai le crayon dans un coin.

J'ai cru que je ne te reverrais plus jamais. Même si j'ai passé vingt ans de ma vie en exil, même si j'ai vécu amputée d'un morceau de ma vie, je croyais que tu m'avais oubliée. Quand je t'ai envoyé ma première lettre, c'était pour mettre mes affaires en ordre. C'était pour tirer un rideau sur mon passé. Je n'imaginais pas que tu me répondrais. Et je n'imaginais certainement pas que tu marcherais jusqu'à moi. Il y a tant de choses à confesser, à réparer, à raccommoder, et je ne peux pas le faire. Pourquoi crois-tu que j'ai quitté Kingsbridge pour ne jamais revenir ? J'avais peur que tu me détestes si tu découvrais la vérité. Et tu dois connaître la vérité, vois-tu. Sans quoi il ne peut pas y avoir de retrouvailles entre nous.

Je me suis souvenue de la première fois où je t'ai aperçu dans la cour de la brasserie. Ensuite j'ai imaginé ton fils portant mes mitaines en laine rouge et j'ai aussi vu Maureen, dont les yeux lançaient des éclairs, à côté d'un panier de linge dans ton jardin du 13, Fossebridge Road. Ne marche pas. La religieuse avec un drôle de nom avait raison : tu es un homme bien. J'ai eu l'occasion de te parler il y a vingt ans et j'ai échoué. Je n'ai pas cessé d'échouer. Je suis comme des mots sans bouche. Ne viens pas maintenant.

J'écrivis : ***C'est trop tard.***

Sœur Mary Inconnu lut ce message sur mon carnet et ne dit rien. Elle resta assise un long moment, les mains sur ses genoux, si immobile que je commençai à me demander si elle ne s'était pas endormie. Puis elle retroussa ses manches avec l'air de quelqu'un qui ne plaisante pas. Ses bras étaient lisses et bronzés.

— Trop tard ? Il n'est jamais trop tard. Il me semble que vous avez autre chose à dire à Harold Fry. C'est bien pour ça que vous êtes dans tous vos états, n'est-ce pas ?

Cela m'acheva. Je me mis de nouveau à pleurer. Elle reprit :

— J'ai un plan. Nous allons lui écrire une seconde lettre. Après tout vous avez donné un coup de pied dans la fourmilière quand vous avez envoyé la première. Maintenant vous devez terminer ce que vous avez commencé. Mais cette fois, ne lui envoyez pas le genre de phrases qu'il pourrait s'attendre à trouver sur une banale carte postale. Dites-lui la vérité, toute la vérité. Dites-lui comment c'était vraiment.

J'ai regardé par la fenêtre. De fins nuages noirs passaient dans le ciel. Le soleil n'était pas plus gros qu'un dé à coudre et les branches sombres des arbres tremblaient. Je te vis à un bout de l'Angleterre, marchant le long d'un chemin de campagne. Je me vis à l'autre bout, assise dans le lit d'une petite chambre. Je pensai aux kilomètres qui nous séparaient : les lignes de chemin de fer, les voies d'autocar, les routes, les fleuves. Je me représentai les tours et les clochers, les toits d'ardoise et de tôle, les gares, les grandes villes, les bourgs, les villages, les champs. Et tant de gens. Des gens assis sur des quais de gare, installés dans des voitures, regardant le paysage du haut des autocars, et marchant d'un pas lourd le long des routes. Depuis que j'ai quitté Kingsbridge, je suis restée célibataire. Je me suis bâti un foyer dans une maison en bois sur la plage et j'ai mis tout mon cœur dans l'entretien d'un jardin du bord de mer. Ma vie a été modeste, il n'y a rien à en dire. Mais le passé m'habite encore, Harold. Je n'ai jamais laissé tomber.

— Vous n'avez pas besoin d'écrire cette lettre toute seule, dit sœur Mary Inconnu. Je vous aiderai. Il y a une vieille machine à écrire portable dans le bureau.

Je me suis rappelé tout le temps qu'il m'avait fallu pour écrire ma première lettre avant que sœur Lucy ne la recopie sur son ordinateur. Et je suppose que tu as remarqué les pâtés que j'ai faits en signant et en écrivant ton adresse sur l'enveloppe. Si on compte toutes les complications qu'il a fallu surmonter pour que cette lettre soit enfin postée, un pigeon voyageur aurait été plus rapide.

Mais sœur Mary Inconnu poursuivait.

— On le fera tous les jours. Vous prendrez des notes et je les taperai. Est-ce que par hasard vous connaîtriez la sténo ?

Je fis signe que oui.

— Ah, parfait. Nous écrirons, vous et moi, jusqu'à l'arrivée d'Harold Fry. Je le ferai à la première personne comme si j'étais vous. Je retranscrirai tout au mot près. Votre lettre attendra Harold Fry lorsqu'il arrivera.

Et vous promettez qu'il la lira avant de me voir ?

— Je vous en donne ma parole.

Son idée était séduisante. J'étais déjà en train de composer les premières phrases. Je crois que j'ai fermé les yeux parce que quand je les ai rouverts, elle avait de nouveau changé de place, et cette fois elle s'était assise près de la petite bosse que formaient mes pieds sous le drap. Elle avait chaussé des lunettes en plastique bleu qui lui donnaient un regard étrange, et elle tenait un sac de cuir usé de la taille d'une mallette, dont la clé était attachée à la poignée par un bout de ficelle.

Elle se mit à rire.

— Vous vous étiez endormie. Alors j'ai fait un saut au bureau et je me suis permis d'emprunter la machine à écrire.

Elle ouvrit mon carnet à une page vierge, et le posa sur mes genoux avec le crayon.

— Vous saisissez la situation ? dit-elle, ouvrant le sac de cuir et sortant la machine à écrire.

C'était une Triumph Tippa de couleur crème. J'ai eu le même modèle autrefois.

— Harold Fry est en train de marcher. Mais à votre manière, même si vous êtes ici, même si vous avez terminé votre voyage, vous en commencez un aussi. C'est la même chose et pas la même chose. Vous comprenez ?

J'acquiesçai. ***Et si je ne suis pas ici, au moins ma lettre y sera.***

Sœur Mary Inconnu s'installa et posa la machine à écrire sur ses genoux.

— Voyons, dit-elle en pliant ses doigts rouges. Il faut que je trouve la bonne tabulation.

Nous avons travaillé toute la matinée, après le déjeuner et jusqu'au crépuscule. Une fois que j'ai eu commencé, impossible de m'arrêter. Je désignai ce que j'étais en train d'écrire. ***Ç'a un sens pour vous ?***

— Absolument, dit-elle.

J'arrachais les feuilles quand j'avais terminé de les remplir, je les numérotais, et sœur Mary Inconnu les prenait et les tapait. Je ne cessais de me dire que je m'arrêterais à la page suivante mais la page suivante arrivait et je la noircissais aussi. J'ai écrit tout ce que tu as lu jusqu'à présent, tandis que sœur Mary Inconnu a fait tinter et cliqueter les touches de la machine sans relâche. Et c'est ce que nous sommes encore en train de faire. J'écris et elle tape.

— Bien, dit-elle, c'est vraiment bien.

*

* *

Plus tard l'infirmière de garde vint accomplir les rituels du soir. Elle nettoya ma bouche avec un bain de bouche et une minuscule éponge au bout d'un bâtonnet. Elle appliqua de la crème grasse aux endroits où ma bouche était craquelée, puis elle changea les pansements. Le docteur Shah, le consultant en médecine palliative, me demanda si mes douleurs étaient plus fortes mais je lui répondis que non, que ça n'avait pas changé. Il n'y avait pas de raison que je sois dans l'inconfort, dit-il. Si quelque chose me dérangeait, on pouvait très bien changer mon traitement. Une fois que l'infirmière m'eut appliqué un nouveau patch contre la douleur, sœur Lucy me massa les mains. Ses doigts doux et ronds se glissaient entre les miens, soulageant mes articulations tout en les caressant. Elle alla chercher son vernis à ongles brillant et me fit une manucure.

Dans mon sommeil, je vis ton fils.

— Oui, David, dis-je, oui.

Je pris une couverture et l'enroulai autour de lui pour qu'il n'ait pas froid.

Chut maintenant

Je passe une mauvaise nuit. C'est David. David. Dans ma tête. Je ne peux pas dormir.

Chaque fois que je ferme les yeux, je le vois. Dans le fauteuil près de mon chauffage électrique. Il porte un manteau noir. Il crie.

Je sonne pour qu'on vienne m'aider.

SŒUR PHILOMENA : Qu'y a-t-il ?

MOI : ***J'ai fait un cauchemar.***

SŒUR PHILOMENA : Prenez ça. C'est de la morphine.

J'avale.

SŒUR PHILOMENA : Laissez votre crayon, Queenie. Fermez votre carnet. Dormez maintenant.

Le dernier arrêt

Après ma nuit perturbée, j'ai dormi jusqu'à midi. Quand je me suis réveillée, j'avais une visiteuse. Elle avait un pamplemousse sur la tête. Elle avait aussi amené son cheval. Tous deux ne partirent que quand sœur Mary Inconnu arriva avec sa machine à écrire.

Je lui écrivis que j'avais eu d'étranges visiteurs qui sortaient plutôt d'un cirque que d'un centre de soins palliatifs et elle sourit.

— Il y a des gens qui paient très cher pour avoir des drogues comme les vôtres.

Ses yeux partirent de traviole derrière ses lunettes.

Vous avez un problème de vue ?

— Pas du tout. Je vous faisais un clin d'œil. Comment vous sentez-vous aujourd'hui ?

La cornette blanche amidonnée posée sur sa tête était d'une propreté éclatante, tout comme son habit sous sa chasuble noire cintrée. Elle portait des sandales sur des chaussettes blanches, et ces dernières étaient un peu plissées à cause des lanières en velcro. Elle sortit de son sac un nouveau paquet de feuilles A4 ainsi qu'un stylo correcteur tipp-ex.

— Je vois que vous avez reçu un nouveau courrier, dit-elle en désignant la carte postale posée à côté de ta lettre sur la table de nuit.

Je n'avais pas la moindre idée de ce dont elle parlait.

J'avais de nouveau oublié, tu comprends. Dans la nuit, j'avais oublié que tu marchais.

— Oh, Queenie, vous n'allez pas pleurer ?

Sœur Mary Inconnu éclata de rire et je rejetai la tête en arrière pour lui montrer que je n'allais pas la laisser se moquer de moi.

— Voyons ce qu'Harold Fry nous raconte, dit-elle.

La carte représentait Bantham Beach. L'une des sœurs avait dû la déposer là pendant que je dormais. Je regardai ce qui était écrit au dos. *Garde la foi, Harold Fry.* Peut-être ignores-tu, Harold Fry, que je ne suis pas quelqu'un de croyant. J'entends les sœurs prier, j'entends leurs chants dans la chapelle, mais je ne m'y associe pas. Et depuis quand t'intéresses-tu à la foi ? D'après mes souvenirs, tu n'es jamais entré dans une église. La dernière fois que je t'ai vu, eh bien... tu ne ressemblais pas à un homme qui avait rencontré Dieu.

Et d'après mes souvenirs, tu n'as jamais marché très loin non plus. Sauf une fois. Mais ce n'est peut-être pas le moment d'en parler.

— Revenons à votre lettre, dit sœur Mary Inconnu.

Elle ouvrit mon carnet et me tendit le crayon. Je pouvais à peine bouger le bras droit. Sous mon poignet, ma main était toute raide. C'est sans doute parce que j'ai beaucoup écrit hier. Je ne suis plus habituée à me servir de mes mains. Mes doigts tremblaient comme les anémones de mon jardin à Embleton Bay. Je l'ai créé au bord de la mer, alors je l'ai appelé jardin du bord de mer.

— Aidez-moi, suppliai-je. Je ne peux pas écrire.

Sœur Mary Inconnu posa sa machine à écrire et prit mes mains dans les siennes. Elle frotta mes doigts et les porta à sa bouche. Puis elle souffla dessus comme si elle s'attendait à ce qu'ils gonflent.

— Regardez-vous, Queenie, avec vos ongles tout brillants.

Elle se mit à rire. Parfois, quand on est submergé par la difficulté de quelque chose, il suffit que quelqu'un se mette à sourire pour que le problème se démêle et que tout soit plus facile.

— Essayons de nouveau, dit-elle.

Elle glissa le crayon dans ma main. Un à un, elle enroula mes doigts autour.

— Qu'est-ce que vous voulez dire à Harold Fry ?

Je me souviens de Bantham Beach. J'y suis allée quand je venais d'arriver dans le Devon. C'était il y a près de vingt-quatre ans. Avant qu'on se rencontre, toi et moi. C'était aussi Noël et j'étais très préoccupée.

Je n'avais pas eu l'intention de venir à Kingsbridge. Mais je ne pouvais pas rester à Corby. Les choses avaient mal tourné pour moi là-bas et je faisais ce que je faisais toujours quand quelque chose allait de travers. Je m'enfuyais.

« Quand un objet est *kaputt*, avait coutume de dire ma mère tandis qu'elle attrapait un morceau de porcelaine fendu et qu'elle le jetait à la poubelle, il ne pourra plus jamais être pareil. Il faut s'en débarrasser. »

J'entends encore les mots, son accent râpeux. Assiettes fendues, verres, bas filés, gilets sans boutons, bibelots en plâtre auxquels il manquait la tête ou un pied... elle n'avait pitié de rien. Mes parents n'ont jamais été riches – nous vivions grâce au salaire de charpentier de mon père dans une petite maison de location au bout d'un village du Kent –, et ma mère était une solide femme autrichienne dont les mains épaisses semblaient toujours recouvertes de graisse d'oie. Elle faisait tout tomber. C'était un miracle qu'il nous reste quelque chose. Mon père vérifiait le contenu de la poubelle quand elle avait le dos tourné, sauvant ce qui pouvait être réparé et emportant en douce les pièces dans son atelier. Bizarrement il réparait peu, et quand il le faisait ma mère observait d'un œil accusateur l'assiette recollée comme pour dire : « Tu es là ? Je croyais être débarrassée de toi. »

Peut-être ma mère n'a-t-elle jamais imaginé que je la prendrais au pied de la lettre, mais j'ai appliqué sa règle à ma vie ; après tout, nous sommes tous à la recherche de ces fameuses règles. Nous les glanons dans les endroits les plus étranges, et si elles semblent fonctionner nous pouvons passer toute une vie à nous y conformer, malgré les malheurs et les difficultés qu'elles peuvent engendrer. Lorsque j'ai échoué à un examen de danse, j'ai refusé de continuer. Pour moi, c'était plus simple de m'en aller que de voir la déception de mon professeur. Quand le comportement d'une amie me blessa cruellement en colonie de vacances, j'agis de même : j'insistai pour rentrer à la maison. Des années plus tard, j'ai posé ma candidature pour aller étudier à l'université d'Oxford, et je pense qu'on peut en déduire que j'ai fui mes parents. C'était devenu trop lourd d'être leur unique enfant.

Depuis mon départ de Corby, je voyageais tous les jours. Une nuit par-ci, une nuit par-là. Parfois seulement quelques heures. Nulle part assez longtemps pour lier connaissance avec qui que ce soit. Nulle part assez longtemps pour qu'on me connaisse. Je défaisais à peine ma valise. Je n'ai pas cessé de bouger jusqu'à ce que le petit autocar s'arrête et que je voie la mer.

— C'est le dernier arrêt, dit le chauffeur.

Il éteignit les lumières. Il coupa le moteur.

Et qu'est-ce qui se passe au dernier arrêt ? pensai-je.

J'avançai au milieu des dunes et des hauts roseaux des sables. Un vent violent soufflait et j'étais contrainte de baisser la tête pour progresser, agrippant le col de mon manteau d'une main et traînant ma valise écossaise de l'autre. La valise contenait tout ce que je possédais. Mes livres, mes vêtements, mes chaussures de danse. Quand j'atteignis le bord de l'eau, je regardai devant moi et je ressentis le terrible désespoir de quelqu'un qui est habitué à courir parce que c'est ce qu'il a toujours fait, et qui se retrouve tout à coup face à un mur de briques.

Je me souviens encore du ciel d'hiver de ce soir-là. Chaque fois que je travaillais dans mon jardin du bord de mer et que je voyais un coucher de soleil semblable à celui-là, je repensais à Bantham Beach. C'était comme si le ciel avait été déchiré. Tout était écarlate. Les nuages étaient devenus des flammes si vives et intenses que le bleu du ciel n'avait plus rien de bleu. La mer et la terre se confondaient. Le sable était en feu. Tout comme les pierres et les rochers. Et les crêtes roses des vagues. La saillie que formait l'île de Burgh semblait brûler. Même mes mains étaient teintées de rouge.

Pourquoi n'ai-je pas continué à marcher vers l'eau, vers la mer ? J'avais très peu d'argent. Pas de travail. Pas de toit. L'eau caressait mes orteils. Dans très peu de temps elle serait à la hauteur de mes chevilles. Une fois que quelque chose est brisé...

Puis je ressentis une petite palpitation dans le ventre.

Je tournai le dos à la mer et je tirai ma valise vers les dunes. Quand j'atteignis la route, le vent était tombé et le soleil avait disparu. Le ciel était d'un mauve crayeux, presque argenté, et le sol était de la même couleur. Une première étoile scintilla dans l'obscurité.

Voilà, je recommence, pensai-je. Parce que c'est ce qu'on fait quand on a atteint le dernier arrêt. Oui, on recommence.

Sœur Mary Inconnu joint ses doigts au-dessus de sa tête et fait une petite série d'étirements pour soulager son cou. Mes feuilles gisent à ses pieds. La lumière a disparu de la fenêtre, et la lune est de retour, un croissant blanc.

— Regardez tout ce que vous avez écrit, Queenie. C'est seulement le deuxième jour et vous avez déjà rempli toutes ces pages. Il y a tant à raconter. Vous vous rappelez tant de choses.

Bien sûr que je me rappelle. Ma tête est remplie des chansons du passé. J'avouerai tout. Je n'aurai pas peur.

— Comment va votre main ? demande sœur Mary Inconnu. Vous n'avez pas trop mal ?

J'essaie de sourire mais ça ne marche pas et j'ai besoin d'un mouchoir.

Je commence une nouvelle page.

Débarrassons-nous de cette partie-là, d'accord ?

« Le centre de soins palliatifs St. Bernardine est une clinique accueillante qui propose des soins de qualité à des patients

atteints d'une maladie en phase terminale, disait la brochure. *Les religieuses qui y vivent et travaillent sont des infirmières et des bénévoles. Une équipe médicale de l'hôpital est disponible pour prodiguer une assistance supplémentaire.* »

— Mais je ne veux pas y aller, essayai-je de dire au médecin.

C'était après ma dernière opération, quand je pouvais encore produire quelques sons que les gens identifiaient comme étant des mots. Je reposai la brochure sur son bureau.

Je connaissais St. Bernardine. C'était un petit bâtiment de silex noir au bord de la ville. Je passais devant en bus quand j'avais besoin de faire réparer des outils de jardin et que j'allais au grand magasin à Berwick-upon-Tweed. J'ai toujours éprouvé de la tendresse pour mes outils et je les traitais comme des amis. Mais lorsque je passais devant le centre de soins palliatifs, je tournais le dos au bâtiment et je regardais la mer.

Je sortis mon carnet et j'écrivis : ***Je veux rester dans ma maison.***

Le médecin acquiesça. Il prit un stylo et le fit rouler entre ses doigts.

— Bien sûr que vous n'avez pas besoin d'aller à St. Bernardine si vous ne voulez pas, Queenie.

Il gardait les yeux fixés sur son stylo et de temps à autre un soupir s'échappait de sa bouche comme si une explosion s'était produite au plus profond de sa poitrine.

— Le cancer a progressé. Nous ne pouvons plus tenter d'autre opération. (Il murmura.) Vous savez que le pronostic n'est pas... Vous le savez ?

— Oui, répondis-je.

J'attrapai mes béquilles. Non pas pour m'en aller mais parce que je ne voulais pas qu'il en dise plus et que je ne savais pas quoi faire d'autre que m'accrocher à ces béquilles.

— Personne ne vous oblige à aller à St. Bernardine. Bien sûr. Mais nous pouvons faire en sorte que vous y soyez bien. Ça m'inquiète que vous restiez dans cette maison sur la plage. Personne n'habite par là-bas l'hiver. Vous n'avez pas de chauffage électrique. Le sentier est presque inaccessible à cette période de l'année. Et si on en avait besoin, on ne pourrait pas y faire passer une ambulance.

J'ai Simon. Le bénévole de l'hôpital. Il vient.

— Mais seulement trois fois par semaine. Vous avez besoin de quelqu'un à plein temps.

L'air me paraissait si épais que je devais me concentrer pour respirer. J'avais l'impression de ne plus entendre, ou si j'entendais, seuls certains mots me parvenaient, comme « compliqué ».

N'empêche que je n'aurais pas cédé. Je serais restée dans ma maison en bois, mais ensuite tout mon visage commença à s'affaisser et à changer de forme. Ma bouche ne fonctionnait plus et mon œil ne s'ouvrait plus. Il me devint difficile de manger seule. Je renonçai à ma sortie quotidienne. Je cessai d'aller au magasin. Je ne voulais pas qu'on me voie. J'avais trop honte. Si des visiteurs venaient, je n'ouvrais pas la porte. J'évitais même de travailler dans mon jardin du bord de mer, de peur qu'on ne m'y trouve. Je me disais : « Je vais dormir maintenant, dormir, dormir », mais le sommeil ne venait jamais. Je ne voulais déranger personne. Je voulais juste réussir à lâcher prise. Mais chaque fois que je songeais à me laisser aller, je ne voulais plus qu'une chose : me cramponner. J'avoue que j'ai pleuré. La pluie ne cessait pas de tomber et le vent soufflait sans répit. Je regardais mon jardin du bord de mer de ma porte, la tempête renversait les sculptures en bois, la pluie noyait les pièces d'eau. L'hiver semblait sans fin.

Lorsque Simon, le bénévole, sut que j'avais choisi de m'installer à St. Bernardine, il dit que sa tante y était allée.

— C'est un endroit formidable, dit-il. On n'a pas besoin d'être pratiquant. Elles font toutes sortes de choses. De la musique, de l'art, tout ça. Et il y a un joli jardin. Vous allez aimer. Ma tante y a été heureuse jusqu'à ce que...

Puis il sourit comme s'il ne savait soudain plus parler.

Simon ressemble à une sorte d'ours et il porte un duffel-coat qu'il n'arrive plus à fermer complètement. Je demeurai immobile tandis qu'il emballait mes vêtements de nuit, mes chaussons, des serviettes. Nous sommes allées partout ensemble, cette valise et moi. Simon demanda si je voulais emporter autre chose et je fus incapable de réfléchir parce que c'était trop étrange de penser que je partais. J'ai habité dans cette maison sur la plage pendant vingt ans, depuis que je t'ai quitté et que j'ai quitté Kingsbridge. Cet endroit faisait partie de moi, tout comme le passé, comme toi ou mes propres os faisiez partie de moi. Je regardai les murs peints en gris, le plancher en bois, les jetés de lit en cachemire que j'avais trouvés chez des brocanteurs, et le tapis multicolore que j'avais tissé un hiver. La vieille cuisinière, les casseroles en cuivre, les volets bleus en bois, les bouteilles de verre et les livres sur le rebord de la fenêtre. Les tasses et les soucoupes en porcelaine vertes cerclées d'un liseré doré que j'avais achetées il y a tant d'années à Kingsbridge au cas où tu me rendrais visite et resterais prendre le thé. Il faisait déjà si froid sans la chaleur du poêle que le souffle de Simon avait formé un grand nuage au-dessus de sa tête alors que le mien ne formait qu'un filet.

Simon me porta du sentier jusqu'à sa voiture. Toutes les autres maisons de vacances étaient encore fermées. Il dit en riant que j'étais comme un petit oiseau mais je savais que si j'avais vraiment été un oiseau, je serais déjà morte. J'essayais de ne pas y penser parce que j'ai peur, Harold, quand cela me vient à l'esprit. Nous sommes passés devant le golf et le club-house. J'étais contente qu'il n'y ait personne à la fenêtre. Simon alluma la radio de sa voiture pour me tenir compagnie pendant qu'il allait chercher ma valise mais je suis habituée à la solitude et au silence.

Il démarra et je tournai la tête pour apercevoir mon jardin du bord de mer. Les murs de silex. Les drapeaux de couleur. L'extrémité de mes plantations et les sculptures en bois. Elles ressemblaient à des silhouettes se détachant sur la falaise dans la brume. Dans le village nous sommes passés devant des rangées d'habitations en silex noir et de maisonnettes blanchies par l'air maritime. La terre ressemblait à un livre d'hiver. Les haies n'étaient plus que des bouts de bois dénudés. Les feuilles de l'année précédente s'agrippaient aux arbres comme de petites chauves-souris et un sapin norvégien se balançait dans le vent. Il n'y avait pas trace de moutons. Je me rendis compte plus tard que j'avais cherché tous ces points de repère au lieu de dire adieu. Mais parfois on ne prononce pas ce genre de mot parce qu'on pense que la fin est seulement proche alors qu'en réalité elle est déjà là.

Les dix chambres du centre de soins palliatifs sont sur le devant et donnent sur les remparts, l'estuaire du Tweed ou la mer. La salle de jour, la chapelle et la salle à manger sont à l'arrière du bâtiment et ont de larges baies vitrées qui s'ouvrent sur le jardin du Bien-être. Les bénévoles comme Simon viennent tous les jours pour nous tenir compagnie et entretenir les jardins, tailler, balayer, creuser. Je les observe de la fenêtre. J'observe aussi les religieuses, leurs robes qui s'envolent dans le vent, comme des voiles blanches sur une mer verte.

Quand le moment de nous dire adieu arriva, Simon dit :

— Je pars pour quelques mois. Mais je vous verrai quand je reviendrai. D'accord ?

J'acquiesçai parce qu'il était gentil et que je ne voulais pas lui faire de peine. Il se baissa pour me serrer dans ses bras et je sentis son cœur battre très fort.

— Prenez soin de vous, dit-il.

Ses yeux étaient humides mais nous avons échangé un sourire comme si de rien n'était.

Je l'ai regardé dévaler les marches deux à deux jusqu'au parking. Il a sauté dans sa voiture rouge et j'ai entendu le son de son klaxon quand il a démarré. Puis j'ai tourné la tête vers les doubles portes qui mènent à l'unité de soins hospitaliers. Ce sont des portes normales, elles n'ont rien d'exceptionnel, mais elles paraissent bardées de fer et de verrous. C'est ce que doit ressentir un prisonnier, ai-je pensé : comme si la vie s'éteignait. Sœur Philomena, la mère supérieure, a pris ma valise.

De l'autre côté de la porte s'éleva un éclat de rire.

— Merde. J'ai gagné une camionnette de camping !

Ce rire fut suivi par une voix écossaise plutôt morne.

— Vous n'avez pas lu les petits caractères. Elle n'a pas lu les petits caractères.

Sœur Philomena me fit un sourire étincelant.

— Vous serez sûrement surprise par notre centre, dit-elle.

L'homme de grande taille et la neige

Quand je me suis réveillée ce matin, Harold, le ciel de l'aube avait la couleur d'une perle d'huître. Une nuée de fleurs blanches s'envola devant ma fenêtre. Cela me rappela la neige. J'attrapai mon carnet.

C'était il y a vingt-quatre ans.

Je suis debout dans mon nouveau bureau. C'est mon premier jour à la brasserie et j'ai peur. La pièce est petite et terriblement froide. Il y a un bureau et des boîtes remplies de factures toutes froissées mais pas de système de classement. Je me regarde dans mon miroir de poche et j'attache quelques boucles brunes qui se sont échappées. Du rouge à lèvres ? Pas de rouge à lèvres ? Je suis encore en train de me demander comment avoir l'air d'une comptable accomplie. L'odeur de cet endroit, mélange de houblon et de tabac froid, me donne la nausée. Quelque chose attire mon attention au-dehors. Une tache blanche. Je me rapproche de la fenêtre. Je jette un coup d'œil.

La fenêtre donne sur la cour où sont entreposées de grandes poubelles. Cela n'a rien de pittoresque. Mais le ciel est lourd de nuages d'hiver et la neige commence à tomber comme des plumes blanches tournoyant dans l'air. J'appuie mon visage et mes doigts contre la vitre glacée et je contemple cette pluie de blancheur. Personne n'avait annoncé la neige alors ça semble être un petit miracle, comme lorsque le temps change subitement. Je regarde la cour et les poubelles et à présent tout paraît beau, passant lentement du sombre au blanc, du dur au tendre. J'oublie que j'avais mal au cœur et que j'avais froid. J'oublie que j'avais peur.

Une porte s'ouvre et une grande silhouette en manteau se précipite au-dehors.

C'est toi.

Comme moi, tu as vu les flocons de neige et tu parais surpris. Tu regardes en l'air, exactement comme je l'ai fait, ta main en visière devant tes yeux. Tu ris. Ensuite tu regardes à droite et à gauche pour vérifier que personne ne t'observe et tu te diriges vers les poubelles. Satisfait d'être seul, tu sors un sac que tu cachais sans doute sous ton manteau. Tu soulèves vite le couvercle d'une des poubelles, et tu y jettes quelques canettes de bière vides. Toutes les lumières sont allumées dans la brasserie, tu es pris dans une lueur bleutée et ton ombre s'étend à côté de toi sur la fine couche de neige fraîche. Je me demande pourquoi tu as dû te débarrasser de ces canettes de manière si secrète. Nous sommes dans une brasserie après tout. C'est le milieu de la matinée et j'ai déjà remarqué que plusieurs représentants sont pompettes.

Quoi qu'il en soit, tu sembles soulagé d'en être débarrassé. Tu remets le couvercle de la poubelle en place et tu te frottes les mains comme le faisait ma mère lorsqu'elle était satisfaite d'avoir terminé une tâche ménagère.

Tu te retournes pour rentrer mais tu sens qu'il y a quelqu'un dans les parages. Tu observes avec attention la cour. Non, me dis-je, il m'a vue ! Découvrant qu'il s'agit seulement de ton ombre dans la neige, tu éclates de rire. Moi aussi. Ton ombre nous a sauvés tous les deux.

Au milieu d'un carré de lumière, tu lèves un bras et ton ombre fait de même. Tu agites la main et ton ombre t'imite. Puis tu lèves le pied gauche, tu le secoues un peu, et ton double agite aussi son pied. De nouveau tu vérifies qu'il n'y a personne dans la cour, que personne ne regarde, et tu prends une nouvelle pose. Que fais-tu ? Je suis intriguée. L'épaule gauche relevée, les coudes plaqués le long du corps, et les mains dans le vide, tu commences à te déplacer d'un doux pas traînant dans la neige poudreuse. Tu glisses un peu vers la gauche, un peu vers la droite, balançant ton corps de chaque côté, prenant appui sur un pied puis sur l'autre. À un moment, tu pivotes même sur tes talons et tu fais un tour complet sur toi-même. Tout en dansant, tu gardes un œil sur ton ombre comme si tu n'arrivais pas à croire qu'elle ait l'énergie de te suivre.

Je ris. J'ai été danseuse pendant des années. Jamais professionnellement, c'était juste un passe-temps secret. Partout où j'ai voyagé, j'ai trouvé un endroit où danser. Mais j'ai rarement vu un homme bouger avec tant de légèreté. En général, les étrangers qui me servent de cavaliers ont deux pieds gauches, ils sentent le savon au camphre et ils posent une main moite dans le bas de mon dos. Tout autour de toi, des petites taches blanches s'enroulent dans l'air, comme de minuscules notes de musique.

S'il te plaît, continue à danser. Tu me rends heureuse. Et il y a longtemps que je n'ai pas été heureuse. Je repense à Corby et au Fumier, à mes voyages, à ma si grande solitude. Oui, cela fait bien longtemps que je n'ai pas ri. Toujours à la fenêtre, je me mets à bouger aussi. Tu vas vers la gauche, je glisse à droite. Tu fais un pas de côté. Je tourne sur moi-même.

Puis tu regardes tout droit vers ma fenêtre et une fois encore je me dis que tu m'as vue. Mais cette fois, ça m'est égal. Tu regardes en haut. Je regarde en bas. Nous sommes liés, toi et moi. Je te fais un signe. Tu lèves la main aussi. Mais tu ne me fais pas signe pour autant. Tu attrapes un flocon de neige. Bien sûr. Tu ne m'as pas vue du tout.

Un bruit sourd. Un cri de douleur. La porte en métal s'ouvre et un jeune représentant est poussé dans la cour. Notre patron, Napier, est derrière le jeune homme et il crache quelque chose dans son oreille. Il tient le bras du représentant derrière son dos et le pousse en avant si fort que les chaussures du pauvre garçon tracent comme des lignes de tramway dans la mince couche de blanc. Je me demande si je devrais m'éloigner de la fenêtre, ne plus regarder, mais je ne peux pas bouger.

D'autres hommes apparaissent dans l'encadrement de la porte derrière Napier. Ils crient tous. L'un d'eux tient une planche en bois arrachée à une caisse et il l'agite vers les flocons. Tu sais comment cela se passe lorsqu'une bagarre se prépare. Tu le devines à la manière dont les gens sont excités. Personne ne t'a encore vu mais ce n'est qu'une question de temps. On ne peut pas se cacher dans cette cour.

Tu te figes. Je me souviens de mon père. Quand ma mère était en colère, il se tenait complètement immobile, espérant qu'elle le prendrait pour autre chose et qu'elle se désintéresserait de lui. Qu'est-ce que tu vas faire en bas ? Ton front se plisse tandis que tu y réfléchis. Et ce que tu décides de faire me surprend totalement. Cela surprend tout le monde. Tu fais un grand et presque comique signe de la main et tu marches tranquillement vers les hommes. La neige tombe plus dru et leurs épaules tout comme leurs chaussures sont recouvertes d'une couche de blanc. Mais tu dis d'une voix chantante : « Salut les mecs ! Quelle belle journée ! » Tu continues à marcher droit devant toi si bien qu'ils doivent se séparer, et là où il y avait un gang de machos, il n'y a maintenant que des hommes seuls qui ont l'air perdus et frigorifiés. Tu incarnes à présent une autre version de l'homme qui dansait quelques instants plus tôt. Tu as changé le cours des choses. L'accès de violence a été rompu.

Le représentant traverse rapidement la cour et, se précipitant contre les grilles, il saute par-dessus le portail en fer. Napier et ses hommes ont flanqué une raclée à une ombre. Tu jettes un dernier regard à la neige, et tu te glisses à l'intérieur.

Je vois tout. Mais tu ne me vois pas.

Un sévère rappel

Harold, ne le prends pas mal, mais si tu es sérieux au sujet de ton voyage, tu devrais peut-être te concentrer sur les kilomètres au lieu de perdre un temps précieux à écrire des cartes postales. Trois cartes sont arrivées ce matin. Il y en a une qui représente Buckfast Abbey, une de South Brent de nuit – il n'y a pas grand-chose sur celle-là – et une dernière avec un croquis topographique du Devon. Tu as indiqué ta position par une croix. Après trois jours de marche en Angleterre, tu as l'air de traîner juste derrière Kingsbridge.

As-tu regardé un plan ?

J'ai laissé les cartes postales sur mes genoux. Ne voulant pas attirer l'attention sur moi comme il y a deux jours, je n'osais pas les lire. C'est Finty qui a demandé ce qu'elles disaient. J'ai désigné ma bouche et croyant que c'était un appel au secours sœur Catherine se dépêcha de me lire les cartes. Elle les manipulait comme si elle se préparait à faire un discours de mariage.

Elle dit : « *Chère Queenie, j'ai des ampoules sur mes ampoules mais je continue à marcher.* » Elle poursuivit : « *Chère Queenie. J'ai parcouru environ vingt-sept kilomètres. Il faut que tu continues à m'attendre. Harold (Fry).* » Puis elle conclut : « *Chère Queenie. Il fait beau par ici. Meilleur souvenir. Harold.* »

La lecture fut suivie d'un silence gêné seulement interrompu par la respiration irrégulière de la nouvelle jeune femme.

— Qui est cet homme au juste ? demanda enfin monsieur Henderson.

— Il s'appelle Harold Fry, dit sœur Catherine. C'est un ami de Queenie.

— Et il dit quoi ? Attends-moi ?

— Oui, c'est ce qu'il semble dire, répondit sœur Catherine en alignant des dessous de verre sur la table basse.

— Pendant qu'il traverse l'Angleterre ?

Sœur Catherine fit « Mmm, mmm » en signe d'assentiment. Ce n'était pas aussi impoli que de ne pas répondre mais ce n'était quand même pas un oui.

— Quel branleur !

Monsieur Henderson retourna à la lecture de son journal. Parfois sœur Lucy lui suggère de faire les mots croisés puisqu'il était professeur d'anglais. « Mais à quoi bon ? réplique-t-il sèchement. Je ne serai peut-être pas là pour les solutions. »

— Alors ton homme vient vraiment ? dit Finty.

Si tu veux savoir à quoi elle ressemble, imagine un épouvantail en pantalon stretch violet, en sweat-shirt de couleur vive, et coiffé d'un turban en éponge vert. Elle porte un rouge à lèvres écarlate et demande à sœur Lucy de lui faire les ongles assortis. Elle dessine deux arches orange à la place de ses sourcils, ce qui lui donne un air perpétuellement surpris. Elle dit aux bénévoles que l'un des points positifs de la chimiothérapie c'est qu'elle n'a plus un poil sur le visage ou le corps. C'est comme une épilation brésilienne gratuite, dit-elle. Mais l'envers de la médaille c'est que tous ses cheveux sont tombés aussi. (« Qu'est-ce que c'est qu'une épilation brésilienne ? » a demandé sœur Lucy l'autre jour. Finty a avalé sa salive et semblé demander de l'aide, mais le roi Nacré examinait un colis et Barbara avait encore perdu un de ses yeux de verre sur ses genoux. « C'est un genre de coupe de cheveux, répondit Finty. Très courte. »)

— Peut-être que l'ami de Queenie fait juste une longue promenade, dit sœur Lucy. Et il lui envoie de jolies cartes pour lui raconter sa balade.

Elle s'était remise à son nouveau puzzle. C'était une représentation des îles Britanniques et il y avait mille pièces. Jusqu'à présent elle avait réussi à assembler une mince bande de Cornouailles et un petit bout de la côte du Norfolk. Les îles Britanniques ont la forme d'une sandale.

— Mais pourquoi Harold Fry aurait-il dit qu'il venait jusqu'à Berwick-upon-Tweed ? demanda Finty. Et pourquoi dirait-il à Queenie de l'attendre ?

Monsieur Henderson émit un grognement.

— Quel âge a cet homme exactement ?

J'ai fait mine de ne pas avoir entendu et il réitéra sa question, beaucoup plus fort. Je levai les doigts très vite pour montrer un six et un cinq. Soixante-cinq. Monsieur Henderson se mit à rire.

— Je vois. Il vient de prendre sa retraite et il en a assez d'être à la maison. Harold Fry devrait essayer de partir en vacances dans un club.

Je me sentis rougir de la tête aux pieds.

Barbara déclara qu'un homme l'avait aimée autrefois. Il s'appelait Albert Bates. Le roi Nacré dit que des tas de femmes l'avaient aimé et qu'il espérait qu'elles n'auraient pas la drôle d'idée de se mettre à lui courir après. Il est très grand, c'est presque un géant, et les boutons de sa veste brillent comme une centaine d'écailles. Il grogne plus qu'il ne parle. La première fois que je l'ai entendu, je l'ai pris pour un tracteur.

J'écrivis : ***Mais Harold Fry n'était pas amoureux de moi.*** J'espérais que ce serait la fin de toute cette histoire. J'espérais qu'ils me laisseraient de nouveau tranquille.

— Peut-être qu'Harold Fry fait une sorte de pèlerinage moderne, dit sœur Philomena.

L'une des bénévoles se mit à rire.

— À Berwick-upon-Tweed ?

Sœur Philomena rit aussi.

— Oh, je ne sais pas. C'est peut-être quelque chose qu'il a besoin de faire.

— Je vois, dit Barbara. Je vois.

— Ce n'est pas tout à fait vrai, intervint monsieur Henderson.

— Moi j'aimerais bien qu'un vieux schnock marche pour moi, dit Finty. Même si c'était juste un petit aller-retour, ça serait agréable.

Soudain la nouvelle jeune femme se mit à suffoquer et elle émit une série de cris minuscules. Comme si elle avait mangé quelque chose qui était resté coincé dans sa gorge. Tous les orifices de son visage s'ouvrirent, ses yeux, sa bouche, ses narines. Ses mains se raidirent, ses doigts se tendirent. Pendant un moment personne ne bougea, personne ne comprenait ce qui se passait, et puis tout se mit en mouvement. Je n'entendais que l'affreux son qu'elle faisait en étouffant, et tout ce que je voyais derrière la foule d'habits noir et blanc, c'était le battement du chausson de la jeune femme tandis qu'elle luttait pour rester en vie. Les sœurs la soulevèrent pour l'aider à respirer. Quelqu'un demanda de l'oxygène. Puis le chausson cessa de battre l'air et demeura immobile au bout du pied. Il y eut un instant de silence. Tout s'était passé si vite.

Sœur Lucy me prit dans ses bras et m'emporta. Elle n'avait pas le temps de prendre le fauteuil roulant. Elle ne dit rien mais les traits de son visage s'étaient durcis.

Je ne connaissais même pas le nom de la jeune femme. Elle devait avoir une vingtaine d'années. La camionnette de l'entrepreneur des pompes funèbres était là dans l'après-midi.

— Un poids léger, dit monsieur Henderson à l'heure du thé.

Les religieuses avaient placé sur chaque table des serviettes en lin et des jacinthes du jardin.

L'accomplissement de petites choses

— Je suis désolée d'être en retard ce matin, dit sœur Mary Inconnu, mais je déposais une plante à une amie. J'ai eu des difficultés à la monter et à la descendre du bus.

Elle défit son anorak et le suspendit au dos de la chaise. Je secouai la tête avec impatience mais elle reprit.

— C'était l'heure de pointe. Imaginez une nonne dans un bus avec une grosse plante en pot. (Elle ouvrit son sac en cuir et posa la machine à écrire sur ses genoux.) Qu'allons-nous écrire aujourd'hui ?

Je pensai à tout ce qu'elle avait dû avoir le temps de faire pendant que j'étais allongée ici et qu'on s'occupait de moi. Le ciel derrière la fenêtre était d'un bleu glacé très pur. Il y aurait un gel tardif, peut-être le dernier de l'année. J'imaginai mes sculptures en bois scintillant, recouvertes de paillettes de givre. Je songeai aux feuilles et à l'herbe cristallisées par le gel. Le sommet de la falaise devait être aussi bleu que la baie en contrebas. J'étais submergée par le chagrin. Je ne parviendrais jamais à la fin de ma lettre. L'histoire que je voulais raconter était trop longue, et la vérité était si compliquée à dire.

Quand quelque chose est cassé, jette-le…

Je gribouillai : ***Je ne veux pas être ici. Je veux être dans mon jardin du bord de mer.***

Sœur Mary Inconnu lut ce que j'avais écrit et demeura silencieuse. Elle pencha la tête comme si elle écoutait quelque chose que je ne pouvais pas entendre. Puis elle dit :

— Je crois que ça aide de commencer sa journée en faisant juste une petite chose mais toujours la même. J'ai connu un homme d'affaires, un homme très riche, qui sortait tous les matins pour ramasser des bouts de bois. Il disait que ça l'aidait à éviter toutes sortes de conflits dans la journée. J'ai un autre ami qui promène son chien sur la plage. Je comprends bien que pour vous les bouts de bois et le chien sont hors de question, mais vous pourriez apprendre un poème par cœur. Ou faire des exercices pour la colonne vertébrale. Ça fait du bien de se livrer à des petits rituels. Quel sera le vôtre, Queenie ?

Elle jeta un regard circulaire sur la chambre.

Ce n'était pas très motivant. Le fauteuil roulant. L'évier. Une peinture encadrée de deux oiseaux bleus. Des rideaux jaunes. Une fenêtre. Les branches de l'arbre au-dehors couvert d'un maigre châle de feuilles. Il y avait une télévision mais je m'en étais passée pendant vingt ans. Je levai les mains en signe d'impuissance.

— D'accord, dit sœur Mary Inconnu. (Je ne savais pas du tout ce qu'elle allait suggérer.) On va faire des étirements de doigts.

Et c'est ce que nous avons fait. Je l'ai imitée quand elle s'est assoupli les poignets puis a placé ses mains paume contre paume. Je l'ai imitée quand elle a tendu d'abord son pouce, puis l'index, et ainsi de suite. Je me rappelai ta façon de baisser la vitre de ta voiture et de faire des signes lents avec ta main. De l'extérieur du centre de soins palliatifs me parvenaient le cri des mouettes dans le ciel et le bruit du vent dans l'arbre. J'entendais les religieuses parler avec l'équipe médicale dans le couloir. Mais c'étaient des sons qui coulaient doucement dans mes oreilles. Je les entendais et je les laissais partir. Tout ce que je gardais en moi, c'était l'image de toi en train de conduire. Je souris.

— Voilà qui est mieux, dit sœur Mary Inconnu. Vous êtes prête pour votre lettre à présent ? Un mot après l'autre.

Tyran de pacotille

Le plus étonnant, Harold, c'est que je n'étais même pas une vraie comptable. J'avais fait des études de lettres classiques. Et je ne vis un livre de comptes de près que lorsque je décrochai mon premier travail comme assistante d'un homme politique. Il aimait bien que je trafique ses souches de chéquier pour éviter que sa femme n'ait des soupçons. Il me demanda de faire autre chose aussi mais je refusai.

Après ma décision à Bantham Beach de prendre un nouveau départ, j'avais réservé la chambre la moins chère que j'avais pu trouver dans un *bed and breakfast* à la lisière de Kingsbridge. L'endroit empestait la sauce et le désodorisant pour tissus. L'odeur était partout. Sur les murs en aggloméré, les draps de nylon, la lampe de chevet rose et son abat-jour en papier. Parfois je la sentais encore quand j'étais dans la rue. Elle s'était insinuée dans ma peau, mes cheveux, et s'y accrochait. Il fallait que je trouve un autre endroit.

Je vis une annonce dans le journal local pour un travail à la brasserie et je m'y rendis pour un entretien. J'étais surdiplômée pour ce poste mais il me le fallait absolument. Ce travail serait une étape. Je resterais à Kingsbridge quelques mois puis j'irais ailleurs. J'étais sûre que, d'ici à la fin de l'été, ma vie serait bien différente.

— Je viens pour être votre nouvelle comptable.

— Vous ? s'exclama un homme en costume trois pièces élimé. (C'était Napier. Il s'arrêta sur le seuil de son bureau et me fixa avec stupéfaction.) Mais vous êtes une femme.

Je m'examinai, regardai mes seins, la finesse de mes mains, comme si je n'avais rien remarqué de tout cela avant.

— Mon Dieu, m'écriai-je, c'est vrai !

C'était supposé être drôle. J'aimais rire. Mais visiblement Napier n'était pas sensible à mon humour. Il eut l'air horrifié puis furieux. C'est dommage que les hommes de petite taille ne portent pas de talons, cela éviterait à tout le monde beaucoup d'ennuis.

— Foutez le camp, dit-il.

Dans son empressement à s'éloigner de moi, il entra presque en collision avec un sapin de Noël.

— Vous devez au moins me recevoir, dis-je. L'égalité des droits, vous connaissez ?

Apparemment cette remarque-là était drôle. Napier se retourna et me montra les dents. Puis il éclata d'un rire aigu. Je voyais les plombages en or de ses molaires. Ce n'était pas très agréable.

— Mais vous n'êtes pas la personne que je veux pour ce poste, hurla-t-il.

J'aurais dû partir. L'odeur de la brasserie était si écœurante que je me pinçais sans cesse les joues pour leur redonner des couleurs. Mais la manière dont cet homme m'avait dévisagée en riant, comme si je n'étais pas assez bien et que je ne le serais jamais, me rendait têtue.

— D'accord, dis-je. J'attendrai jusqu'à ce que vous ayez changé d'avis.

C'était à mon tour d'esquisser un sourire. Même si le mien était douloureux. J'attendis toute la matinée. Chaque fois que Napier ouvrait sa porte, j'étais là. Il demandait à sa secrétaire :

— Des candidats ?

Elle répondait :

— Mademoiselle Hennessy.

La porte claquait de nouveau.

À l'heure du déjeuner, Napier passa furtivement dans le couloir, presque collé au lambris du mur. Sa secrétaire me demanda si j'allais bien, si je voulais de l'eau, mais je répondis que non.

— Peut-être que ce n'est pas un poste pour vous, dit-elle gentiment.

Nous avons entendu Napier crier contre quelqu'un dans une autre partie du bâtiment avant qu'il ne réapparaisse. Il jeta un coup d'œil anxieux à ma chaise, espérant la trouver vide. Je me levai et lui fit un signe de la main.

— Je suis là, monsieur Napier.

La faim me rendait toute faible.

— Vous aimez le sexe et les voyages, mademoiselle Hennessy ?

Enfin. Ça ressemblait à un entretien, même si la forme n'était pas conventionnelle. Je rougis mais je ne me laissai pas intimider.

— En fait, oui.

— Alors allez vous faire foutre !

La porte claqua. Je demandai à la secrétaire si son patron aimait les femmes, et elle répondit que oui, mais surtout à l'arrière de sa voiture. Il aimait aussi Margaret Thatcher et la reine d'Angleterre, mais pas à l'arrière d'une voiture. Ces deux-là trônaient dans des cadres en argent. Je dis quelque chose comme « Bon, ça ne fait rien », mais elle ne comprit sans doute pas que j'avais dit cela avec ironie.

À cinq heures du soir, personne d'autre n'était venu. La secrétaire de Napier enfila son manteau et éteignit les lumières.

— Il y aura du travail ailleurs, dit-elle. Quand la saison commence à Kingsbridge, on cherche des serveuses par exemple.

Je lui expliquai que j'avais besoin d'un travail de bureau, un travail qui n'impliquait pas de porter des choses, et que je n'avais quasiment plus un sou. Je n'avais pas le temps d'attendre.

— Bon, alors bonne chance, dit-elle.

Je demeurai une bonne demi-heure assise. La brasserie était soudain silencieuse comme peut l'être un vieux bâtiment, comme si le silence était fait de craquements qui n'avaient plus rien à voir avec les gens mais seulement avec les choses qu'ils avaient laissées derrière eux.

Je frappai à la porte de Napier et j'attendis. Avait-il sauté par la fenêtre pour m'échapper ? Avais-je attendu toute la journée pour me faire avoir à la dernière minute ? C'en était trop. J'ouvris sa porte et avançai au milieu d'un nuage de fumée. Je vis sur son bureau une collection de clowns en verre de Murano, une vingtaine, bleus, orange, jaunes, comme un orchestre de musiciens dans le brouillard. Et Napier était là, derrière eux. Se balançant d'un air anxieux sur un fauteuil de bureau en cuir et acajou.

— Ne touchez pas aux clowns de verre, grogna-t-il. (Comme si j'avais pu y toucher.)

Je suis désolée de te rappeler tout ça, Harold.

— Il semble que vous allez devoir m'embaucher, monsieur Napier, lui dis-je.

— Je vous ai déjà dit que ce n'était pas un travail pour une femme.

Il alluma une cigarette avec celle qu'il venait de terminer et écrasa le mégot dans un cendrier.

— Je ne veux pas d'un travail de femme. Je veux un travail d'homme. Je peux vous faire économiser cinq cents livres en six mois.

Je n'avais pas la moindre idée de la manière dont j'allais m'y prendre, mais je poursuivis :

— Je suis restée assise ici toute la journée. Quand j'ai décidé quelque chose, je ne change pas d'avis. Qu'avez-vous à perdre ?

Et c'est comme ça que j'ai obtenu mon poste de comptable. J'achetai un tailleur bon marché en laine marron, un peu large à la taille, dans une brocante à Kingsbridge. J'achetai aussi un sac noir et une confortable paire de chaussures marron à lacets, petit talon et bout carré. Je passai toutes mes journées à la bibliothèque, lisant des ouvrages sur la comptabilité et la finance, et parfois je pensais à l'homme que j'avais laissé derrière moi, l'homme de Corby, et j'aurais pu pleurer, mais j'avais déjà versé tant de larmes…

Je retournai à la brasserie après le Nouvel An, m'attendant un peu à être rejetée, et à prendre un autre bus le soir même, mais la secrétaire de Napier m'accueillit d'un :

— Ah, mademoiselle Hennessy, votre bureau est au premier étage, troisième porte sur la droite.

Les bras m'en sont presque tombés. De toute évidence, tout le monde à la brasserie savait qu'une femme allait travailler à la comptabilité. Plusieurs représentants s'attardèrent devant la porte de mon bureau pour jeter un œil. Une femme. Des maths. Un tailleur marron. Pour eux c'était évident. Souviens-toi, ça se passait il y a vingt-quatre ans. Derrière les murs victoriens de la brasserie, rien n'avait changé depuis des décennies.

— Vous êtes la première lesbienne que nous ayons eue, dit gaiement la secrétaire de Napier.

— Mais je ne suis pas lesbienne. J'aime les hommes. Je les aime vraiment.

— Nous sommes dans un pays libre ! dit-elle d'une voix suraiguë.

Elle sourit mais ne me serra pas la main.

Sœur Philomena distribue les médicaments et l'infirmière de service change mon pansement et me donne un nouveau patch antidouleur. Elles ont l'air surprises de me trouver assise dans mon lit avec mon crayon et mon carnet.

— Vous allez bien ? demande sœur Philomena. Vous avez l'air très occupée.

— Je vais bien, dis-je en bougonnant, avant de sourire.

— Nous allons bien toutes les deux, dit sœur Mary Inconnu. Elle remet ses pages dactylographiées en ordre. La journée a été bonne.

— Bien, dit sœur Philomena.

— Bien, répéta l'infirmière de service.

Nous rions toutes, comme si c'était le mot de la fin.

La chanson du dimanche

Le cheval est de nouveau là mais ça doit être le jour de congé de sœur Mary Inconnu. Le cheval bouge sans arrêt son arrière-train et se cogne dans la chaise. Il porte un chapeau et quatre chaussures de danse. Les chaussures ressemblent aux miennes. Son chapeau de paille est garni de fleurs en plastique et de cerises ; il n'est pas très différent de celui que portait ma mère pour ma remise de diplômes. C'était une femme plutôt masculine et le chapeau ne lui allait pas. Il glissait sans arrêt de sa tête, ce qui la contrariait profondément. « *Scheisse, scheisse*[*] », grognait-elle. À la fin ce fut mon père qui le tint dans ses mains comme s'il portait une vraie salade de fruits.

Il n'y a aucune trace de la propriétaire du cheval, la femme au pamplemousse. Peut-être qu'elle est en train d'acheter du foin.

Avant de commencer à t'écrire aujourd'hui, je me suis exercée à étirer mes doigts. Puis sœur Lucy m'a lavé ce qu'il me reste de cheveux et est allée chercher son séchoir.

— Vous avez de jolies oreilles, m'a-t-elle dit.

Elle a ramassé quelques-unes de mes feuilles qui traînaient par terre. Elle a froncé les sourcils, puis les a retournées comme si ça pouvait aider. J'ai désigné ma valise où elle pourrait les entreposer.

— Je suis en train d'écrire une lettre à Harold Fry, lui ai-je expliqué. Sœur Mary Inconnu m'aide.

J'aurais dû griffonner cette phrase dans mon carnet parce que la pauvre fille ne me comprend jamais mais j'étais fatiguée. Lorsque j'eus fini de parler, une expression de panique se peignit sur son visage. Dans son effort pour me comprendre, ses petits yeux clignèrent.

— Je ne suis pas sûre d'avoir compris, dit-elle lentement.

Je tendis la main vers mon stylo et mon carnet mais elle m'arrêta.

* « Merde, merde ». En allemand dans le texte original.

— Non, non. Répétez votre phrase. C'est ma faute. Je suis sûre que je comprendrai cette fois-ci.

Je parvins à articuler :

— J'écris une lettre.

Je séparai bien les syllabes comme je le faisais à la poste d'Embleton avant que les choses ne deviennent difficiles et que je cesse d'y aller.

Sa bouche rose s'étira et elle éclata d'un rire triomphant.

— J'ai compris, Queenie ! Je sais ce que vous avez dit !

Elle se leva avec enthousiasme. Arrivée à la porte elle se retourna.

— Un sucre ou deux dans votre thé ?

Pas de carte postale.

Le blues du lundi

Toujours pas de carte postale.

Je suppose que tu es rentré chez toi.

— Oh, ça suffit ! dit sœur Mary Inconnu. Revenons à notre lettre.

Un nouveau patient est arrivé. Un homme. D'environ trente-cinq ans. Il porte un pyjama en satin, de grands chaussons bleus comme des pieds de monstre, et il a un pansement autour de la tête. Comme le bandage s'affaisse sur le sommet de son crâne, on pourrait croire qu'il s'agit d'un œuf à la coque dont on aurait coupé une extrémité.

Sa famille l'a accompagné. Deux petites filles, une jeune femme en uniforme de travail blanc, sa mère et son père, et une autre femme qui doit être sa sœur ; elle a les mêmes yeux sombres que lui. L'homme semble être au centre de tant d'existences. Ils sont tous assis près de lui, très droits, le dos raide, sur des chaises placées sous le panneau d'affichage en liège dans la salle de jour. Ils le regardent et nous regardent tout en s'accrochant à leur tasse de thé et à leurs gaufrettes, comme si c'était contagieux de mourir et que seuls les rituels les sauveraient.

— Mon papa a de nouveaux chaussons, dit l'une des petites filles.

— Ils sont beaux, dit le roi Nacré.

— Et aussi un nouveau pyjama.

— Très beau aussi.

La mère regarda sa fille d'un air inquiet. Ne parle pas aux étrangers. Surtout ceux-là. La grand-mère tira un cahier à dessin de son sac et l'appela :

— Viens ici, Alice.

— Qu'est-ce qu'elle a, cette dame ? demanda la petite fille.

La jeune maman pinça sa bouche pour montrer qu'elle pensait à quelque chose d'important et qu'elle n'avait pas entendu. Mais cette fois la petite fille se leva. Elle pointa son doigt en criant :

— POURQUOI LA VIEILLE DAME A CETTE TÊTE-LÀ ?

— Oh, c'est Barbara, dit Finty. Elle n'a pas d'yeux. On lui a donné deux yeux de verre mais l'un d'eux sort sans arrêt. N'est-ce pas, Babs ?

Barbara éclata de rire. La petite fille qui s'appelait Alice fit de même.

Sa famille ne rit pas.

— Tu peux faire des dessins sur mon cahier si tu veux, dit Alice.

— Génial, dit Finty. J'adore colorier.

Deux beaux sandwiches

— Voici mademoiselle Hennessy. C'est notre nouvelle comptable. Est-ce qu'on vous a dit comment nous nous sommes rencontrés ?

Si je suis honnête, ce qui après tout est mon but cette fois-ci, je dois avouer que j'étais très agacée lorsque tu sortais de la voiture et que tu racontais aux patrons de pub notre première rencontre. Chaque fois, ça te faisait rire et je me disais : « Mon Dieu, voilà qu'il recommence. » T'entendre te tromper encore et encore sur les détails, c'était comme être mariée avec toi sans les bons côtés.

— Oui, c'est une histoire très drôle. Vraiment drôle. Nous nous sommes rencontrés dans le local à fournitures.

C'est absolument faux.

Avant que je ne me ridiculise dans ce fameux local, nous avions été présentés l'un à l'autre. À la cantine. Je le sais parce que je t'observais tous les jours de la fenêtre de mon bureau. Je voulais en savoir plus sur cet homme élancé qui cachait des canettes vides dans les poubelles, qui dansait avec son ombre et tenait tête à une brute.

C'était l'heure du déjeuner. Je travaillais à la brasserie depuis deux semaines et j'étais assise à côté de la secrétaire de Napier. Je me souviens maintenant, elle s'appelait Sheila. C'était une femme discrète, qui parlait doucement, mais ses seins étaient si énormes que même si vous tentiez d'apprécier une autre partie de sa personne – sa bouche plutôt ordinaire par exemple ou son mince rideau de cheveux –, vos yeux étaient attirés comme des aimants par sa poitrine. Cela faisait le même effet à tout le monde. Les hommes avaient des conversations entières avec ces malheureux seins. Je l'observais, elle était gênée mais patiente, comme si elle attendait que les gens relèvent la tête et comprennent qu'elle avait un visage, elle aussi.

Je me revois lui demander poliment comment elle allait. Elle m'a tout aussi poliment répondu en parlant du temps qu'il faisait, puis tu t'es arrêté à notre table. Je n'ai même pas levé la tête. J'ai juste vu des chaussures de bateau et les revers de ton pantalon qui n'étaient pas assez longs pour recouvrir le motif à rayures de tes chaussettes. J'avoue que j'ai été frappée par l'extrême banalité de cette partie de ton corps.

Et j'en étais là de mes pensées quand j'ai levé les yeux et que j'ai découvert que c'était toi. L'homme que je recherchais. J'ai rougi.

À ma grande surprise, tu as rougi aussi. Mais tu n'étais pas gêné parce que tu m'avais secrètement espionnée d'une fenêtre du premier étage. Ça non. Tu étais ouvertement fasciné par le décolleté de Sheila. Tu n'arrivais pas à détourner ton regard.

— Bigre, dis-tu à voix haute.

— Ah, bonjour monsieur Fry, dit Sheila.

Tu as eu l'air effondré, comme si ta bouche venait d'articuler le seul mot que tu espérais ne pas prononcer. Tu tentas alors de rattraper ton terrible faux pas. Et tout ce que tu réussis à dire ce fut :

— Juste ciel !

— Harold Fry est l'un de nos représentants, me dit Sheila comme si cela expliquait tout. (Puis, s'adressant à toi :) Voici mademoiselle Hennessy. Elle est nouvelle. Elle travaille dans les comptes.

Tu rectifias ton nœud de cravate. (Il était tout à fait en place. Comme toujours. Mais je découvris que c'était un geste que tu faisais, comme d'autres s'éclaircissent la gorge, ou comme mon père avait l'habitude de dire : « Voilà, c'est comme ça », à la fin d'une conversation.)

— Enchanté de vous rencontrer toutes les deux, dis-tu en nous tendant la main.

Une fois de plus, tu parus comprendre ce que tu avais fait, et cette fois tu poussas un soupir. Les autres représentants délaissaient déjà leur tourte à la viande et leur cigarette pour éclater de rire.

— Voulez-vous vous joindre à nous, monsieur Fry ? demandai-je.

Tu ne pouvais plus t'en aller. Il était clair que tu aurais préféré fuir la cantine et ton erreur, mais tu as posé tes sandwiches sur la table à côté des miens. Apparemment tu n'étais pas prêt à aller plus loin. J'avais préparé mes sandwiches le matin même : du jambon sur du pain bis. Les tiens étaient dans un tupperware sur le couvercle duquel était inscrit « David Fry ». Je devinai que tu avais une épouse qui t'avait fait ton déjeuner.

Nous étions trois à présent à ne pas savoir quoi dire. Sheila et moi t'avons regardé et tu es resté debout, immobile, juste à côté de ta boîte à sandwiches.

À la fin Sheila dit :

— Je me marie la semaine prochaine.

— C'est formidable, m'exclamai-je.

— En fait, je suis très angoissée.

— Angoissée ? Pourquoi ?

— Je ne sais pas. C'est comme ça. Je peux à peine manger. Regardez.

Elle nous montra son déjeuner. C'était vrai. Elle n'y avait presque pas touché.

Tu échangeas un regard rapide et inquiet avec moi. Cela nous lia comme si c'était de notre devoir de rassembler nos forces pour aider cette jeune femme. Ne vous connaissant ni l'un ni l'autre, bien sûr, et ne connaissant rien au mariage, je me contentai de hausser les épaules. À toi de jouer, Harold. En plus, j'étais déconcertée par tes yeux. Leur bleu était si profond, si généreux que je ne pouvais pas vraiment penser à autre chose.

Tu joignis les mains derrière ton dos. Tu écartas fermement les pieds et semblas les enfoncer dans le sol. Tu penchas la tête pendant un instant, pensant à quelque chose, et ton front, une fois encore, se plissa. Sheila me regarda comme pour dire : « Qu'est-ce qu'il fait ? » Et je lui fis un sourire qui signifiait : « Aucune idée, mais attendez. »

— Je vous en conjure, ne soyez pas nerveuse, dis-tu lentement. J'ai passé la plus grande partie de ma nuit de noces dans la salle de bains. Mais ce fut quand même le plus beau jour de ma vie. Vous serez heureuse.

Alors tu relevas la tête et fis un grand sourire. Ce dernier s'étalait sur tout ton visage, jusqu'aux oreilles. Tes yeux pétillaient. Je savais que tu verrais toujours le coté positif des choses parce que tu aimais les gens, et que tu voulais leur bonheur. C'était contagieux.

Avant de travailler à la brasserie, j'avais fait beaucoup de choses, vu beaucoup d'endroits, rencontré beaucoup de gens. J'avais été major de promotion à l'issue de mes études de lettres classiques. J'avais pris un travail dans un bar pour me payer une formation de secrétaire. Ensuite j'avais pris ce poste de chercheuse et quand ça s'était compliqué, j'étais devenue guide touristique puis tutrice. Pendant quelques années, j'avais passé du temps avec un groupe de femmes artistes à Soho, puis j'avais eu une liaison avec un juge à la retraite (le Fumier) à Corby. L'un dans l'autre, j'avais entendu les gens manier les mots de toutes sortes de façons. Je les avais entendus ne pas dire ce qu'ils pensaient et je les avais vus ne pas faire ce qu'ils disaient, mais je n'avais jamais rencontré quelqu'un qui parlait aussi simplement et transmettait autant. Sheila écoutait en souriant. Tu étais là, les pieds ancrés dans le sol, les épaules solides, déclarant qu'elle serait heureuse avec tant de conviction qu'elle se mit immédiatement à le croire aussi. Puis tu dis :

— Eh bien, au revoir mesdames.

Et tu partis avec mes sandwiches.

Les tiens étaient à la dinde avec de la mayonnaise sur du pain blanc. Ta femme avait découpé les bords du pain. Je le sais parce que je les ai mangés.

Sheila se tourna vers moi.

— Il est gentil, monsieur Fry. Pas comme les autres. Ça va aller maintenant.

— C'est un danseur, n'est-ce pas ?

Elle rit.

— Non, je ne crois pas. La plupart du temps, il reste assis à son bureau.

Après j'ai demandé des informations sur toi aux autres secrétaires mais personne n'avait grand-chose à dire. Tu travaillais à la brasserie depuis plus longtemps que la plupart des autres gens. Tu n'avais jamais manqué un seul jour de travail, même pour la naissance de ton fils. Apparemment, tu prenais deux semaines de vacances chaque été avec ta famille, mais il n'y avait pas de photos sur ton bureau, comme je le découvris lorsque je te rendis ton tupperware. Je ne vis que des trombones, un taille-crayon en plastique et un calendrier de Noël offert par le traiteur chinois qui n'aurait à présent plus d'utilité.

T'observant à distance, je découvris plusieurs choses : les lundis, mercredis et vendredis, tu portais un complet marron et une sélection de cravates de golf ; les mardis et jeudis, tu portais du velours côtelé beige et un pull-over beige à encolure en V. Manifestement tu voulais plus que tout te fondre dans le décor.

Tes yeux étaient d'un bleu profond, et si vifs que c'en était surprenant. Des années plus tard, j'essayai de retrouver la même couleur dans mon jardin du bord de mer, et j'avais l'impression que c'était parfois celle de mes iris, parfois celle de mes pavots qui s'en rapprochait. Certains matins d'été, quand le ciel se reflétait dans le bleu tranquille de la mer, je te retrouvais. Tu marchais le dos droit. Tes cheveux bruns si épais ne tenaient jamais tout à fait en place. Tu portais ton écharpe (à rayures dans les tons beiges) en un nœud serré, ce qui me fit penser que ta mère t'avait averti un jour que tu attraperais un rhume si tu prenais froid au cou. Cela me mettait de bonne humeur de te regarder de loin et de me poser toutes ces questions. Je supposais que tu buvais et que tu en avais honte mais bon, nous avons tous des secrets.

Je ne t'ai jamais vu sans une cravate de golf.
Je ne t'ai jamais vu avec un club de golf.
Je ne t'ai jamais vu sans chaussures de bateau.
Je ne t'ai jamais vu sur un bateau.

Le gentleman solitaire

Eh bien, Harold, cela fait une semaine entière que tu marches et tu as dépassé Exeter. Deux cartes postales en une journée ! La description de tes pieds dans tes chaussettes est tout à fait saisissante. J'espère que tu as pu acheter des pansements à Chudleigh. J'aime bien la photo d'Exeter. La cathédrale et le feuillage. C'est étonnant de penser que je n'y suis pas allée depuis vingt ans. Depuis le jour où j'ai quitté le Devon pour de bon.

« *Chère Queenie,* lit sœur Lucy, *Tiens bon. Bien à toi. Harold Fry.* »

— Alors cet imbécile n'est pas encore rentré chez lui ? demanda monsieur Henderson.

— Bien sûr que non ! déclara Finty. Il marche pour voir Queenie Hennessy.

Au courrier d'aujourd'hui, Finty a reçu un bon lui proposant un an de crackers McVitie gratuits si elle remplit un questionnaire sur Internet. Il n'y avait rien pour monsieur Henderson.

— Avec du courrier comme le vôtre, on va pouvoir ouvrir une agence de publicité ! dit-il.

Le roi Nacré a reçu deux colis mais il préfère les ouvrir dans sa chambre. Barbara a reçu de son neveu un étui à lunettes en tricot.

— C'est adorable, dit-elle. Quel dommage que je n'aie pas d'yeux. Mais je peux mettre ma seringue dans l'étui. Ce sera aussi bien.

Un autre groupe de patients doit arriver cet après-midi.

— Quand on passe ces portes, c'est un billet de non-retour, déclara monsieur Henderson. À qui le tour ?

J'ai fait semblant de lire tes cartes.

— Vous avez vécu à Kingsbridge, Queenie ? demanda sœur Catherine.

J'acquiesçai rapidement.

— C'est comme ça que vous êtes devenue amie avec Harold Fry ?

J'acquiesçai de nouveau.

— Pourquoi êtes-vous donc partie ?

Je sentis mon nez se mettre à me picoter. Sœur Lucy me prit la main.

— Alors quand pensez-vous qu'Harold Fry arrivera ici ? demanda-t-elle courageusement. Demain matin ou demain après-midi ?

Sœur Lucy est l'une des jeunes femmes les plus gentilles que j'aie rencontrées. Elle excelle dans l'art des manucures et des brushings. Mais je crois que la pauvre fille n'a jamais vu une carte de l'Angleterre.

Je comprends pourquoi elle a tant de mal avec son puzzle.

Oui, je me rappelais d'Exeter. C'était juste à la fin. J'étais allée chez toi, Fossebridge Road, pour dire au revoir ; tu n'étais pas là et j'avais rencontré ta femme. Ce fut la seule fois où nous avons parlé ensemble, elle et moi, et ce fut la conversation la plus dévastatrice de ma vie. Je me souviens du café noir de monde en face de la gare d'Exeter où je m'installai le matin suivant avec ma valise en tissu en me demandant ce que j'allais faire. C'était évident que je devais partir. Les mots de Maureen résonnaient encore à mes oreilles. Chaque fois que j'étais immobile, je les entendais. J'avais marché des heures après cette rencontre mais il n'y avait rien à faire, je ne pouvais pas oublier ce qu'elle m'avait dit. Je la voyais aussi. Dans mon esprit, je la voyais. Elle étendait encore et encore le linge, comme si le soleil n'arriverait jamais et que le vent ne soufflerait jamais et qu'elle ne viendrait jamais à bout de sa tâche. Derrière elle, des rideaux tout neufs pendaient à chaque fenêtre. La maison avait fermé les yeux.

Je ne sais pas pourquoi certains de ces souvenirs ont la clarté du cristal. Je me rappelle un simple détail et cette image tout entière me submerge comme une vague, alors que d'autres choses, des choses dont j'aimerais me rappeler, demeurent complètement hors de portée. Si seulement la mémoire était une bibliothèque où tout serait rangé à sa place. Si seulement on pouvait aller au bureau et dire à la bibliothécaire : « Je voudrais rendre mes souvenirs douloureux de David Fry et sa mère et en prendre des plus heureux, s'il vous plaît. Sur la pêche à l'épinoche avec mon père. Ou les pique-niques sur les rives du Cherwell lorsque j'étais étudiante. »

Et la bibliothécaire dirait : « Bien sûr, madame, nous avons tout cela. Sous la lettre P pour pêcher, et pique-niquer. Vous les trouverez sur votre gauche. »

Alors mon père serait là. Grand et souriant dans ses vêtements de travail, une cigarette roulée dans une main et mon filet de pêche dans l'autre. Je sautillerais pour me tenir à sa hauteur tandis qu'il descendrait le chemin jusqu'au ruisseau. Où est cette fille ? Où es-tu ? Les haies de fleurs fourmilleraient d'insectes et mon père me porterait sur ses épaules et après… Quoi ?

Je n'en ai aucune idée. Je ne me souviens pas du reste.

Mais j'étais en train de parler de ce café à Exeter. L'endroit était déjà rempli à ras bord de valises, de sacs de voyage, de sacs à dos. On pouvait à peine bouger. C'était la fin des vacances scolaires, et dehors s'étendait un brouillard matinal. Autour de moi, je voyais des gens rassemblés, parlant, riant et attendant avec plaisir leur avenir commun. Je vivais tout cela comme une insulte. Il y avait tant de bonheur que les fenêtres en étaient embuées. Je choisis une table près de la porte. Chaque fois qu'elle s'ouvrait, j'espérais que ce serait toi. Harold aura appris ce que j'ai fait pour lui. Si Maureen ne lui a pas transmis mon message, il aura rencontré quelqu'un de la brasserie qui le lui aura dit. Harold viendra me chercher et je lui dirai la vérité. Tout ce que je voulais, c'était te voir une dernière fois.

— Excusez-moi ? Ce siège est libre ?

Mon cœur bondit. Je levai la tête et, bien sûr, c'était un autre homme. Pas toi. Il avait d'épais cheveux bruns, mais pas cette petite boucle sur la nuque comme toi, et ils ne rebiquaient pas non plus au-dessus des oreilles. Il désigna le siège en face de moi.

— Non, ce siège est réservé, lui dis-je. J'attends quelqu'un. Alors fichez le camp.

Je n'ai pas prononcé cette dernière phrase mais je l'ai pensée.

L'homme acquiesça et s'éloigna. Il y avait chez lui quelque chose d'apeuré et de prudent alors qu'il se frayait un chemin entre les bagages et le bruit. Il n'avait pas l'air de connaître l'endroit. Il ressemblait à un animal de verre, tant ses membres semblaient délicats. Il trouva finalement un siège à côté d'une famille et se percha au bout de la table. Il ne cessait de toucher ses manchettes, ses cheveux, ses chaussures, comme font les gens qui ne sont pas sûrs d'eux et qui ont besoin de se rappeler où ils finissent et où le reste du monde commence. Il commanda un thé de Ceylan (pas de lait) et du pain grillé. Puis l'enfant assise à côté de lui renversa sa tasse et l'arrosa de jus de fruits.

Tout le monde sauta sur ses pieds. L'homme seul, les serveuses, les autres clients. « Ne vous inquiétez pas, ne vous inquiétez pas », répétait-il tout en tapotant son costume avec son mouchoir. Les parents de la petite fille lui passaient des serviettes en papier, et ils disaient : « Envoyez-nous la note du pressing, pourquoi ne mangeriez-vous pas notre petit déjeuner ? » Et il rougissait tout en disant : « Non, non, s'il vous plaît. Non, non. » Plus on faisait attention à lui, plus il semblait gêné. Moi je le regardais, pensant, et j'ai honte de le dire : « Bien. Que cet homme solitaire se sente mal à l'aise. Au moins, ce n'est pas moi. »

Un jeune homme arriva. Il n'entra pas dans le café. Il s'arrêta à la porte. En jean. T-shirt. Des bottes de cow-boy neuves aux pieds. Les bras croisés, il parcourut la salle des yeux comme s'il nous comptait. L'homme solitaire se leva. Il essuya encore son costume mais ses mains tremblaient.

— Pardon, dit-il. Pardon, tout le monde.

Il laissa de l'argent pour l'addition et suivit le jeune homme hors du café.

J'essuyai la buée de la fenêtre avec ma manche. De ma place, je les regardai descendre la rue. L'homme solitaire marchait à côté du jeune homme, les mains dans les poches, et le jeune homme posa son bras autour de ses épaules puis le serra contre lui. D'autres gens les remarquèrent et les contournèrent mais le jeune homme gardait son bras sur les épaules de l'homme solitaire et le guidait. Je les regardai dans le brouillard. Puis ils disparurent.

Tu vois, aucune des personnes du café n'était seule. C'était le comble. Harold Fry ne viendra pas, pensai-je. Tu peux attendre toute ta vie, il ne viendra pas. Pour ce que j'avais fait, il n'y aurait pas de pardon. J'attrapai la poignée de ma valise et je la tirai à travers la foule, exactement comme j'avais vu une mère exaspérée tirer son enfant qui hurlait hors du chemin d'étrangers.

— Faites attention à ce que vous faites, marmonnaient les gens.

Je les haïssais, mais en réalité, c'était moi-même que je haïssais. Je fuyais.

À la gare, j'examinai le panneau des départs, essayant de trouver la destination la plus lointaine. Je serais allée sur Mars si Mars avait été sur la liste. Finalement, je dus me contenter de Newcastle.

— Un seul billet, madame ?

Ha ha, très drôle. Merci de me le faire remarquer.

— Oui, je suis seule.

— Non, je veux dire, avez-vous l'intention de revenir, madame ? Voulez-vous un billet retour ?

Sa question provoqua en moi un déclic. Je ne voulais pas partir. S'il vous plaît, ne me laissez pas partir. Ce n'est pas ce que je veux. Je suis amoureuse d'Harold Fry. Ma vie ne sera plus rien si je pars. Puis je me rappelai les mots de Maureen et je ressentis de nouveau le choc qu'ils avaient suscité.

— Un aller simple, s'il vous plaît, demandai-je. Je ne reviendrai jamais.

Ici il ne se passe pas grand-chose

J'entendis dire que le roi Nacré et monsieur Henderson se sentaient trop mal pour venir dans la salle de jour aujourd'hui. Il y avait une malade qui était là avec toute sa famille en cercle autour d'elle ; ils se tenaient tous les mains. Sœur Philomena demanda s'ils voulaient prier avec elle et ils dirent « Oui, avec plaisir ». Ils fermèrent les yeux tandis que sœur Philomena chuchotait les mots, et j'ai pensé que les hommes ne pouvaient pas être plus près de Dieu, peu importe ce qu'il est, que quand ils se tiennent la main et écoutent.

Une bénévole montra à Finty comment faire une fleur en papier. Elles en firent une pour Barbara mais elle la prit pour un chapeau et la mit sur sa tête.

Elle la porta toute la matinée.

Les bourgeons de l'arbre devant ma fenêtre se sont ouverts et sont devenus des feuilles. L'arbre les secoue de temps en temps, l'air de dire : « Êtes-vous heureuses là-haut ? »

Alors j'avais tort. Il s'est passé quelque chose, finalement.

Vois-tu aussi des feuilles ?

Attendez, voulez-vous mon mouchoir ?

Quand tu m'as trouvée dans le local à fournitures, Harold, j'étais déjà à la brasserie depuis un mois. C'était au début du mois de février. J'avais mangé tes sandwiches et fureté autour de ton bureau, mais nous ne nous étions pas reparlé depuis la cantine. J'attendais pourtant à ma fenêtre. Tu étais presque tous les jours dans la cour avec tes canettes vides et parfois je me concentrais très fort pour que tu danses, mais tu ne l'as jamais refait. Peut-être la neige t'avait-elle inspiré. Durant le temps où nous avons travaillé ensemble, nous n'avons plus jamais eu cette neige.

Maintenant imagine-toi ceci. Je suis en train de pleurer dans le local. J'entends quelqu'un approcher et je tire sur la porte, essayant de me cacher. Ou plus exactement, je me comporte comme mon père et j'essaie de ne pas être là. Mais c'est difficile de ne pas être là quand tu es une femme en tailleur en laine marron et qu'autour de toi il n'y a que du papier machine et des enveloppes en kraft.

— Je suis désolé, as-tu dit.

Tu ne savais pas où poser ton regard alors tu as choisi mes pieds. Je ne savais pas comment expliquer ce que j'avais. J'ai tiré sur ma jupe et j'ai baissé la tête. J'ai dit que tout ça, c'était la faute de Napier et des autres représentants qui se moquaient de moi. Que je ne pouvais plus le supporter. Et que j'allais démissionner. Je disais tout ce qui me passait par la tête. Mais je ne dis pas que j'étais enceinte quand j'étais arrivée à Kingsbridge. Que j'avais perdu mon bébé le week-end précédent. Et qu'à cause de mes douleurs dans le ventre et de mon chagrin, je tenais à peine debout.

De toute évidence, tu regrettais deux choses : d'avoir ouvert ce réduit et de m'avoir trouvée à l'intérieur. De mon côté, j'espérais deux choses : que tu refermes la porte du local à fournitures et que je ne te revoie plus jamais. Ça paraissait être la meilleure des solutions.

Tu n'arrêtais pas de regarder de chaque côté du couloir. Gauche. Droite. Gauche. Mais l'aide tant attendue n'arriva ni d'un côté ni de l'autre.

Alors tu pris une petite décision. Je le vis à ton visage et à ta manière de te tenir. Tu écartas un peu les pieds, comme tu l'avais fait avec Sheila. Tu joignis tes mains dans ton dos et la concentration te fit froncer les sourcils tandis que tu te balançais un peu, cherchant à trouver ton équilibre. C'était comme de voir un arbre prendre racine. Tu ne bougerais pas avant de m'avoir aidée. Puis tu parlas.

— Ne démissionnez pas.

Ta voix était douce. J'ai levé la tête vers toi et j'ai découvert que tu avais plongé tes yeux dans les miens.

— Au début moi aussi j'ai trouvé que c'était difficile. Je ne me sentais pas à ma place. Mais ça s'arrangera.

C'était comme un autre sort que tu me jetais. Je ne pouvais pas répondre. Pendant un instant je crus que tout s'arrangerait parce que tu le désirais aussi. C'était simple. Mais j'avais beaucoup perdu, Harold. J'avais voulu plus que tout garder ce bébé.

Puis tu dis :

— Attendez, voulez-vous mon mouchoir ?

— Non, non, je ne pourrais pas, ai-je répondu.

Mais tu n'as pas entendu. Tu l'as sorti de ta poche comme le foulard d'un magicien et tu l'as replié plusieurs fois, avec beaucoup de soin, jusqu'à ce qu'il ait la forme d'un petit coussin.

— S'il vous plaît, as-tu dit gentiment, prenez-le.

Je l'ai pressé contre mon visage et ton odeur m'a submergée.

C'étaient peut-être les hormones. Je ne sais pas. Je sens parfois encore cette odeur. Savon aux épices, café crémeux, et un after-shave au citron. Le mélange doit être absolument parfait. Quand un étranger passait devant mon jardin du bord de mer, je posais mes outils et courais après lui le long du sentier côtier. Je n'avais aucune envie de lui parler ou de le toucher. J'avais juste besoin du parfum et de l'impression de chaleur étourdissante qui l'accompagnait. J'ai essayé de retrouver cette odeur dans une plante mais je n'ai jamais réussi. J'ai fait pousser du thym citronné. Quand le soleil brillait, c'était assez proche. Je m'asseyais à côté avec ma tasse de café mais je devais fermer les yeux pour imaginer le savon.

Nous étions dans le local à fournitures. Tu as demandé si j'avais envie de sortir, j'ai répondu « Merci », mais en fait j'aurais pu dire n'importe quoi. J'ai un peu perdu l'équilibre à cause de la douleur et tu m'as tendu la main.

— Du calme, m'as-tu dit. Rien ne presse.

C'était la première fois qu'un homme me touchait depuis le Fumier de Corby. (Excepté le jeune médecin qui m'a examinée quand j'étais allongée sur un brancard aux urgences de l'hôpital.) L'excitation de sentir tes doigts autour des miens provoqua de petites décharges électriques le long de ma colonne vertébrale, jusqu'à la racine de mes cheveux. Ta main était grande et chaude et ferme. Si seulement j'avais pu rester ainsi, ma main dans la tienne. À un autre moment, ailleurs, dans une autre vie, j'aurais pu faire un petit pas de côté et me jeter dans tes bras. Mais tu étais Harold Fry. J'étais Queenie Hennessy. Je me suis libérée et me suis éloignée de toi aussi vite que je le pouvais. Je courais presque.

Si seulement j'avais continué à courir, pourrais-tu dire. Cela nous aurait évité beaucoup d'ennuis.

Cette nuit-là, j'écrivis une lettre au Fumier. J'y joignis l'argent qu'il avait avec insistance voulu que je prenne pour l'avortement. J'écrivis : « Il n'y a pas d'enfant. » Sa réputation était sauve. (« Reviens, avait-il gémi le visage luisant de larmes. Reviens quand tout sera réglé. Je ne peux pas vivre sans toi, ma chérie. ») J'ajoutai que je ne voulais plus jamais le revoir. Il découvrirait sûrement qu'il pouvait vivre finalement.

Je plaquai ton mouchoir contre mon visage et respirai ton odeur. Je me sentais guérie.

Je ne peux plus écrire. Ma main est fatiguée. Ma tête aussi. L'infirmière de nuit m'a demandé si je souffrais et elle est allée me chercher de la morphine liquide pour m'aider à dormir.

Les deux oiseaux bleus se réveillent et prennent leur envol en dehors de leur cadre. Je regarde le ciel se remplir d'encre. Et je vois les étoiles, elles scintillent. Même le mince quartier de lune est là, brillant de mille éclats.

Sœur Mary Inconnu dit :

— Je dois changer le ruban de ma machine, ma petite Queenie.

Ça suffira pour cette nuit.

Un ultimatum

Il n'y a de nouveau pas de courrier pour moi ce matin. J'avoue que je suis un peu déprimée. Le roi Nacré a eu un autre colis mais il ne l'a pas ouvert.

— Peut-être recevrez-vous une carte d'Harold Fry demain, dit sœur Catherine.

— Demain n'existe pas, affirma monsieur Henderson.

J'avais chaud et je me sentais toute faible.

Peux-tu vraiment marcher de Kingsbridge à Berwick-upon-Tweed ? J'ai essayé de t'imaginer le long d'un chemin de campagne, et tout ce que je parvenais à voir, c'était un homme vêtu de beige faisant des signes aux voitures qui passaient pour les inciter à la prudence.

— Vous avez vraiment besoin de faire ça ? ai-je demandé un jour.

Tu n'as pas semblé comprendre.

— Faire quoi ?

— Ouvrir votre fenêtre et agiter votre main quand vous tournez à gauche ou à droite. Les clignotants sont faits pour ça, non ?

— Vous sous-entendez que je suis un conducteur démodé ?

C'est exactement ce que je pensais mais ce n'était pas une critique, alors j'ai essayé de rendre mon propos plus anodin et j'ai protesté en disant que tu étais juste un conducteur très consciencieux.

— J'ai pensé que c'était ce que souhaitait Napier, as-tu répondu. Il veut que je m'occupe bien de vous. Vous êtes une bonne comptable.

Et je ressentis une petite bouffée de plaisir, parce que quand tu parlais ainsi, je te croyais, de la même manière que je me sentais en sécurité lorsque tu enfilais tes gants de conduite et que tu mettais la clé dans le contact. Et puis tu repris, tout en agitant la main vers les voitures qui arrivaient :

— Cela nous aide à aller plus vite. Franchement, mademoiselle Hennessy, j'aimerais bien que vous cessiez d'être assise là comme une idiote, vous pourriez m'aider.

Quand j'ai passé ma main par la fenêtre en riant, tu as soudain souri et j'ai eu l'impression que ça te faisait plaisir de faire rire quelqu'un d'autre. Je me souviens de m'être demandé si c'était la même chose avec ta femme.

Mais c'était il y a longtemps.

Dans la salle de jour, j'ai imaginé ton arrivée au centre de soins palliatifs. Je t'ai imaginé t'approchant des portes menant au secteur des soins hospitaliers. (N'aie pas peur, Harold, ce sont juste des portes ordinaires.) J'ai imaginé les religieuses t'apportant du thé et te questionnant sur ton voyage. Je t'ai imaginé en train de lire ma lettre. Mais quand j'arrive au moment où tu entres dans ma chambre, où je vois ton visage et où tu vois le mien, je me retourne vers la fenêtre. Je dois me concentrer très fort sur le ciel ou les buissons ou n'importe quoi d'autre pour ne pas penser.

Je t'ai cherché, Harold, au cours de ces années où j'ai vécu sans toi. Pas un jour ne s'est écoulé sans que je pense à toi. Il y eut un temps où j'espérais que cela s'arrête et où je m'efforçais d'oublier, mais cela me demandait tant d'énergie que c'était plus facile d'accepter le fait que tu étais une partie de moi et de continuer à vivre. Parfois je remarquais un homme de haute taille au bord de l'eau, en train de jeter des pierres, et saisie d'une excitation qui me faisait trembler, je me disais : « C'est lui. C'est Harold Fry. » D'autres fois j'entendais une voiture freiner derrière moi alors que je marchais vers le village, ou je passais devant un homme qui se dirigeait vers les ruines du château, un randonneur peut-être, ou j'attendais mon tour derrière un homme dans un magasin. Et quelque chose dans le bruit du moteur, ou les épaules de l'homme, ou sa manière de demander des timbres avec dans la voix la douceur de l'intonation du Sud m'a fait croire un moment que c'était toi. C'est comme un rêve éveillé. Je m'y complais, mais je sais que ce n'est pas la réalité. Embleton Bay est un éparpillement de maisons de vacances au sommet d'une falaise au nord-est de l'Angleterre et je ne t'ai jamais envoyé mon adresse. Mais faire comme si tu étais proche me permet, pour quelques instants, de me sentir de nouveau entière. Ce n'est que lorsque je suis tombée malade que j'ai cessé de te chercher.

Tu as dû changer comme moi j'ai changé. J'avais peu de rides mais à présent ma peau est creusée de profonds sillons. Mes cheveux bruns étaient épais et descendaient jusqu'à mes épaules mais à présent ils sont blancs et mous comme la barbe clairsemée et grisonnante d'un vieil homme. Ma taille était ronde et faite pour porter des jupes mais à présent mon ventre est creux et mes hanches sont maigres et saillantes. Peut-être que tu ne portes plus de beige. Peut-être portes-tu du bleu.

Je posai mon carnet et tentai de t'imaginer en bleu. Tu semblais fait d'eau. Il fallait que je te rhabille vite en beige. Puis je me rappelai que je n'avais pas reçu de carte postale et je me sentis stupide d'avoir ces pensées.

Sœur Lucy demanda si je voulais l'aider avec son puzzle représentant les îles Britanniques, mais je haussai juste les épaules. Puis sœur Catherine suggéra une visite au jardin du Bien-être.

— C'est une belle journée. Ça vous fera sûrement du bien de prendre l'air. Vous aimez les plantes, n'est-ce pas, Queenie ?

J'acquiesçai. Quand sœur Philomena arriva avec son chariot de milkshakes protéinés, je refusai d'en prendre.

— Écoute, dit Finty. Je t'ai observée, miss. Tu restes assise sur cette chaise et tu écris dans ton carnet. Puis arrive l'heure du repas, et tu manges à peine. Parfois tu ne viens même pas dans la salle à manger. Si tu veux continuer à vivre, tu dois venir avec nous et prendre les milkshakes protéinés.

— Non, s'il te plaît, ai-je gémi.

J'en avais eu à l'hôpital. Ils me rendaient malade.

— Apparemment il y a un homme qui parcourt l'Angleterre pour toi. Certains d'entre nous n'ont même pas eu un seul visiteur. Essaie au moins de ne pas passer l'arme à gauche. Je sais que tu as l'impression de ressembler à un monstre mais ici on ne fait pas un concours de beauté. Regarde donc Barbara. Le roi Nacré a un bras en plastique et je porte le contenu de mon intestin dans mon sac à main. Soit tu prends la boisson comme nous soit tu te retrouveras avec une perfusion. Qu'est-ce que tu choisis ?

— Laissez-la, dit sœur Catherine. C'est différent pour chacun.

— Pardon, ma sœur, mais je m'adresse à Queenie Hennessy.

Finty me foudroya du regard avec ses deux sourcils orange.

J'ouvris la bouche. Je sentais que tout le monde, les patients, les sœurs, me regardait. Je savais qu'ils ne me comprendraient pas.

— La boisson, grommelai-je.

— Parfait, dit Finty. Allez, rassemblez-vous. On va se mettre en cercle.

Sœur Catherine m'aida à quitter ma chaise près de la fenêtre. C'était tout près des autres malades mais j'étais très lente, comme si je gravissais une colline. Elle m'installa près de la table basse. Je ne pouvais pas relever ma tête. Je ne pouvais regarder personne. Je fis simplement semblant d'être fascinée par les motifs du tapis.

Sœur Lucy nous proposa un choix de parfums. Barbara et Finty choisirent la fraise. Monsieur Henderson demanda de la vanille. Le malade aux chaussons de monstre demanda du caramel salé. Le roi Nacré choisit le chocolat. Je levai la main pour de la vanille.

— Ça n'a pas d'importance de toute façon, déclara Finty. Ils ont tous un goût de papier mâché.

Sœur Lucy ouvrit les bouteilles et servit les boissons dans des verres avec des pailles. Le liquide avait une couleur entre le beige et le rose qu'on pourrait qualifier de taupe rosé.

Nous avons bu lentement. La moitié de mon milk-shake coula sur ma joue à cause de mon visage déformé. Personne ne parla ou ne bougea jusqu'à ce que les verres soient vides. J'étais la dernière à finir. Monsieur Henderson se leva pour nous distribuer des petites serviettes.

— Voilà une bonne chose de faite, dit Finty en s'essuyant la bouche avec son sweat-shirt. Si on jouait au Scrabble.

— Vous riez ? demande sœur Mary Inconnu.

Je suis heureuse. J'ai passé un bon moment dans la salle de jour. Et aussi pendant le thé.

Elle rit à son tour. Ses sandales se balancent tant elle rit.

— Bien, dit-elle. C'est bien.

Elle murmure quelque chose que je prends pour une bénédiction jusqu'à ce que j'entende le mot « thon ». Je me demande alors si elle me récite sa liste de courses.

Je ne perdrai pas espoir.

Je t'attendrai, Harold Fry.

Un autre angle

Ce matin j'ai demandé à sœur Lucy si je pouvais emprunter un dictionnaire classique et un dictionnaire des synonymes. Elle est allée chercher le Pictionary et une pastille pour la gorge.

— Je vous ai aussi apporté un verre d'eau, dit-elle.

Il y a une carte postale de toi représentant le train à vapeur de Bluebell. Pas de message. Apparemment tu as oublié cette partie-là.

— Pourquoi donc Harold Fry nous impose-t-il cette attente ? dit monsieur Henderson.

Il regarda son jeu de cartes comme s'il le soupçonnait de tricher.

— Votre ami est-il bon marcheur ? demanda sœur Catherine.

J'en doute. Toi et moi n'avons marché qu'une seule fois ensemble. J'ai essayé de te dessiner au volant de ta Morris 1100. Je ne sais pas si tu t'en souviens, mais l'art n'a jamais été mon point fort. À la fin des années soixante-dix, quand je fréquentais ces femmes artistes à Soho, je faisais leurs courses et j'écrivais leurs lettres, mais je ne dessinais pas. Je posais pour elles, lisais en même temps, et elles me peignaient nue avec mon livre. C'était une adorable bande de filles mais elles oubliaient toujours les choses essentielles, comme la nourriture et la lumière du jour, pour ne se rappeler que des plus enivrantes, comme l'amour et le gin. Alors quand sœur Catherine a ri de mon dessin de toi dans la voiture, c'est qu'elle y a peut-être vu un homme à l'intérieur d'un lapin géant. Ça m'est égal qu'elle ait ri, d'ailleurs. Elle avait raison. Tu avais l'air bizarre.

Mais monsieur Henderson n'en avait pas terminé avec la carte postale.

— Si Harold Fry prenait le train il pourrait être ici ce soir. On serait débarrassés de toute cette idiotie.

— Ce n'est pas le but, espèce de vieux croûton, asséna Finty. N'importe quel imbécile peut s'asseoir dans un train.

— Imbécile ? répéta-t-il. Vous savez qui est l'imbécile dans cette histoire ?

Les mains de monsieur Henderson se mirent à trembler. Elles étaient d'une extrême maigreur. On ne voyait que ses articulations décharnées, et ses manches pendaient comme si son corps n'avait pas plus de substance qu'un porte-manteau. Sa bouche était si bleue que ses lèvres semblaient contusionnées.

— Avez-vous la moindre idée de la distance qu'il y a entre Kingsbridge et Berwick ? (Monsieur Henderson tenta de se lever mais l'effort fut trop intense pour lui. Ses genoux le lâchèrent et il retomba sur son siège.) Vous avez une idée du nombre de kilomètres ?

— Bien sûr, dit Finty. Je ne suis pas idiote. C'est énorme.

— Plus de neuf cent cinquante ! cria monsieur Henderson.

Je le sais bien sûr. J'ai parcouru cette distance en car, en train et encore en car. À chaque kilomètre, une nouvelle partie de moi se déchirait. Sœur Lucy rougit.

— C'est vraiment si loin que ça ?

Elle enleva quelques pièces de son puzzle.

— Neuf cent cinquante kilomètres, et ce n'est même pas un marcheur !

— Je sais que je ne pourrais pas, dit sœur Catherine.

Et un autre bénévole affirma qu'il n'y arriverait pas non plus.

— Je suppose que c'est une question de foi, intervint sœur Lucy.

Mais je devinai qu'elle n'en était pas sûre. Elle prononça à peine le dernier mot.

Monsieur Henderson envoya balader ses cartes, qui s'envolèrent et s'éparpillèrent sur le tapis.

— C'est ridicule ! Ce n'est pas juste ! C'est une insulte ! Cet homme n'a-t-il aucune idée du genre d'endroit où nous sommes ? Il nous ridiculise tous !

Il tremblait si fort qu'il se mit à tousser.

— Vous avez besoin d'aide, mon vieux ? grommela le roi Nacré.

Finty pouffa de rire.

— Vous me rendez tous malade, cria monsieur Henderson en essayant de se lever mais n'y parvenant toujours pas.

Sœur Catherine se précipita pour l'aider mais il la repoussa, s'accrochant à son déambulateur et lui demandant si elle le prenait pour un handicapé, tandis qu'elle s'efforçait de lui ouvrir le chemin pour quitter la salle de jour. On l'entendit crier tout le long du couloir « Imbécile, imbécile », tout en toussant et se cognant contre les murs. Rien de ce que disaient les sœurs ne le calmait.

J'ai regardé Finty et j'ai essayé de sourire. Elle pinçait la bouche et son rouge à lèvres écarlate bavait. Je pensai aux coquelicots sauvages qui poussaient entre les pierres de mon jardin du bord de mer.

— Il a raison, c'est loin, dit-elle.

Barbara demanda si quelqu'un voulait bien lui lire *Les Garennes de Watership Down.* Elle nous raconta que sa voisine avait commencé à lui en faire la lecture avant qu'elle n'arrive au centre de soins palliatifs et qu'elle était impatiente de connaître la suite. Sœur Lucy dit tout de suite qu'elle le lui lirait. Tout le monde semblait soudain tenir à être occupé.

Plus tard, j'écrivis dans mon carnet : ***Monsieur Henderson a raison, c'est trop loin pour marcher jusqu'ici. C'est trop tard.***

Sœur Mary Inconnu avait des problèmes avec le clavier de sa machine.

— Vous écoutez trop les autres, dit-elle.

Je répliquai que ce n'était pas vrai. Je m'écoutais surtout moi-même.

Elle sortit un flacon de white-spirit et des bâtonnets d'ouate puis se mit à nettoyer les touches. L'odeur forte me ramena à l'hôpital. Je retrouvais les sols durs. L'éclairage au néon. Les chaussures aux semelles en crêpe, les masques, les filets pour les cheveux, les blouses vertes. Il y avait des jours où j'avais hâte de revoir une botte pleine de boue. Ces dernières années j'ai subi quatre opérations. Si on m'enlève encore quelque chose à la gorge ou au cou, ma tête tombera. C'est tout ce que je dirai sur le sujet.

Sœur Mary Inconnu soupira.

— Vous devriez peut-être voir les choses sous un autre angle.

Quel angle ? Je ne peux pas attendre Harold. Je suis ici pour mourir.

Sœur Mary Inconnu était toujours penchée sur sa machine à écrire. Je voyais juste les bords amidonnés de sa cornette. C'était comme de parler à une serviette.

— Excusez-moi mais vous êtes ici pour vivre jusqu'à ce que vous mouriez. C'est une différence importante.

J'aurais pu me mettre à pleurer. Au lieu de cela, j'écrivis : ***Je ne sais pas si vous avez remarqué mais apparemment Harold Fry est toujours dans le Sud-Ouest.***

Elle se tut puis dit enfin :

— J'avoue que c'est un problème. Mais vous aimez Harold Fry et vous avez l'impression de l'avoir laissé tomber. Vous devez faire cette dernière chose. Vous devez confesser la vérité. (Elle glissa une page vierge dans la machine.) Voilà. Tout est en ordre. Continuons votre lettre.

Se faire un ami d'un liseron

Quand j'avais quinze ans, ma mère m'a dit :

— Le coup de foudre n'existe pas. Les gens se mettent ensemble parce que c'est le bon moment pour le faire.

Mes parents s'étaient rencontrés à une soirée dansante juste avant la guerre et au bout de trois semaines ils étaient mariés. Je crois que ce mariage était un acte de bonté de la part de mon père pour sauver ma mère de la déportation, bien qu'il ne me l'ait jamais dit. La seule chose qu'il laissa échapper, c'est que leur vie avait été difficile au début et qu'il y avait d'autres choses qui n'étaient pas simples non plus. Par « autres choses », il voulait dire le sexe. Ce fut après la guerre, quand il trouva du travail en tant que charpentier, que le bonheur arriva. « Et toi, Queenie. » Il avait pleuré en disant cela, alors je leur avais fait à tous les deux une tasse de thé.

C'était difficile d'imaginer ma mère heureuse. Elle riait rarement. Elle avait du mal avec l'anglais, peut-être parce que les gens n'avaient pas été gentils avec elle pendant la guerre. Elle fuyait les amitiés. Parfois mon père allait chercher le dictionnaire mais elle disait qu'une ménagère n'avait pas le temps de lire et c'était moi qui l'ouvrais à sa place.

La vision que ma mère avait de l'amour m'horrifiait. C'était comme si l'amour ressemblait plus à la façon de faire bouillir un œuf qu'à la découverte d'une autre personne dont on ne supporterait pas d'être séparé. J'avais commencé à lire Baudelaire, les poètes romantiques et les sœurs Brontë, et j'espérais que quand je tomberais amoureuse, ce serait avec élégance.

J'aimais penser que je ferais la plupart des choses avec plus d'élégance que ma mère. Elle cuisinait des abats, je devins végétarienne. Le maquillage ? Ça n'intéressait pas ma mère. J'achetai de l'eye-liner, du mascara et du blush. (« J'ai l'air jolie ? », demandai-je un jour à mon père. « Tu as l'air très violette », répondit-il. Je pris sa réponse pour un compliment.) Comme elle était aussi grande que lui, ma mère avait renoncé à mettre des robes et des chaussures seyantes, elle se promenait avec les pantalons et les bottes de mon père. Horrifiée par cela aussi, je recherchai des robes moulantes dans les vide-greniers – j'adorais mettre une ceinture serrée autour de ma taille fine – et des chaussures de danse colorées à lanières. Cela m'humiliait d'être vue avec mes immenses parents. Je me mis à perdre les lettres de l'école annonçant des concerts ou des remises de prix. Lorsque mon père essayait de me tenir la main dans la rue – il le faisait souvent, ma petite taille le rendait anxieux –, je faisais mon possible pour me dégager.

Alors quand ma mère me dit que l'amour était juste une question de timing, je haussai les épaules. Je ne lui demandai pas pourquoi elle disait ça, parce que j'étais encore jeune ; je pensais que tout tournait autour de moi. Mais maintenant que je me rappelle ce jour-là, je revois ma mère assise sur les marches derrière la maison, le menton au creux de ses mains et les coudes sur ses genoux, habillée de ces pantalons de toile bleue qui n'étaient pas les siens. Au bout de notre petit jardin encombré je revois le profil de mon père derrière la fenêtre poussiéreuse de son atelier. Je revois les mauvaises herbes qui poussent entre mon père et ma mère, l'herbe aussi haute que du blé, les orties et le laurier sauvage. Je revois la douleur dans ses yeux, la solitude. Et je comprends à présent que ce n'était pas pour moi, pour me conseiller, qu'elle parlait, mais parce qu'elle ne pouvait plus supporter de garder le silence. Aujourd'hui je réalise ce que ç'a été pour elle d'être une étrangère dans un pays étranger. Je sais ce que c'est que d'être exilée de son passé.

Je regrette d'avoir été si dure avec elle. J'aurais dû lui consacrer un peu plus de mon temps.

Cela fait des années qu'elle est morte, mais j'ai compris ce qu'elle voulait dire sur l'amour. Quand je t'ai rencontré, j'étais prête. J'avais de la place pour toi. C'était à cause de mon bébé, ou plutôt de sa disparition. Le bébé a ouvert mon cœur pour toi.

Le monde est rempli de femmes qui ont des enfants et de femmes qui n'en ont pas, mais il y a aussi une foule silencieuse de femmes qui en ont presque eu. Je suis l'une d'entre elles. J'étais mère. Et puis je ne l'ai plus été.

Je n'ai jamais vu mon bébé. J'étais seulement enceinte de seize semaines quand je l'ai perdu et je n'ai pas eu le courage de lui donner un prénom. Mon deuil n'était rien comparé à celui qui vous a frappés, Maureen et toi. Je t'en parle simplement parce que, grâce à ma grossesse, j'ai découvert une manière d'aimer, librement, joyeusement, sans rien attendre en retour. Jusque-là j'avais surtout aimé des gens qui m'avaient déçue. Soudain je me retrouvais membre d'un club dont j'ignorais l'existence, un club de femmes dont la vie a un sens tout neuf, dont le ventre abrite une vie qui n'est pas la leur. Qui aurait pu penser que mon petit corps deviendrait si important ? Je rêvais de tout ce que nous ferions ensemble, mon enfant et moi. Mon nouvel amour était parfaitement organisé, généreux, beau, et en un instant les battements de son cœur avaient disparu. Partout où je regardais je voyais des mamans et des bébés. J'aurais pu les haïr mais j'avais haï la vie quand j'avais quitté Corby et je ne voulais plus de ça.

Je n'ai jamais perdu la couche de graisse qui a épaissi ma taille quand j'étais enceinte. C'est parce que je suis petite. Depuis que je suis adulte, j'ai du mal à avoir l'air mince. Ou peut-être ai-je gardé ces kilos en trop parce que c'est tout ce qui me restait pour me souvenir de mon bébé, je ne sais pas. Je savais bien par contre qu'à la brasserie les représentants se moquaient de moi avec Napier. Mais j'essayais de me rétablir de ma fausse couche. Je les entendais m'appeler de toutes sortes de noms d'oiseaux et imiter ma démarche, alors je relevais le menton et je me dandinais encore plus. S'ils devaient rire, autant que ça en vaille la peine.

Je n'avais pas d'enfant alors je t'ai donné mon amour. Après tout, je t'observais presque chaque jour de ma fenêtre, et je te voyais déposer tes canettes de bière dans la poubelle. Te donner mon amour, c'était pour moi comme de déverser dans un récipient approprié ce dont je n'avais plus besoin, de la même manière que tu avais trouvé une poubelle dans la cour pour tes canettes vides. Depuis le local à fournitures, nous ne nous étions pas reparlé, toi et moi, mais je sentais ta présence. Je savais que tu jetais parfois un œil par ma porte entrebâillée pour t'assurer que je travaillais toujours à la brasserie, peut-être même me cherchais-tu à la cantine. J'essayais d'entendre ta voix et si quelqu'un mentionnait ton nom le rouge me montait au visage et mon pouls s'accélérait. J'avais toujours ton mouchoir. Mais je prenais soin de t'éviter, ainsi je pouvais te donner mon amour en toute sécurité. Cela me procurait de la chaleur, du plaisir, et je n'attendais rien de plus.

Il était temps que je fasse ma valise et que je m'en aille.

— Tu ne te reposes jamais, dit mon père l'une des dernières fois où je le vis. Tu ne restes même pas assez longtemps pour une tasse de thé.

Il n'y avait pas de colère dans sa voix. Juste l'habituel étonnement que je lisais dans ses yeux embués de larmes.

J'espère que tu entends ceci, Harold. J'espère que tu comprends. Je reconnais mon rôle dans ta tragédie, mais tu dois savoir que j'ai essayé de quitter Kingsbridge, même au début. C'était avant que je ne monte dans ta voiture et que je te connaisse mieux. C'était longtemps avant que je rencontre David.

Au début du mois de mars, je suis allée voir Napier. J'avais terminé de classer toutes les factures délaissées qui se trouvaient dans les boîtes. J'y avais mis de l'ordre et en seulement deux mois j'avais trouvé le moyen de lui faire économiser six cents livres. J'étais allée au-delà de ce que j'avais promis. Il me semblait donc logique de lui donner ma démission.

Certaines choses dans la vie sont régies par leur propre loi. Napier en est un exemple. Le liseron un autre. Un été il en poussa partout dans mon jardin du bord de mer. Il s'entortillait autour des tendres tiges de mes roses et les étranglait. J'en arrachai des poignées mais quelques jours plus tard, il était revenu. Même si on ne laisse qu'un peu de liseron en terre, il repoussera, avec ses feuilles, ses racines et tout le reste.

Alors j'ai dit au liseron : « Tu veux t'installer dans mon jardin et je ne veux pas de toi. Je ne peux pas creuser et me débarrasser de toi. Si je t'empoisonne, je cours le risque d'empoisonner les plantes auxquelles je tiens. Nous avons un problème insoluble. Quelque chose doit changer. »

À côté de chaque pousse de liseron, j'enfonçai un bâtonnet de noisetier. J'en mis environ vingt. Le liseron poussa le long de ces tuteurs et j'obtins des clochettes de fleurs mauves striées de blanc. Je ne dirais pas que j'adorais le liseron. Je ne lui faisais pas confiance. Il se serait emparé de toutes mes roses si j'avais cessé de mettre des bâtonnets. Mais parfois il faut se dire que même si on ne souhaitait pas avoir de liseron, il est là, et il faut s'en accommoder. C'était la même chose avec Napier.

Quand je lui dis que je quittais la brasserie, il devint très silencieux. Puis il se mit à hurler. Je n'ai jamais vu un homme passer si vite du calme à l'hystérie.

— Qu'est-ce que vous voulez dire ? Vous voulez partir ?

Il frappa son bureau du poing et ses clowns en verre de Murano tremblèrent comme des jeunes filles effarouchées.

— J'ai besoin de voyager, dis-je.

— Mais vous n'êtes pas une étudiante, répliqua-t-il.

Je dis que j'avais trente-neuf ans et que cela ne m'empêchait nullement d'acheter un ticket d'autocar.

Napier porta ses doigts à sa bouche, et ses dents rongèrent le bout de trois pauvres ongles.

— Vous avez un bon travail. Vous êtes bien payée. Quel est votre problème exactement ? (Sa voix devenait de plus en plus stridente.) Parce que vous êtes allée à Oxford, vous pensez qu'on n'est pas assez bien pour vous ?

Cette dernière phrase avait commencé par une affirmation et s'était transformée en question en cours de route. Je ne lui avais absolument pas dit que je ne le trouvais pas assez bien. De toute évidence c'était Napier lui-même qui ne se trouvait pas assez bien. Mais c'est plus facile de se disputer avec une autre personne, surtout une employée, que d'y voir clair dans les sombres recoins de soi-même.

Tu vois comme la vie peut être compliquée. Même pour quelque chose d'aussi simple qu'une démission.

Je ne voulais pas empirer les choses avec Napier, alors je trouvai une excuse. Je dis :

— Vous avez besoin d'un comptable dans les pubs pour surprendre les patrons qui trafiquent leurs comptes. Et je ne peux pas le faire. Vous aviez raison. Vous avez besoin d'un homme finalement. Qui ait son permis de conduire.

— Vous voulez un chauffeur ?

Il fit une drôle de grimace et je me rappelai que c'était sa manière de rire.

— Je comprends bien que c'est hors de question, répondis-je doucement. C'est pour cela que je dois partir.

À ce moment-là, j'espérais avoir pris le dessus. Dans ma tête, j'étais déjà dans le car. Au revoir, Kingsbridge, au revoir, Harold Fry.

Alors Napier fit ce qu'il savait faire de mieux. Il revint à la charge pour proposer la solution qui causerait le plus de dégâts. Il ne le fit même pas exprès. C'était juste un don qu'il avait, comme d'autres ont un don pour les prévisions météo ou le piano. Tu serais mon chauffeur, déclara-t-il. Tout était arrangé. Bingo.

Je crois que j'articulai un « Mais » avant de m'arrêter, à court de mots.

— Vous n'aurez pas de problèmes avec Harold Fry, dit-il. Il est marié. Sérieux comme un pape. Ennuyeux comme la mort.

Il serra son poing droit et l'enfonça dans sa paume gauche. Je ne comprenais pas ce que cela signifiait. C'était comme s'il t'écrasait.

Tu serais mon chauffeur ? Toi et moi dans la même voiture tous les jours ? Moi amoureuse de toi malgré la distance, et toi marié ?

— Je ne peux pas, dis-je. J'ai mal au cœur en voiture.

Je reconnais que ce n'était pas très malin, mais je commençais à me sentir piégée.

— Je suis sur le point de le renvoyer de toute façon, dit Napier.

J'eus l'impression de recevoir un coup. La chaleur m'envahit. Ma peau me brûlait. Et ensuite j'eus si froid que j'aurais eu besoin d'un gilet.

— Vous allez renvoyer monsieur Fry ? Mais pourquoi ?

— Ce type est une blague. Il est trop démodé.

— Mais c'est son travail, bégayai-je. Et il a une femme et un fils, n'est-ce pas ?

— Son fils est cinglé. Vous ne l'avez pas vu se balader dans Kingsbridge comme si la ville lui appartenait ?

Napier rejeta une bouffée de fumée qui me monta au nez.

— Je ne sais rien sur son fils, mais monsieur Fry est un homme bien.

Napier refit sa grimace qui signifiait qu'il riait.

— Vous croyez que c'est mon problème ?

Non, bien sûr. Vous vous en fichez. Il était temps de trouver une autre tactique. J'inspirai profondément.

— Je voudrais être sûre d'avoir bien compris. Si je reste, monsieur Fry garde son travail ?

— Je ne vous aime pas particulièrement mais vous êtes une bonne comptable. Vous restez. Il reste aussi.

— Affaire conclue. (Je levai le bras vers lui.) Serrons-nous la main.

Napier continua à fumer de manière compulsive. Il écrasa son mégot et attrapa une autre cigarette.

— Faisons ça comme des hommes, insistai-je. Allez.

Il glissa sa paume dans la mienne. Elle était chaude, mince et molle. C'était déconcertant, j'eus l'impression d'attraper une langue.

— Affaire conclue, dis-je.

— Affaire conclue, répéta-t-il.

Combien de fois ai-je voulu te raconter ça, Harold. Que j'avais sauvé ton travail, que j'avais tenu tête à Napier. Des mois plus tard j'étais assise à côté de toi dans ta voiture et ma tête était remplie de choses que je voulais partager avec toi. Mais je devais prendre garde de ne pas dévoiler mes sentiments alors je proposais :

— Un autre bonbon à la menthe ?

Ne te leurre pas. Napier ne voulait pas plus me garder qu'il ne voulait te garder toi. Mais il voulait me renvoyer quand il l'aurait décidé, sinon c'était moi qui avais le dessus et c'était trop angoissant pour lui. Comme avec le liseron, je devais être maligne. Je devais entrer dans son jeu. Je devais offrir à Napier des bâtonnets de noisetier jusqu'à ce que je trouve quelque chose à faire de si épouvantable qu'il n'aurait pas d'autre choix que de faire ce que je voulais et de se débarrasser de moi. Mais il y avait une complication : je devais aussi sauver ton poste.

Tu vois, je m'étais plutôt bien débrouillée.

Je ne pouvais pas imaginer que quelques années plus tard tu ferais tout ça tout seul. Que tu trouverais le moyen de me faire avoir de gros ennuis avec Napier. Et j'ignorais aussi combien cela serait douloureux de partir quand ce jour-là arriva.

Nous avons fait notre premier voyage, toi et moi, quelques jours plus tard. Et je suis désolée de t'avouer, Harold, que je redoutais cela plus que tout.

Un bas nuage gris chiffonne le ciel d'est en ouest. Le jardin a perdu ses couleurs dans le crépuscule. Tout est tranquille, mais cette immobilité ressemble à celle de Napier. Elle annonce le chaos. Au loin, la mer bouillonne.

La pluie arrive.

J'espère que tu as un parapluie, mon ami.

Ou, au moins, un chapeau imperméable.

Où est sœur Mary Inconnu ?

De la pluie. Toute la nuit. Je l'entends tomber sur les feuilles du jardin du Bien-être. Je l'entends taper contre les remparts et les pavés. Elle frappe les carreaux comme du gravier et dégringole des gouttières d'où elle coule à flots. Quand les éclairs traversent le ciel, tout prend vie dans ma chambre – le lit, le fauteuil roulant, le lavabo, le tableau avec les oiseaux, le réduit, la télévision – et se retrouve sur une photographie bleu glacé. Quand la pluie cesse, je peux encore l'entendre. Le goutte à goutte, le clapotis, le craquement d'un monde détrempé par la pluie.

Je me demande si tu l'entends aussi.

Ma tête tourne. Des mots, des mots, des mots. Même quand je dors, ils me réveillent. Tout s'est transformé en mots. Dans mon rêve mon crayon court sur la page. Je ne sortirai jamais les mots assez vite. Ma main droite me brûle.

Sœur Mary Inconnu est de nouveau absente et j'ai arraché tant de pages que mon carnet sera bientôt vide.

— Vous avez de la fièvre, dit l'infirmière de nuit. Vous devez poser ce stylo maintenant.

Elle change les pansements de mon visage et de mon cou. Elle examine mon œil puis elle va chercher des médicaments.

Je bois lentement, lentement, et son visage apparaît et disparaît comme la lumière d'un phare qui clignote dans la nuit.

Dès qu'elle est partie, je me remets à écrire.

La longue route du retour

Je me tiens d'un côté de ta Morris 1100. Toi, de l'autre côté, tu sembles planer. C'est la fin du mois de mars.

— J'ai entendu dire que vous seriez mon chauffeur, dis-je.

Je ne veux pas que tu voies à quel point je suis nerveuse, mais c'est idiot de dire ça. Qu'est-ce que je fabriquerais près de ta voiture avec mon manteau et mon sac à main sinon ? Je tiens mon sac devant moi, je m'y agrippe comme à une bouée.

— Eh, monsieur Fry ! crie l'un des représentants d'une fenêtre. N'allez pas faire de bêtises surtout !

J'ai l'impression d'être dans une étuve.

— Heu…, fais-tu.

Tu sembles n'avoir aucune idée de ce qu'il te faudrait faire ou dire. Tu ouvres la porte pour moi puis tu détournes les yeux pendant que je monte, comme si s'installer dans une voiture était quelque chose d'extrêmement intime et que tu étais inquiet que je puisse me mettre dans l'embarras en faisant un faux pas. Une fois à ta place, tu enfiles tes gants de conduite et tu mets le moteur en marche. Tu me demandes si j'ai besoin de quelque chose. Une couverture ? Un coussin ? C'est la première fois que nous sommes seuls depuis l'épisode du local à fournitures. Tu ne peux pas me regarder et je ne peux pas te regarder.

Il y a trois cassettes sur le tableau de bord. *L'allemand pour les débutants*, la *Neuvième Symphonie* de Beethoven et *Never Mind the Bollocks* des Sex Pistols. Tu me dis qu'elles appartiennent à ton fils, tu les mets dans la boîte à gants et tu la refermes rapidement. La voiture a ton odeur.

— Mon fils préfère écouter de la musique que parler au père, dis-tu en riant.

Et je songe que c'est une drôle de manière de parler de toi-même. De te voir comme « le père » au lieu d'Harold Fry.

Tu me demandes ce que j'ai envie d'écouter, je réponds que ça m'est égal, et tu dis :

— Si, si, choisissez.

— Un peu de musique, alors ?

Tout ce qui se passe se grave dans ma mémoire. J'ajoute en riant :

— Peut-être pas les Sex Pistols.

Tu mets Radio 2. Tu sembles soulagé. Par moments, tu fredonnes, et je me demande si tu essaies d'envoyer un message codé.

Une fois que nous sommes arrivés, tu viens ouvrir ma porte. Je sors d'abord un pied et, alors que le reste de mon corps suit, je découvre que tu es fasciné par ma jambe, exactement comme tu l'étais par le décolleté de Sheila. Je regrette que ma cheville ne soit pas plus fine, parce que, sous mon tailleur en laine marron, mes épaules, tu sais, ne sont pas si mal et beaucoup d'hommes ont admiré mes seins. Intérieurement, je maudis ma mère de m'avoir transmis ses gènes bovins et je me promets de faire tous les matins des exercices de cheville.

Tu me présentes au patron.

— Voici mademoiselle Hennessy. C'est drôle, nous nous sommes rencontrés dans le local à fournitures.

Je rectifie :

— C'était à la cantine.

Mais tu n'entends pas. Tu es trop occupé à échanger des regards avec le propriétaire au-dessus de ma tête. Je suis certaine que cet homme rit parce que je suis une femme, et de ton côté, tu parais inquiet pour moi. Mon père avait cette expression lorsque je lui disais que je voulais faire quelque chose de ma vie, quelque chose d'autre que de rester à la maison. Je comprends que, comme mon père, tu veux me protéger.

Dès que j'examine les comptes, je vois qu'ils ont été trafiqués. N'importe quel comptable s'en apercevrait. Mais je me mets à frimer. Je dis ce que je pense au patron du pub. Je sous-entends qu'il vole Napier. Il connaît les rumeurs qui courent sur notre chef. Son front se couvre de sueur et il devient écarlate comme quelqu'un qu'on serait en train d'étrangler. Puis il se précipite hors de son bureau. Je l'entends se plaindre auprès de toi, mais je n'entends pas ta réponse. J'espère que je ne suis pas allée trop loin. Ça m'arrive parfois. Je fais des erreurs de jugement.

Quand je retourne à la voiture, tu m'observes en souriant. Et ça me fait plaisir. J'aime l'air perplexe avec lequel tu me dévisages, comme si je venais d'apparaître avec une nouvelle tenue. J'essaie de marcher comme une star de cinéma (aux chevilles fines). Tu m'ouvres la porte, tu la refermes, et un autre lien s'est créé entre nous. Il est mince, je le sais bien. Il ne concerne que le travail mais c'est une sensation agréable. Je n'ai pas envie que ça se termine.

— Je peux vous offrir une bière ? demandé-je.

Tu lèves les mains comme si tu voulais arrêter la circulation.

— Non, non, merci.

Je t'ai vu avec ces canettes vides. Je connais ton secret tout comme je sais que tu aimes danser.

— Personne ne le saura, dis-je en souriant.

— Je ne bois pas d'alcool, mademoiselle Hennessy.

Et tu fais cet aveu d'un ton si grave que je suis instantanément persuadée que tu dis la vérité. J'ai honte de ma remarque. C'était sournois. Tu sens que je suis mal à l'aise et tu souris.

— Quelle route prend-on pour rentrer ? La plus longue ou la plus courte ?

— Vous n'êtes pas pressé ?

— Ma femme sert le repas pour six heures. Il n'est que cinq heures. Prenons la route la plus pittoresque.

Dans mon siège je ferme les yeux mais je ne dors pas. Je nc pense qu'à toi. Je me demande à qui sont ces canettes que tu caches avec tant de précaution. À ta femme ? À un voisin ? Je me demande aussi ce que ta femme prépare pour le dîner.

Tu arrêtes la voiture, tu éteins le moteur et je découvre avec surprise que nous ne sommes pas à la brasserie. Tu nous as conduits au bord de Bolberry Down. Tu ne dis rien. Tu regardes devant toi.

Cette journée de début de printemps va se terminer par une nuit froide. Les collines sont d'un bleu tirant sur le lilas, l'horizon est teinté de mauve, la mer et les rochers sont bleu indigo. Des oiseaux volent en rangs serrés, allant et venant au-dessus de la plage. Ils piquent à gauche puis ils semblent se retourner et virent à droite. Et ils recommencent encore et encore. Dans une direction, leur corps prend une couleur violette dans les rayons du soleil. Dans l'autre, les oiseaux se fondent, gris-bleu, dans le gris-bleu du ciel, et je dois me concentrer très fort pour les trouver. C'est tellement simple de regarder ces oiseaux jouant avec leurs ailes et le soleil couchant, mais lorsque tu remets le contact et que tu nous reconduis à Kingsbridge, je pense à la façon dont tu danses en secret, et à la façon dont je danse moi aussi en secret. Je pense à toi, seul dans la neige. Je vois ma robe de bal dans ma penderie près de mes chaussures de danse. Et pendant un instant, je superpose ces deux images et j'imagine : un pas à gauche, un pas à droite. Toi et moi, côte à côte. C'est comme la première fois que j'ai respiré ton mouchoir. Je me sens en sécurité comme jamais depuis des années.

Tu te gares devant la brasserie, et avant même que j'ouvre la porte, je perçois un effluve, l'épaisse odeur de houblon, mais je ne la déteste plus. Je m'en empare. À cette heure-ci le bâtiment ressemble à une masse indéterminée, comme un navire avec des rangées de fenêtres qui prennent des reflets argentés à la tombée de la nuit. Elles me sont familières, elles sont une partie de toi et moi, et pour la première fois je suis heureuse de les voir. La rue est déserte, tout comme la cour. Il gèle déjà. Le tarmac brille.

Il est six heures moins dix. Ta femme t'attend chez toi. Peut-être en colère. Le plat est dans le four.

— Je dois ranger mon bureau, dis-je en marmonnant. (Et sans réfléchir, j'ajoute :) Merci.

— C'était un plaisir.

— Je veux dire, merci pour ce qui s'est passé il y a quelques semaines. Dans le local à fournitures.

Tu pâlis.

— Je n'ai pas fait grand-chose.

Et j'ai l'impression que tu le penses. Mais je ne peux pas me taire. Maintenant que j'ai commencé, j'ai besoin que tu saches la vérité sur moi, même un bout de vérité, alors je te dis que j'étais bouleversée et que tu as été attentionné et que j'aurais dû te remercier plus tôt. J'aimerais aussi avouer que tu as changé ma vie dans ce local mais cet aveu serait un peu trop pesant pour nous deux. Tu es si gêné que tu boutonnes et déboutonnes tes gants. Je saute de la voiture avant que tu aies pu voir mon visage. Et je te dis enfin que tu es un gentleman. Et c'est exactement ce que tu es. Un homme doux et bon.

Je marche dans la cour mais je tremble si fort que j'ai du mal à aller droit. Je pleure à chaudes larmes. Je suis heureuse, je suis heureuse mais j'ai envie de hurler. C'est ta bonté qui m'émeut. À part mon père, je n'ai jamais rencontré d'homme vraiment bon.

Je n'ai pas besoin de me retourner pour savoir que tu es toujours là, dans ta voiture. Je sais que tu attendras que j'aie passé la porte de la brasserie. Il y a des femmes qui haïraient un homme qui ne les aimera jamais. Mais comment pourrais-je te haïr ? Et puis je ne peux pas m'en aller d'ici sans que tu perdes ton travail. Je suis quelqu'un qui a toujours fui les difficultés et j'ai soudain l'impression que je n'ai plus besoin de continuer ainsi. Nous nous écrivons nos propres rôles et nous continuons à les jouer comme s'il n'y avait pas d'autres choix. Mais une personne qui est toujours en retard peut devenir ponctuelle si elle le décide. On n'a pas besoin d'être fidèle à ce qu'on est devenu. Il n'est jamais trop tard.

Alors je fais une promesse. Pour une fois dans ma vie, je vais rester au même endroit et aller jusqu'au bout. Tu vas garder ton travail et je vais essayer de t'apporter du bonheur. Je ne demanderai rien d'autre.

Oh, Harold, comment ai-je pu me tromper ainsi ?

Nous allons tous dans la même direction

Le nouveau malade n'était pas dans la salle de jour quand nous nous sommes réunis pour les activités du matin.

Peu de temps après, sa famille a commencé à arriver. Même s'ils se dépêchaient de passer devant la porte de la salle de jour où nous étions assis avec sœur Catherine, ils jetaient un coup d'œil à l'intérieur, et détournaient vite les yeux comme s'il ne fallait pas nous voir parce que cela portait malheur. Ils étaient habillés de vêtements chics et sombres, même les petites filles. Peut-être s'étaient-ils changés après avoir appris la nouvelle. Peut-être ressentaient-ils le besoin de donner une couleur à leur chagrin. Après la mort de mon père, ma mère cessa de manger de la viande. « Mais pourquoi ? », lui demandai-je. Elle avait toujours adoré la viande. Parce que sa vie était déchirée en deux, dit-elle. Quand j'allais lui rendre visite à l'hôpital, je lui apportais ses morceaux favoris, des tranches de jambon rosé, du rosbif très tendre. « *Schön, schön*[*] », murmurait-elle. Mais ils restaient enveloppés dans leur papier. Elle ne mangea plus jamais de viande.

— Je suis comme toi maintenant, ma chérie.

Ce fut presque la dernière chose qu'elle me dit.

De ma chaise dans la salle de jour j'ai entendu une femme dans le couloir. J'entends moins bien qu'avant mais l'émotion faisait résonner sa voix.

— Pourquoi ne m'a-t-il pas attendue ? s'est-elle écriée. Je faisais juste le petit déjeuner pour les filles.

C'était sans doute sa femme. Quand quelqu'un lui demanda si elle avait besoin de quelque chose, elle se mit à pleurer à gros sanglots déchirants.

— Pourquoi ça n'est pas arrivé à l'un de ces vieux ? Ils sont juste assis là à ne rien faire.

Un peu plus tard nous avons vu un petit groupe de proches du défunt se réunir dans le jardin du Bien-être. Ils se tenaient sous la pagode, à l'abri du mauvais temps. Le vent et la pluie secouaient tant les branches du cerisier que l'herbe était parsemée de pétales roses. La femme plus âgée, la mère, agita ses mains comme si quelque chose dont elle n'arrivait pas à se débarrasser y était accroché. Alors sœur Philomena berça la femme dans ses bras, et la femme se calma enfin. Sœur Philo-

---

* « Bien, bien ». En allemand dans le texte original.

mena continua à lui parler sans la lâcher, et la femme s'essuya les yeux. Tout le monde se prit par la main, et je ne sais pas ce que sœur Philomena était en train de dire mais les autres commencèrent à l'écouter. Ils hochèrent la tête et parlèrent à leur tour jusqu'à ce qu'un homme dise quelque chose qui les fit sourire. Je me demandais s'ils parlaient du défunt. Partageant tout l'amour qu'ils avaient pour lui. L'homme sollicita sœur Philomena, sans doute pour savoir s'ils pouvaient fumer parce que j'ai vu celle-ci hocher la tête en signe d'assentiment, et il a sorti un paquet de cigarettes.

— Je crois que je vais faire un saut dehors, dit le roi Nacré, se levant et se dirigeant vers le jardin.

Finty et moi regardions les deux petites filles, Alice et sa sœur. Elles s'étaient agenouillées dans l'herbe pour cueillir des fleurs.

— Ça ira pour elles, dit Finty. L'herbe continue à pousser.

La camionnette de l'entrepreneur des pompes funèbres apparut dans l'allée.

Sœur Mary Inconnu lit ma page. Elle commence à taper. Quand elle voit que je n'écris pas mais regarde juste par la fenêtre en me massant les doigts, elle sourit.

— À quoi pensez-vous ?

La pauvre ! Mes pensées la décourageraient.

— Votre main droite va bien ?

Je la cache pour qu'elle ne voie pas.

Je dois continuer à écrire.

Je trouve que cette robe te va bien

Il y a longtemps, j'ai rencontré un docteur en philosophie à côté de mon jardin du bord de mer. J'étais en train de raccrocher des bannières de varech que le vent avait arrachées.

— C'est bien ce que vous avez fait ici, approuva mon visiteur, s'appuyant contre le mur. Vous avez fait ce jardin vous-même ?

Je lui répondis que oui. Cela avait pris des années mais c'était mon travail. Nous nous sommes mis à discuter, lui et moi. Alors que je m'occupais du jardin, il me donna sa carte de visite et me parla un peu de lui.

Je m'étais habituée à ce que les gens s'arrêtent. Mon jardin suscitait la curiosité, et les visiteurs se mirent à garer leur voiture près du golf et à emprunter le chemin côtier. Ils apportaient leur appareil photo. Souvent ils revenaient avec des pièces de ferraille pour mes petites éoliennes ou des boutures de leur jardin. En dépit de mon intention de vivre loin du monde, j'étais devenue une sorte d'attraction locale, tout comme le sentier menant au château de Dunstanburgh, le golf et le vendeur de glaces.

— Vous avez dû passer beaucoup de temps ici, dit le docteur en philosophie.

Je répondis que oui. J'avais passé chaque jour dans mon jardin depuis le matin de mon arrivée.

— Vous n'êtes jamais partie ?

— De temps en temps je pars pour la journée sur la côte. Mais il y a toujours quelque chose à faire dans mon jardin. Je ne pourrais pas l'abandonner.

Je désignai ma maison du bord de mer. Elle était toujours à son mieux l'été, et cet après-midi-là, ses lattes en bois scintillaient comme si elles avaient été peintes avec de l'or. La maison formait une ombre qui grandissait à mesure que la lumière diminuait, si bien qu'au coucher du soleil elle touchait presque mon jardin. La nuit, les nombreux cailloux brillaient au clair de lune et parfois, quand je les ramassais, je pouvais encore sentir la chaleur du soleil.

J'expliquai au docteur en philosophie que la première fois que j'avais vu la maison sur la plage, c'était une ruine. Il y avait d'autres maisons de vacances sur la falaise mais celle-ci n'avait pas été habitée depuis longtemps. Il n'y avait pas de jardin, juste des mûres sauvages, des fougères et des orties. Je lui racontai que j'avais acheté le terrain à un couple qui n'y allait plus. Tout le monde m'avait prévenue que je ne pourrais pas m'y installer pour y vivre. C'était trop loin de tout. Je ne survivrais pas à l'hiver. Personne ne passait l'hiver à Embleton Bay. Je répondis que c'était exactement pour cela que je voulais acheter ici. Pour être seule dans le vent et le froid.

Je passai une année entière à rendre ma maison habitable, et je me mis au jardin presque par hasard. J'étais en train d'essayer de me frayer un chemin au milieu des orties parce qu'à certains endroits elles m'arrivaient aux épaules. Tout ce que je trouvai en dessous c'étaient des blocs de pierre, alors je les empilai. À la fin de la journée, j'étais épuisée, je ne sentais plus mes os, ma peau me brûlait à cause des piqûres d'orties et j'allai tout droit au lit. Là, je demeurai immobile, avec la mer venant s'écraser sur les rochers en contrebas, le vent, et pour la première fois, ces bruits ne m'agressaient pas, je n'avais plus à me battre. Je dormis toute la nuit sans rêver ni pleurer. C'est seulement le lendemain matin, quand je sortis avec ma tasse de thé pour regarder la mer, que je remarquai la pile de blocs de pierre, certains gris, d'autres d'un noir bleuté. Je songeai que j'avais créé un jardin de rocaille.

À mesure que je m'y intéressais, je me mis à réfléchir attentivement à la forme et à la taille des pierres. Même quand il pleuvait si fort que je pouvais à peine ouvrir les yeux, même quand mes mains étaient pleines d'égratignures, je ne quittais pas mon jardin de rocaille. Je montrai au docteur en philosophie tout ce qui avait suivi : les pièces d'eau, les petites allées sinueuses, les lits de coquillages, les sculptures, les petites éoliennes, les ajoncs en fleur parfaitement taillés et qui sentent la noix de coco quand le soleil brille. J'avais érigé le mur à la fin, en même temps que la porte en piquets. Et je les avais assemblés avec des lattes de bois de grève.

Je lui dis que j'avais créé mon jardin du bord de mer pour réparer le mal que j'avais fait à un homme que j'aimais. Parfois il faut faire quelque chose avec sa douleur parce que sinon elle vous submerge. J'essayai de prononcer ton nom, et celui de David aussi, mais les larmes me montaient déjà aux yeux. C'était toujours la même chose. Je ne pouvais jamais raconter l'histoire en entier.

Le docteur en philosophie était très intéressé par mon jardin jusqu'à ce que je prononce le mot « amour ». Alors, il éclata de rire.

— L'amour n'existe pas, me dit-il. N'avez-vous donc jamais entendu parler de Sartre ?

Parfait. Un petit débat bien léger. Je m'essuyai les yeux.

Oui, j'avais entendu parler de Sartre. J'avais gardé un exemplaire de *L'Être et le Néant* à côté du *Livre de la mer et de la côte* sur le rebord de ma fenêtre dans la cuisine.

— Nous ne sommes rien, continua-t-il. Au départ nous savons que nous ne sommes rien. Donc lorsque nous aimons, c'est pour nous imaginer que nous sommes quelque chose.

Maintenant que j'avais cessé de travailler, je remarquai que le docteur en philosophie portait de confortables vêtements de marche et un nœud papillon à pois rouges. C'était comme si sa tenue disait une chose sur lui et que le nœud papillon en criait une autre. Ça me plut.

Je lui dis qu'il avait tort au sujet de l'amour. Je lui parlai de toi, je lui racontai que tu avais dansé avec ton ombre dans la neige. Je lui décrivis la manière dont tu avais touché ma main dans le local à fournitures, provoquant en moi une décharge et des frissons dont je pouvais encore me souvenir si je me concentrais. Je mentionnai nos balades en voiture, deux à trois fois par semaine et parfois pour toute la journée. Pendant que je vérifiais ses comptes, tu bavardais avec le patron du pub et tu surveillais la voiture. Je dis aussi que je ne t'avais jamais demandé de m'aimer en retour. Je ne t'avais jamais avoué mes sentiments.

Ce que j'avais décrit ressemblait à une passion de courte durée, dit le docteur en philosophie. Une projection de mes propres désirs.

— Non, je voulais qu'il soit heureux.

— C'est plus facile de s'imaginer qu'on est amoureux d'une personne que de la supporter au quotidien. Nous nous convainquons que nous sommes amoureux pour ne pas bouger.

— Mais j'ai bougé. Je suis partie. Je suis partie et je l'aime toujours.

J'expliquai aussi que j'avais vu ta noblesse d'âme dès le début ; je continuais à la voir quand nous travaillions ensemble, et je la découvrais de plus en plus profonde. Mon amour était même encore plus intense depuis que je t'avais quitté.

— La théorie de Sartre sur l'amour est peut-être juste mais il en enlève tout le plaisir. N'est-ce pas ?

— Que voulez-vous dire ?

Pour la première fois, mon visiteur parut mal à l'aise.

— De temps en temps, on aime rire de soi-même. On aime être un peu bête.

Je désignai certains des objets de mon jardin. Les sculptures qui portaient des colliers de pierres. Une éolienne faite de clés rejetées par la mer. Je les avais mis là pour me rappeler combien nous avions l'habitude de rire, toi et moi, quand je chantais à l'envers et que nous jouions à des jeux idiots comme figue-balle.

— Ou peut-être fait-on autre chose. Comme de porter un nœud papillon rigolo.

— Je devrais partir, dit le docteur en philosophie.

Je pliai sa carte de visite et j'en fis un oiseau blanc que j'accrochai à une branche.

Pendant nos balades en voiture, j'appris à mieux te connaître. Au début, nous voyagions en général en silence. Je désignais les feuilles des arbres ou je disais par exemple : « Quelle belle journée », mais rien de plus. Je ne connaissais pas les noms des arbres et des fleurs à cette époque. Ils servaient juste de décor à notre périple. Au bout d'une semaine, j'ai commencé à te poser des questions. Des petites choses. Je ne voulais pas être intrusive ou te faire peur, je voulais simplement être polie. La première fois que je t'ai questionné sur David, tu as dit que ton fils était très intelligent. C'est tout. Mais tu t'es éclairci la gorge, comme si tu voulais chasser une pensée un peu sombre. Je me souviens que je t'ai regardé trop longuement, et quand tu as jeté un coup d'œil dans ma direction, tu as rougi, comme si tu craignais que je n'aie découvert quelque chose de bizarre chez toi. Ce n'était pas le cas. J'admirais seulement le bleu de tes yeux et je résistais comme je le pouvais à mon envie de sourire, mais ils étaient si bleus que c'était difficile.

Je me rappelle aussi la première fois où j'ai vu tes bras nus. Il faisait chaud, tu avais défait tes manchettes et retroussé tes manches. J'étais médusée par la douceur de ta peau. J'avais pensé que tes bras auraient un autre aspect mais ils ressemblaient à ceux d'un très jeune homme. Mon cœur battait la chamade. Je savais que je me trahirais si je n'étais pas prudente, mais je ne pouvais pas m'arrêter de te dévorer des yeux. Je ne pouvais pas cesser de les voir, tes bras nus, même quand il fit plus frais et que tu arrêtas la voiture pour remettre ta veste.

Je m'en tins donc à mes questions polies sur David. Son intelligence n'avait rien à voir avec toi, me dis-tu.

— Il ne la tient pas de moi, mademoiselle Hennessy. Il n'a presque rien de moi, en réalité.

Et la manière dont tu as dit cela, avec une modestie suggérant que tu n'avais rien à transmettre à personne, que tu aurais de la chance si on remarquait ton entrée dans une pièce, me donna envie de t'offrir quelque chose. Tu sais, un petit quelque chose pour te faire plaisir et te montrer que tu n'es pas rien, que pour moi tu es vraiment quelqu'un. Je voulais te dire : « Moi je t'ai remarqué, Harold Fry. Je te vois. Je te vois tous les jours. » Je passais mes week-ends dans une sorte d'hébétude, parce que j'attendais, j'attendais le lundi. Je faisais mes courses, je lavais mon linge, mais je ne pensais qu'à être de nouveau avec toi.

Un jour au début du mois de mai, j'ai sorti un Mars de mon sac. Je ne te l'avais pas dit, mais c'était mon quarantième anniversaire et j'avais acheté cette barre pour ma dégustation personnelle. Mais quand je fus près de toi, je me rendis compte que je ne désirais qu'une chose : te l'offrir. C'était le meilleur cadeau que je pouvais me faire.

— Tenez, dis-je.

— C'est pour moi ?

Tu rayonnais. Ne t'avait-on donc jamais donné un bout de chocolat ?

— Eh bien, je ne vois personne d'autre dans la voiture.

Tu éclatas de rire, gêné.

— Je vais grossir.

— Vous ? Vous êtes tout mince.

Je fus embarrassée à mon tour, parce que ma remarque impliquait que je t'avais observé, que j'avais regardé tes bras, tes yeux, la manière dont ton pantalon glissait de ta taille. Je te pressai de prendre la barre chocolatée avant qu'elle ne fonde entre mes mains.

— Merci, mademoiselle Hennessy.

— Oh, appelez-moi Queenie. Je vous en prie.

Tu tordis un peu ta bouche comme si tu essayais de lui apprendre ce nouveau mot.

— Vous voulez que je vous l'ouvre ?

— Ça ne vous ennuie pas ?

— Pas du tout. Laissez-moi vous aider.

J'ai déchiré le bord de l'emballage et t'ai passé le Mars avec un mouchoir en papier que j'ai sorti de mon sac. Pendant que tu mangeais, je t'ai raconté une petite histoire. Je t'ai dit que lorsque j'étais enfant je détestais mon prénom. Mon père adorait « Queenie » mais je le trouvais démodé. J'avais toujours eu envie de m'appeler Stella. Tu parus un peu surpris, comme si tu n'avais jamais imaginé qu'on puisse être autre chose que ce qu'on est.

— Je n'ai jamais aimé mon nez, dis-tu en avalant une bouchée.

— Qu'est-ce qu'il a, votre nez ?

— Il a une bosse.

Et maintenant que je regardais ton nez, je m'en rendais compte. C'était comme s'il commençait par un nez tout fin mais se terminait par un grand nez. Tu réglas le rétroviseur et tu me racontas que ta mère t'avait toujours promis que ton visage grandirait avec ton nez, et qu'au lieu de cela ton nez avait grandi hors de ton visage. Tu me fis rire et tu ris aussi. J'eus l'impression qu'avant cela, tu n'avais jamais ri à propos de ton nez ou de ta mère.

Par la suite, nous nous sommes tutoyés et, régulièrement, je t'ai apporté des barres chocolatées. Je m'arrêtais chez le marchand de journaux en allant travailler. Ça devint une habitude, comme certaines personnes s'arrêtent pour nourrir les oiseaux, et d'autres pour visiter mon jardin du bord de mer et jeter une pièce porte-bonheur dans l'un de ses bassins d'un bleu profond.

Lorsque tu parlas de nouveau de David, tu m'expliquas qu'il irait à Cambridge après l'été.

— Il va étudier les lettres classiques.

— Pourquoi tu ne me l'as pas dit avant ?

— Il n'aime pas que j'en parle.

— J'étais à Oxford, à St. Hilda. J'ai aussi étudié les lettres classiques.

— Ça alors, as-tu dit. Mince !

— C'est tout ce que tu trouves à dire ?

Je souris pour te montrer que ce n'était pas une pique, juste une remarque amicale.

— Qu'est-ce que tu voulais que je dise ?

— Je ne sais pas. Ce sont des mots un peu bizarres. Je croyais que personne ne parlait plus comme ça.

— C'est peut-être parce que je suis nerveux.

— C'est de ma faute ?

— Un peu.

Tu as rougi et j'aurais aimé prendre ta main mais évidemment je ne pouvais pas le faire. Je pouvais simplement rester assise à côté de toi avec mon sac sur les genoux. Au lieu de ça, j'ai dit que David serait peut-être content d'emprunter un des livres qu'au fil de mes voyages j'avais pu conserver de l'université. Ces livres m'étaient terriblement précieux, mais je ne l'avouai pas. En fait, je cherchais un moyen de me rapprocher de toi et je n'avais rien trouvé de mieux que de proposer mes livres à ton fils.

— Tu crois que David sera intéressé ? demandai-je.

Ta réponse, quand elle arriva, me stupéfia.

— Je trouve que cette robe te va très bien.

Je me dis que j'avais mal entendu. Je tournai la tête et tombai droit sur tes yeux. Je sentis mon corps frémir de plaisir.

— C'est un tailleur marron, dis-je.

— Eh bien, c'est joli quand même.

Dans ma chambre, j'avais une robe de bal dont le corset était constellé de paillettes. J'avais des chaussures de danse en velours. Mais qu'est-ce que tu admirais ? Un tailleur en laine très ordinaire couleur noisette.

— Mince alors, m'exclamai-je.

En juin, c'était fait. Je ne pouvais plus revenir en arrière. Je t'observais en train d'attacher précautionneusement les boutons de tes gants de conduite, ou de bavarder avec l'un des patrons de pub, de fines rides formées par ton sourire aux coins des yeux ; et moi, j'avais envie de crier de bonheur. Je pouvais à peine me contrôler. De temps en temps, tu sais, je devais laisser échapper une drôle de toux ou, pire, je pouffais de rire. Tout plutôt que de te dévoiler mes vrais sentiments. Ce que nous disions n'était pas si drôle que ça. Aux yeux d'un observateur extérieur, cela aurait semblé plutôt ordinaire. Mais parfois, quand on est avec quelqu'un qu'on aime, tout ce qu'il fait et dit nous enchante. J'adorais ta voix, ta démarche, ton mariage, tes mains, tes chaussettes rayées, le nœud de ton écharpe, tes sandwiches au pain blanc, j'aimais tout de toi. C'est le premier stade enivrant où tout, chez la personne, est si nouveau et étonnant qu'on a besoin de s'arrêter, de regarder, d'écouter, de se l'approprier, et que rien d'autre n'existe. Le reste du monde devient gris et presque absent. Les jours où nous restions à la brasserie, nous partagions une table à la cantine ou tu passais dans mon bureau pour discuter du prochain trajet, mais il y avait toujours du monde autour de nous. Lorsque nous étions seuls dans ta voiture, tu étais à moi.

Après tout ce que j'avais traversé, je me sentais de nouveau quasiment normale. Je me réveillais le matin sans ressentir le besoin de me cacher pour éviter la journée qui s'annonçait. J'étais assise dans le bus, me rapprochant de plus en plus de la brasserie, mon cœur battait follement dans ma poitrine, et c'était un vrai cadeau : je me sentais vivante. Je savais que tu ne quitterais jamais Maureen. Tu étais trop correct pour le faire. Et c'était une raison de plus, bien sûr, de t'aimer.

Je me mis à écrire des poèmes. Des poèmes d'amour. Je n'avais pas d'autre moyen de m'exprimer. Je les gardais dans la poche intérieure de mon sac. Je touchais le bord des feuilles du bout des doigts et je me demandais : « Le ferai-je aujourd'hui ? Dirai-je à Harold Fry ce que je ressens ? » Au lieu de ça, je t'offrais un bonbon.

Lorsque, assise sur mon siège, je détournais la tête sans rien dire, ce n'était pas parce que je dormais, Harold. Je nous imaginais toi et moi. J'imaginais ce que ce serait de vivre toujours avec toi. Juste pour m'amuser, je regardais parfois par la fenêtre et je sélectionnais des maisons, pour voir si nous pourrions vivre dans l'une d'entre elles. Une jolie maison rose avec un peu de terrain pour que tu puisses tondre la pelouse, proche des magasins et de la laverie. Ou une petite maison sur la plage, plus éloignée de tout mais avec une vue sur la mer. Dans ma tête je nous installais sur des chaises autour d'une petite table ronde. Je nous asseyais sur un canapé. Et oui, je nous mettais même dans un lit. Je regardais tes mains sur le volant – je suis désolée de te dire ça, mais je t'ai promis de dire la vérité – et j'imaginais ces mains sur les miennes. Sur mes seins. Ou entre mes cuisses.

Quand on imagine un homme nu à côté de soi alors qu'il porte en réalité des vêtements beiges, des gants de conduite et qu'il est marié à une autre femme, il faut faire en sorte de le mettre sur d'autres pistes. Un jour j'ai affirmé que je pouvais chanter à l'envers, tu as eu l'air stupéfait et tu as dit :

— Tu peux vraiment ?

C'était faux, bien sûr, pour qui me prenais-tu ? J'avais étudié les lettres classiques. C'était mon père qui chantait à l'envers. Il le faisait en sciant du bois ou en enduisant une planche d'huile de lin.

N'empêche que je suis rentrée chez moi après que tu m'as posé la question et j'ai appris *God Save the Queen.* (La version la plus traditionnelle.)

À l'envers.

Qu'aurais-je dû faire d'autre ?

— Juste ciel ! t'es-tu écrié en riant quand j'eus terminé de chanter.

Mon père riait de la même façon quand j'étais enfant, émerveillé que je connaisse des choses qu'il ne connaissait pas.

J'aurais pu te dire : « Laisse-moi te parler de Socrate. » Ou j'aurais pu te demander : « Que penses-tu de Bertrand Russell ? » Mais nous nous étions mis dans une situation, toi et moi, à la fois irréelle et totalement ordinaire. Nous étions un homme marié grand et plein de bonté et une petite femme célibataire qui l'aimait. Mieux valait manger des bonbons et chanter à l'envers que risquer de mettre en péril cette petite chose que nous partagions. Après un moment, cela devint notre routine, notre langage, comme ces gens qui préfèrent parler du temps ou de leur itinéraire plutôt que de choses beaucoup plus sérieuses. Il y avait entre nous une frontière à ne pas franchir.

— Je n'en ai pas beaucoup, m'as-tu déclaré un autre jour.

C'était sans doute au début de l'été car nous partagions notre déjeuner sur le bord de la route. Je portais mon tailleur. Tu étais vêtu de beige de la tête aux pieds. Nous ressemblions à deux buissons d'hiver partis en pique-nique.

Je souris.

— Beaucoup de quoi ? De quoi parles-tu, Harold ?

— D'amis, dis-tu. D'amis.

Tu retiras la coquille d'un œuf dur que tu plongeas dans le sel de céleri. J'avais apporté les deux, ainsi que des tranches de jambon, du chutney, du raisin, des tomates, des serviettes et des assiettes en carton.

— J'ai Maureen. Et David. Mais personne d'autre.

Tu fis allusion à ta mère. À la façon dont elle était partie juste avant tes treize ans. Tu évoquas ton père aussi. La boisson. Je présumai que c'était pour cela que tu ne buvais pas et je ressentis une bouffée de tendresse. Tu ne t'étais jamais autant livré. Tes yeux avaient une expression douloureuse, comme si tu avais commis une erreur et ne savais absolument plus quoi faire à présent.

C'était comme le jour où mon père m'avait dit que les choses n'avaient pas toujours été faciles avec ma mère. J'ai senti que tu t'étais démasqué, presque par hasard, comme mon père l'avait fait, et je voulais que tu te sentes de nouveau bien.

— Tu m'as. Je suis ton amie, Harold.

C'était important de l'exprimer. Je pouvais sentir mon sang battre dans mes veines.

Tu décortiquas un autre œuf. Tu dis à tes doigts :

— Au fait, tu sais, cette robe te va bien.

Je compris qu'à ta manière tu me remerciais.

Tout était rentré dans l'ordre, Harold. Tu avais l'air heureux. Tu avais gardé ton travail. Et j'étais heureuse aussi. Je m'étais remise de la perte de mon bébé. J'avais laissé tomber la chambre dans le *bed and breakfast* et j'avais loué un appartement en bordure de Kingsbridge avec une vue sur l'estuaire. Il n'y avait pas de jardin mais à cette époque-là je ne m'intéressais pas encore aux jardins. J'avais trouvé un endroit pour faire de la danse de salon le jeudi soir, et parfois il m'arrivait de danser avec un étranger. Je m'imaginais posant mes bras sur tes épaules et me mettant à valser avec toi.

Du moment que je pouvais te voir tous les jours de la semaine, ça me satisfaisait de t'aimer de loin.

Nous allions vieillir… vieillir ensemble. Tu retrousserais le bas de tes pantalons. Je continuerais à ne pas te dire la vérité.

Et puis, j'ai rencontré ton fils.

Oui, oui, oui

Une mauvaise nuit. Le vent souffle violemment dans les rues et sur la mer. Il fait vibrer la fenêtre et rugit à travers l'arbre. Je vois David. Il crie contre moi toute la nuit. Il secoue le tableau et quand les oiseaux bleus s'envolent il leur arrache les ailes. Il me réclame tous les objets qu'il m'a déjà volés, mais au lieu de demander normalement, il hurle. J'ouvre la bouche mais aucun son ne sort. Il n'y a rien. Les mots ne s'élèvent pas plus loin que ma gorge.

Un billet de dix livres ! crie-t-il.

Oui, dis-je en grommelant.

Un autre !

Oui.

Une bouteille de gin !

Oui.

Une autre !

Oui, répliqué-je.

Couverture ! Bière ! Biscuits !

Voilà, voilà.

Ton batteur à œufs !

Mon batteur ? Pourquoi, David ? Pourquoi as-tu besoin de mon batteur à œufs ?

Je le veux ! Je veux ton batteur !

J'ai l'impression qu'on découpe ma gorge avec un couteau. OUI, DAVID, OUI, OUI, OUI.

À mon réveil je n'ai pas réussi à aller dans la salle de jour. Pendant les rituels du matin, l'infirmière me dit qu'un bénévole allait venir avec des instruments de musique.

— Parfois les gens pensent qu'ils ne sont pas doués pour faire de la musique mais en fait, ils ont tort. C'est toujours une belle journée quand ce bénévole musicien vient.

J'ai demandé à rester dans ma chambre. J'ai entendu les autres malades jouer de la batterie, mais j'avais l'impression de ne pas être dans le même monde qu'eux. Après avoir écrit pendant treize jours, ma main était comme transpercée de part en part. Dans la salle à manger je ne pouvais pas tenir ma fourchette. Ma tête me lançait. J'ai vomi deux fois. Je ne pouvais pas manger. Je n'ai même pas bu ma boisson protéinée.

Le docteur Shah a examiné mon cou, ma bouche et mes yeux.

— Il y a un œdème sur la glande parotide.

— Un petit, dit sœur Philomena.

— Et qu'est-ce qui est arrivé à sa main ?

J'ai essayé de la cacher mais je n'ai pas été assez rapide. Le docteur Shah saisit ma main droite et la retourna pour mieux voir. Il remarqua l'ampoule entre mon pouce et mon index à l'endroit où je tenais mon crayon. Mon pouce était chaud et enflammé. Je sentais mon pouls dans la paume de ma main.

— Ç'a l'air infecté. Qu'est-ce qu'elle a fait ?

Le docteur Shah est gentil mais j'aimerais qu'il ne parle pas comme si je ne l'entendais pas.

Sœur Philomena croisa les bras. Elle sourit en désignant les feuilles étalées sur le sol.

— Queenie a été très occupée. N'est-ce pas, Queenie ?

— Il faut que vous fassiez plus attention à vous, dit le docteur Shah.

Et il posa ma main avec précaution sur mes genoux, comme si c'était pour lui quelque chose de précieux, si bien que je regrettai de l'avoir critiqué en pensée quelques minutes plus tôt.

Ensuite l'infirmière de garde me fit un bandage. Elle perça l'ampoule et en fit sortir le pus. Elle appliqua un gel antibiotique et enveloppa ma main dans de la gaze. Quand elle partit, sœur Lucy s'assit près de moi.

— Vous voulez que je vous mette du vernis à ongles ? demanda-t-elle.

Elle se concentrait tant que sa respiration était bruyante. Pendant qu'elle me mettait du vernis, la chambre semblait tanguer autour de moi.

Mes ongles ont maintenant la couleur de l'aube surplombant la mer à Embleton Bay, quand le jour est si neuf qu'il paraît presque blanc.

La nonne et la pêche

— Vous vous êtes surmenée, mon petit cœur.

Quand sœur Mary Inconnu est entrée dans ma chambre ce matin, elle portait le sac de cuir qui protège la machine à écrire au-dessus de sa cornette, comme un plateau.

— Regardez, dit-elle. Regardez ce que j'ai pour vous en ce beau mardi.

(Il pleuvait.)

Elle baissa le sac et me montra une assiette qui contenait une douce pêche ambrée. Je secouai la tête pour lui rappeler que je ne pouvais pas manger. En fait, j'étais en colère. Comme si elle et la lettre étaient devenues une seule et même chose. Je lui montrai ma main droite bandée.

— Qu'est-ce que vous croyez ? dit-elle. Vous en faites trop. Vous passez votre temps à écrire. Dimanche, vous avez eu beaucoup de mal à vous arrêter. Vous avez écrit sur Harold et vos balades en voiture toute la journée.

Mais cette lettre était VOTRE IDÉE. Mon crayon transperça la feuille.

— Je ne vous ai pas dit de le faire tout le temps. Quand on attend il faut aussi rester tranquille. Vous ne pouvez pas être occupée en permanence, ou alors vous n'êtes pas en train d'attendre. Vous jetez juste des choses sur le papier pour vous distraire.

Elle posa le sac au pied de mon lit et approcha une chaise.

— À présent il faut que vous concentriez votre énergie sur autre chose. Sur cette belle pêche, par exemple.

Et comment une pêche nous aiderait-elle, Harold Fry et moi ? Je ne partageai pas cette réflexion avec elle. Je frappai simplement le lit.

Sœur Mary Inconnu m'arracha à mes pensées en répondant à ma question, comme si elle marchait tranquillement dans ma tête et m'entendait.

— Ça ne changera rien. Mais vous serez moins angoissée. La pêche est là. Dans le présent. Harold Fry n'arrivera pas plus vite si vous travaillez trop ou si vous vous énervez. Ces jours-ci, nous nous sommes comportées comme si nous pouvions avoir ce que nous voulions quand nous le voulions. Mais ce n'est pas le cas. Parfois il faut juste s'asseoir et attendre. Alors prenez la pêche. Et ne soyez pas fâchée. Allez.

Elle mit le fruit entre mes mains.

— Regardez sa peau. Regardez sa couleur. Qu'elle est belle ! Touchez-la.

La chambre était très tranquille. Juste une pêche.

Je caressai le grain velouté de sa peau. Je sentis l'élasticité de sa chair quand je la pressai du bout des doigts. Je touchai ce fruit si harmonieux. La fossette au centre, à l'endroit où il était attaché à la branche, à l'arbre sur lequel il avait poussé. Cela peut paraître bizarre mais j'oubliai un instant qu'on pouvait manger une pêche, tant j'avais de plaisir à la toucher. Sœur Mary Inconnu porta le fruit à mon nez, et l'odeur si sucrée envahit mes narines.

— Découpons-la, dit-elle.

Elle prit son couteau. J'observai tout. L'éclat de lumière sur la lame, l'entaille dans la chair quand le couteau la perça, le jus collant et ambré qui coula soudain le long de ses doigts jusque dans l'assiette. Elle fit courir le couteau tout autour du fruit, le reposa et tint la pêche entre ses deux mains pour l'ouvrir. Elle tourna les parties supérieure et inférieure dans des sens opposés, et la pêche apparut en deux moitiés luisantes, l'une portant le noyau semblable à une noix mouillée, l'autre dévoilant un intérieur doux strié de fils rouges. Je me mis à saliver.

Sœur Mary Inconnu découpa la chair en quartiers puis en morceaux plus petits. Elle s'essuya les doigts avant de me tendre l'assiette.

— Essayez.

Je secouai la tête et désignai ma gorge. ***Je vais m'étrangler.***

— Vous pouvez recracher si c'est trop.

Je pris un bout de la pêche entre mes doigts. Mon menton était déjà trempé. Je glissai le fruit entre mes lèvres et le sentit se poser sur mon palais. Je tournai la tête à gauche, puis un peu à droite, de façon à le faire voyager dans ma bouche.

— Vous n'avez pas besoin d'avaler si vous ne voulez pas.

Le jus sucré et épais coula le long de mon larynx jusqu'à mon estomac. Mon corps tremblait de plaisir. Je rejetai la tête en arrière, comme si je m'apprêtais à sauter, et enfonçai le fruit au fond de ma gorge. Je songeai que si je mourais en m'étouffant avec un morceau de pêche, au moins, ça n'aurait pas eu un goût de carton. Puis ce fut fini. Je l'avais avalé.

Sœur Mary Inconnu se mit à rire.

— Vous voyez ? Vous avez mangé de la pêche. Vous disiez que vous ne pouviez pas mais vous l'avez fait.

J'étais plus heureuse que si j'avais eu des ailes et que j'avais appris à voler. Nous avons mangé un autre morceau et encore un autre. Nous étions la pêche et la pêche était nous, et c'était suffisant.

— Vous devriez vous reposer maintenant, dit-elle.

Quand je me réveillai, sœur Mary Inconnu était rentrée chez elle. Je pris mon crayon et le tins avec précaution pour qu'il ne touche pas l'ampoule. Je me mis à écrire sur la nonne et le fruit, faisant des pauses entre chaque paragraphe. Cela me prit deux jours.

J'espère que tu te reposes aussi, Harold.

Comment vont tes pieds ?

Trois hourras pour Martina

— Oh, j'adore cette nana slovaque ! s'écria Finty. J'ai envie de lui rouler une pelle !

Sœur Catherine venait de lire à haute voix le long message écrit sur la carte postale d'aujourd'hui. Celle avec la photo du château et l'inscription « Salutations de Taunton ». Est-ce que la jeune femme t'a vraiment sauvé ? Elle t'a réellement proposé un lit pour la nuit ? Elle a réparé tes chaussures ? Elle t'a aussi massé les pieds ?

— J'aime Harold Fry, cria Finty.

Aujourd'hui Finty a reçu un bon pour un dîner gratuit dans un des milliers de restaurants gastronomiques du pays. Elle a déclaré qu'elle le gardait pour toi.

— Je suis sûre que ce pauvre type est affamé.

— Je suis contente qu'Harold Fry ait eu une journée de repos à Taunton, dit sœur Catherine. Ç'a dû être dur. Marcher comme ça pendant deux semaines. À sa place je serais à moitié morte. À cause de mes pieds plats.

Elle souleva le bas de sa jupe. Ses chaussures noires ressemblaient à deux bâtons de réglisse.

— Mais si Harold Fry est dans le Somerset, dit Barbara, ça veut dire qu'il atteindra bientôt les Midlands.

Sœur Lucy se mordit les lèvres.

— Le Somerset n'est pas à côté de Newcastle alors ?

Elle enleva de nouvelles pièces de son puzzle. Le roi Nacré déposa un baiser sur ses doigts et le souffla dans les airs.

— Une femme lui a lavé les picds ? dit monsieur Henderson. Pour qui se prend Harold Fry ? Pour Jésus ?

Je souris et je n'en suis pas sûre, mais je crois que monsieur Henderson sourit aussi. Peut-être était-ce simplement un reflux gastrique.

À Kingsbridge, je prenais le car qui allait à Taunton. Mais je ne suis jamais allée jusqu'à Taunton. Je descendais à Totnes pour aller danser tous les jeudis. Pendant un moment, Harold, ton fils est venu avec moi.

Je vais arriver à cette histoire. C'est très important et il faut que tu le saches. Cette histoire te fera peut-être souffrir et je m'en excuse. Mais nous sommes sur le chemin maintenant, Harold. Tu dois tout entendre.

Je ne peux plus écrire aujourd'hui. Ma main me fait mal et j'ai compris que je ne devais pas insister. On ne peut pas arriver où on le souhaite en s'agitant constamment, surtout si le voyage consiste uniquement à rester assis et à attendre. De temps en temps il faut s'arrêter et admirer la vue, un petit nuage et un arbre derrière la fenêtre. Il faut voir ce qu'on n'a pas vu plus tôt. Et puis il faut aussi dormir.

Je te dirai tout bientôt.

Un goût de bien-être

— Chapeau ? Châle ? Chaussons ?

Sœur Catherine posa une casquette de base-ball sur ma tête et m'examina de haut en bas sur mon fauteuil roulant comme si elle m'avait faite elle-même. Elle hocha la tête en signe d'approbation.

— C'est une magnifique journée de printemps. Allons prendre l'air dans le jardin.

Elle me poussa hors de ma chambre et le long du couloir. Il n'y avait personne dans la salle de jour. Les portes qui menaient à la terrasse étaient déjà ouvertes, l'air était doux et plein d'arômes. J'ai fermé les yeux quand nous nous sommes approchées du carré de lumière sur le tapis. Mais j'ai senti la piqûre du soleil sur mes mains et mes poignets. J'ai serré les doigts et osé regarder autour de moi.

Le jardin du Bien-être avait explosé. Sous mes yeux étonnés, le printemps étincelait. Du feuillage naissait sur les branches nues des arbres. À certains endroits, l'apparition des premières feuilles était si récente que celles-ci n'étaient encore que des petits brins très pâles, alors qu'à d'autres, elles avaient presque une teinte jaune acidulé, comme si la nature n'avait pas encore tout à fait réussi son mélange de couleurs. Des boutons-d'or, des pâquerettes, de la chélidoine parsemaient la pelouse. Les bourgeons blancs des magnolias commençaient à éclore et les chatons jaunes du saule pleureur retombaient en grappes. Je songeai aux longs cheveux soyeux des filles que j'avais connues à Oxford. Je me demande où elles sont à présent. Les rayons du soleil filtraient à travers les arbres comme autant de traînées de paillettes, et les feuilles cireuses des arbustes à feuillage persistant – le houx, le laurier, les viornes – resplendissaient sous la lumière.

— Tout le monde est dehors aujourd'hui Queenie, dit sœur Catherine.

C'était vrai. Sur la terrasse un bénévole jouait aux cartes avec monsieur Henderson dans son fauteuil roulant. Sœur Lucy lisait *Les Garennes de Watership Down* à Barbara. Le roi Nacré somnolait. Il y avait quelques malades entourés de leurs amis et de leur famille, et des enfants jouaient à cache-cache derrière la pagode. En bas près de l'étang, Finty était allongée sur un matelas. Quand elle me vit, elle se redressa et me fit signe.

— Sens donc ces rayons de soleil, Queenie Hennessy ! hurla-t-elle. J'ai les seins nus !

Personne ne s'en formalisait. Son torse, aussi étroit que celui d'un enfant, était d'un blanc laiteux. Ses côtes saillaient au-dessus et en dessous des fruits plats qui lui tenaient lieu de seins.

Sœur Catherine me montra les dernières jonquilles et primevères. Elle me désigna la masse bleue que formaient les myosotis derrière les sycomores. Bientôt le blanc aurait remplacé le jaune de ce jardin de printemps. L'aubépine fleurirait, il y aurait d'étroites platesbandes de cerfeuil. Les boutons des pivoines étaient encore fermés comme des billes. Comme j'aurais aimé les voir fleurir.

— Vous voulez sentir la menthe, Queenie ? demanda sœur Catherine.

Elle coupa une tige et froissa les feuilles entre ses doigts. Cela me parut aussi délicieux que si j'avais bu une gorgée d'été.

J'eus envie de décrire mon jardin du bord de mer mais je n'avais pas de carnet. Je pensai aux pièces d'eau bleues et aux parterres de fleurs. Je me rappelai la première sculpture que j'avais faite avec une branche trouvée sur la plage. Elle était haute d'environ un mètre quatre-vingts, d'un beige marron délavé. Quand je l'ai érigée au milieu de mon jardin, c'était comme apporter quelque chose de toi dans mon exil. J'ai fait beaucoup d'autres sculptures comme celle-là et parfois, quand elles avaient l'air triste – ou que je me sentais triste –, je les parais de colliers de coquillages et de pierres. Lorsque les fleurs se fanaient à la fin de l'été, les pierres et les sculptures prenaient le relais. Un jardin ne doit jamais paraître abandonné l'hiver. Sœur Catherine sourit comme si elle comprenait mes pensées.

— Je me demande où Harold Fry se trouve aujourd'hui, dit-elle sans vraiment s'adresser à moi.

Un peu plus tard, elle ajouta :

— J'aimerais marcher jusqu'à Saint-Jacques-de-Compostelle. Mais avec mes pieds, voyez-vous, je ne pourrais pas.

Ce soir le jardin du Bien-être est silencieux. Il est paisible plus que tranquille. De ma chambre j'entends Barbara chanter dans la sienne. Quelqu'un tousse. Je perçois le son d'une télévision et une conversation du personnel de nuit qui se termine par un éclat de rire. Le vent froisse la mer du Nord et une lune d'une blancheur immaculée brille au-dessus de l'arbre.

J'attends.

Je me rappelle.

La trace d'un sourire. Une éraflure sur une chaussure. Un flot de lumière.

Enfant rebelle

En plein mois de juillet, à Kingsbridge, je suis surprise par une soudaine averse. Je marche sur Fore Street avec mon panier à provisions. Le quai en bas de la rue est caché par un rideau de pluie. L'eau s'écrase sur mon visage et mes épaules. Elle tombe en grosses gouttes des auvents des boutiques et se jette avec force dans le caniveau. Je baisse la tête. Je dois marcher prudemment pour ne pas perdre l'équilibre et glisser. C'est le week-end, alors je porte des sandales, une robe d'été, un cardigan léger. Mes cheveux et mes pieds sont trempés.

— Vous ne pouvez pas faire attention quand vous conduisez ? crie une voix masculine. Qu'est-ce qui ne va pas chez vous ?

Je mets la main en visière, et je lève la tête. Un jeune homme se tient devant le pub de l'autre côté de la rue. Il désigne un conducteur dans une voiture. Je comprends très vite que le conducteur s'est garé à côté du jeune homme et l'a éclaboussé en roulant dans le caniveau. Le manteau du jeune homme et ses grandes chaussures sont gorgés d'eau. Ses cheveux sont si mouillés qu'ils sont collés à son crâne comme des serpentins noirs.

— Et qu'est-ce que vous fabriquez dans une voiture de sport ? crie encore le jeune homme. C'est quoi, votre problème ?

Le conducteur sort de sa voiture, la ferme à clé en vitesse et essaie de faire comme si le jeune homme ne s'adressait pas à lui. Mais celui-ci ne veut pas laisser tomber. De son bras, il montre la chaussée ruisselante.

— On est à Kingsbridge, continue-t-il de crier, pas à Monaco.

Je ne suis pas la seule à avoir remarqué la scène. D'autres gens se sont arrêtés. Ils conseillent au jeune homme de se calmer.

— Bouge de là, disent-ils.

Alors il leur crie dessus aussi, il s'égosille en leur donnant toutes sortes de noms qui le font rire.

— Capitaliste ! Joueur de golf ! Directeur de banque ! Promeneur de petits chiens ! Lecteur de journaux de droite ! Buveur de porto du Rotary !

Quelqu'un déclare qu'on se passerait bien de ce genre de comportement dans une ville aussi agréable que Kingsbridge. Pourtant, quand j'examine la foule autour du jeune homme – les pantalons de velours côtelé, les imperméables, les parapluies et les blazers de golfeur –, je réalise qu'il n'a pas tort. Et je ne peux pas m'empêcher de sourire. Il rit aussi, puis son visage se ferme et il a surtout l'air de s'ennuyer profondément.

— Oh, allez vous faire foutre ! dit-il en se détournant.

Mais ce n'est pas uniquement destiné aux passants ou au conducteur. C'est dirigé contre le monde entier.

Il a un visage étroit, très pâle, et un menton pointu. Il est grand, trop grand ; son pantalon et les manches de son pull sont trop courts. J'aurais reconnu cette silhouette n'importe où.

— Qu'est-ce que vous avez dit ? Qu'est-ce que vous m'avez dit ?

Le conducteur en a eu assez. Il sautille d'un pied sur l'autre.

— Vous avez entendu ? crie-t-il à la foule.

Il a l'air beaucoup plus énervé que David. En fait, David est très calme, et il appréhende la bagarre qui s'annonce avec un détachement amusé. La pluie ruisselle sur son visage.

Un homme trapu sort précipitamment du pub une bouteille à la main, et derrière lui je distingue la silhouette menue de Napier. Notre patron reste à l'arrière mais plusieurs hommes l'accompagnent. David n'a pas l'air d'entendre mais ils l'insultent. Pédé. Branleur. Ce n'est pas très original. Dès que David leur tournera le dos, ils l'empoigneront et le pousseront dans une contre-allée. Ils ont déjà les poings serrés, le menton en avant. Personne ne les arrêtera.

Mon bras se lève d'un coup. Je crie :

— Je suis là ! Je suis là !

Je me jette sur la chaussée, quoique je n'aie aucune idée de ce que je vais faire quand je serai de l'autre côté de la rue.

— David Fry ! (Je me fraie un passage à travers la foule.) Oui, il est avec moi ! Excusez-moi !

M'apercevant, les hommes de Napier disparaissent dans l'ombre.

Les revers trempés du manteau de David sont recouverts de badges colorés : « Les Sex Pistols », « Ne me blâmez pas d'avoir voté pour le parti travailliste ! »,

« Libérez Nelson Mandela ». Mais aussi, étrangement, d'un dessin de l'ours Paddington. David sent l'humidité, le patchouli et les cigarettes.

— Viens ou on va être en retard, dis-je en l'éloignant de la foule.

Je parle très fort comme s'il n'y avait personne d'autre et je le guide vers le bas de la rue. Il se laisse faire. Nous marchons vite mais je sens qu'il me regarde. Je crois même qu'il sourit. D'un air détaché. Celui dont il regardait la foule un peu plus tôt, comme s'il appréciait ce genre d'aventure inattendue.

Une fois que nous sommes sur le quai je ralentis. Nous nous arrêtons sous l'auvent du marchand de journaux. La pluie fait du bruit au-dessus de nos têtes. Elle ride la surface de l'eau de l'estuaire et fait tanguer les petits bateaux.

— Qu'est-ce qui t'a pris ?

David frotte sa manche mouillée. Ses mains sont très fines. J'ai l'impression qu'il débarrasse son manteau de mon contact.

— Je connais ton père, lui dis-je. Je travaille avec Harold Fry.

David rit comme s'il venait tout juste de saisir le mot de la fin d'une blague qu'il est seul à connaître.

— D'accord, dit-il.

— Je ne sais pas pourquoi tu trouves ça drôle. Tu étais sur le point d'avoir des tas d'ennuis là-bas.

— Kingsbridge a besoin d'ennuis. Elle a besoin d'un bon nettoyage. Voilà ce dont elle a besoin. (Il m'adresse un large sourire. C'est tout son visage qui s'illumine.) Vous avez du cash ?

— Tu plaisantes ?

— Eh bien, non, en fait. Désolé.

Quand j'ouvre mon portefeuille pour lui donner une pièce d'une livre, il dit qu'un billet de cinq fera l'affaire. Et quand je proteste, il commence à parler. Il se lance dans une histoire compliquée : quelqu'un lui a volé son portefeuille, sa grand-mère est mourante, le chat est mourant. Mais en me racontant tout cela, il se lasse de son propre mensonge et une fois encore il sourit. Son sourire se transforme en un nouvel éclat de rire. Il a tes yeux. D'un bleu très profond. Mais ils n'ont pas ta douceur, ni ta modestie. Ce garçon est intelligent. D'une intelligence affûtée comme un couteau. Pourtant l'histoire du chat est alambiquée et abracadabrante. C'est le genre de chose que j'aurais pu inventer autrefois, mais dans un cahier et non devant un étranger. Je me mets à rire moi aussi.

— Vous me donnez l'argent ou pas ?

— Et si on allait prendre une tasse de thé, David ?

— Avec vous ?

Il me dévisage d'un air interrogateur. J'ai honte de ma proposition. C'est trop direct. Puis il dit :

— Vous pouvez m'acheter une canette de bière si vous voulez.

Les canettes de bière. Bien sûr. Je te revois en train de te débarrasser secrètement des canettes vides dans la cour, et je ressens pour toi une telle bouffée de tendresse que ma gorge se noue.

— Ce n'est pas un peu tôt, David ?

— Tout le monde s'en fout à Kingsbridge.

Il m'offre une cigarette et quand je refuse, il hausse les épaules.

— J'ai commencé à boire dans les pubs quand j'avais douze ans. Je portais mon uniforme du collège et pourtant personne ne disait rien. Ravi de vous avoir rencontrée, Queenie.

Il touche sa tempe avec ses doigts comme s'il me faisait un salut militaire. Puis il se retourne et s'éloigne.

— À un de ces jours, dit-il de loin.

Je le regarde se diriger dans la pluie vers High Street, se frayant un chemin parmi les passants, son manteau ouvert, ses Doc Martens frappant la chaussée mouillée. De temps à autre, il baisse la tête pour détendre les muscles de son cou comme si c'était difficile de porter tant d'intelligence.

Ce n'est que lorsqu'il est parti que je réalise qu'il n'est pas le seul à se faire remarquer à Kingsbridge.

David connaissait mon prénom.

Un hommage à Harold Fry

Une journée de brouillard. Derrière la fenêtre il n'y a rien. Pas d'arbre. Pas de ciel. Comme si le centre de soins palliatifs avait été coupé du reste du monde et que nous dérivions sur une mer blanche. J'espère qu'il n'y a pas de brouillard là où tu es, Harold. Par la pensée, je te donne une veste fluorescente et une lanterne.

Ce matin quelque chose d'inattendu s'est produit dans la salle de jour.

— Qu'est-ce que c'est que ça ? demanda monsieur Henderson en désignant le panneau d'affichage.

Deux nouvelles pages avaient été épinglées au-dessus des affiches du Service national de santé recensant les offres de soin proposées dans le voisinage et les contacts utiles dans le Northumberland. Je retournai à mon carnet.

Nous étions tous à table. Une bénévole nous montrait comment fabriquer des cartes de vœux.

— Ça aide parfois, dit-elle, d'écrire un mot à quelqu'un qu'on aime. C'est une autre manière d'exprimer ce qu'on a du mal à dire.

Elle avait apporté un grand sac avec de la colle, des cartes pliantes, des paillettes, des formes en mousse, des plumes de toutes les couleurs, des étoiles autocollantes et des stylos métalliques. Finty avait fait une carte pour le prince Harry, le membre de la famille royale qu'elle préférait. Sœur Catherine aidait Barbara à faire une carte pour sa voisine. Le roi Nacré avait porté le tube de colle à son nez plusieurs fois en nous disant qu'il n'y avait rien de tel que le bon vieux temps, mais pour l'instant il ne s'en était pas encore servi pour coller les formes en mousse sur sa carte de vœux.

— Vous êtes donc tous aussi sourds que mourants ? cria monsieur Henderson.

Surprise, surprise : il n'avait pas fait de carte. Il désigna de nouveau le panneau d'affichage. Cette fois nous avons tous cessé de travailler et redressé la tête. Sœur Lucy se leva de sa chaise.

— Oh, c'est moi qui ai fait ça, dit-elle.

Elle retira les feuilles du mur pour nous les montrer. C'étaient deux pages de calendrier, pour avril et mai, et à chaque mois correspondait une photo imprimée sur du papier glacé. L'une représentait des primevères jaunes, l'autre un chaton tigré. Sœur Lucy plissa un peu les yeux pour lire les légendes.

— La première dit « L'été à Berwick-upon-Tweed » et celle-ci dit « Un joli chaton ».

— Est-ce que le joli chaton est aussi à Berwick-upon-Tweed ? demanda monsieur Henderson.

Sœur Lucy se mordit la lèvre.

— Oui, je suppose. Ce n'est pas précisé.

Monsieur Henderson ouvrit son journal.

— Sans commentaires.

— Mais pourquoi il y a des chatons et des fleurs sur ce foutu panneau d'affichage ? cria Finty.

J'ajoute qu'elle portait un chapeau de cow-boy rose. Si je savais pourquoi je vous le dirais, mais je n'en ai aucune idée. L'une des bénévoles a une boîte de déguisements chez elle pour ses enfants. Elle apporte des chapeaux à Finty parce que Finty adore les chapeaux.

Sœur Lucy expliqua qu'elle avait déchiré les pages d'un calendrier dont on ne se servait pas au bureau. Elle avait colorié une case chaque jour depuis que tu avais commencé à marcher. C'était pour suivre ta progression, dit-elle. Elle désigna aussi la photo d'un homme portant des bottes qu'elle avait découpée dans un magazine people.

— Mais c'est John Travolta, dit Finty. Putain, il vient aussi ?

Sœur Lucy répondit qu'elle ne savait rien sur John Travolta. À sa connaissance, il n'y avait qu'Harold Fry qui venait à pied.

— J'ai demandé à sœur Philomena, et elle a dit que nous pouvions avoir un coin Harold Fry, ajouta-t-elle.

— Génial ! s'écria Finty. On peut avoir un meuble bar, aussi ?

Monsieur Henderson émit un son que je ne décrirai pas.

Sœur Lucy rougit si fort que son visage parut taché.

— Aujourd'hui, c'est... (Elle s'interrompit pour pointer chaque date du doigt et compter en silence.) Aujourd'hui c'est le vingtième jour du voyage d'Harold Fry.

Elle passa à la seconde page, celle avec le chaton, et, tirant un stylo de sa poche, coloria avec soin la première case.

— C'est aussi le 1er mai.

Elle me proposa de disposer tes cartes postales à côté des pages de calendrier pour que tout le monde sache où tu en étais de ton périple. J'acceptai. Elle alla les chercher dans ma chambre et les punaisa au mur. Elle me rapprocha du coin Harold Fry.

— Regardez, dit-elle. Regardez, Queenie.

— Ça signifie donc que je suis ici depuis plus de vingt jours ? grommela le roi Nacré. Le vieux chien est encore plein de vie.

— C'est quoi, ce drôle de bruit ? demanda Barbara.

Finty éclata de rire.

— C'est le roi Nacré. Il se frappe la poitrine. N'essaie pas, Babs. Tu vas encore faire tomber ton œil.

— Juste ciel, soupira monsieur Henderson. Tout ceci est pire que *Huis clos.*

— Oui quoi ? hurla Finty.

Je contemplai tes cartes postales. Kingsbridge. Bantham Beach. Buckfast Abbey. South Brent. La carte topographique. Chudleigh et Exeter. Le train à vapeur de Bluebell. Taunton. Harold Fry vient vraiment, songeai-je. Et je ressentis une petite bouffée de printemps au fond de mon cœur, comme lorsque l'épineuse rose pimprenelle de mon jardin du bord de mer récompensait mes efforts d'une fleur blanche.

Puis je me souvins de tout ce que j'avais encore à te dire. Je jetai un œil sur l'épais brouillard qui collait aux fenêtres. Je baissai la tête.

— Je ne comprends toujours pas, disait monsieur Henderson. Pourquoi y a-t-il un chaton sur le calendrier ? Quelqu'un peut-il m'expliquer le rapport qu'il y a entre un chaton et Berwick-upon-Tweed ? Mademoiselle Hennessy ?

Mais j'étais de nouveau plongée dans mon carnet.

Un aller simple pour Newcastle

Tiverton Parkway, Taunton, Chippenham, Bristol Temple Meads, Bath Spa, Cheltenham, Birmingham New Street…

Sur le quai d'Exeter je regardais attentivement la voie de chemin de fer. La rangée de wagons-lits s'étirait sur une courte distance avant de disparaître dans le brouillard. Quand le train arriva, il apparut brutalement. Avant il n'y avait rien et puis soudain il y eut huit wagons.

J'ouvris la porte du train, mais je croyais encore que tu arriverais pour m'empêcher de partir. Je soulevai lentement ma valise sur le marchepied. Je m'arrêtai. Je regardai derrière moi. Je voulais encore croire à nos adieux, tu comprends. J'attendais encore.

Je trouvai ma place dans le wagon et pressai mon visage contre la fenêtre. Je ne quittais pas l'entrée du quai des yeux. Les gens se précipitaient avec leurs bagages. « C'est celui-ci ? C'est bien le train pour Newcastle ? » « Vous avez le temps, madame. Pas besoin de vous presser. » Même maintenant il ne serait pas trop tard pour que je saute hors du train. Pour sauter et courir à travers la gare, passer devant le guichet, jusqu'au parking, où tu viendrais peut-être de garer ta voiture. Peut-être étais-tu d'ailleurs en train de courir, de passer devant le guichet, cherchant une femme seule, pensant que non, que ce n'était sûrement pas trop tard. Consultant ta montre, l'horloge du quai…

Au-delà de la gare, les silhouettes des immeubles, des toitures et des fenêtres étaient voilées par la brume. Rien n'avait l'air d'exister vraiment.

Le chef de gare siffla. Le train s'ébranla. Le paysage familier commença à disparaître.

Je me levai, paniquée. Non, non. Pas déjà. J'appuyai ma joue contre la fenêtre. L'effort que je faisais pour rester concentrée sur la petite gare, les gens qui agitaient leurs mains en signe d'adieu, ton absence : tout cela me fatiguait les yeux. Ça me faisait mal de continuer à regarder. Puis tout se perdit aussi dans le brouillard. Je retombai sur mon siège. Du moins, je le crois. Parce que je réalisai soudain que je n'étais plus debout.

J'étais incapable de prendre un livre. Incapable de pleurer. Je ne pouvais rien faire d'autre que rester assise tandis que le train m'entraînait loin de toi. Je n'arrivais pas à croire que je m'enfuyais de nouveau. Que je te laissais derrière moi. De ma fenêtre, le paysage ne fut plus rien d'autre qu'un défilement de taches de couleurs : des bruns-roux, des dorés, des verts. Comme des peintures à l'eau déteignant sur une page mouillée.

Taunton.

Quelqu'un avait-il dit Taunton ? Ce n'était pas trop tard ! Je pouvais descendre. Il y avait une ligne d'autocar, je le savais. Mais alors que j'essayais de mettre mon manteau, je repensai à tout ce que j'avais fait. Je me rappelai ma conversation avec Maureen. Tout était fini pour moi à Kingsbridge. Je me rassis, immobile, n'osant pas bouger un seul muscle, attendant le coup de sifflet du chef de gare.

Tandis que le train s'ébranlait à nouveau vers le nord, le brouillard commença à se dissiper. Le soleil – disque pâle et tremblant – se fraya un chemin et teinta les nuages d'une couleur argentée. Bath. Bristol. Cheltenham. Des haies, des saules, des arbres aux papillons, des ponts, des champs, des canaux, des épaves de voitures, des ruisseaux, des carrières de graviers, des blocs de béton, des jardins longeant la voie ferrée. J'ai parcouru les kilomètres que tu avales tous les jours, Harold, à une telle vitesse que j'avais l'impression de tracer ma route à travers l'Angleterre. J'aperçus le clocher penché de l'église de Chesterfield, comme un chapeau pointu bancal, et j'eus envie de te dire : « Regarde ! » Je savais que nous aurions ri, et rire de la même chose aurait été une autre façon d'être ensemble. À Birmingham, les convives d'une noce remplirent le wagon ; joues rouges, petits chapeaux (un peu penchés aussi), cravates desserrées, bouteilles entamées. Ils chantèrent jusqu'à l'arrêt suivant. À Sheffield, une bande de jeunes femmes embarquèrent et se mirent à parler des soldes. Même la banquette avait meilleure mine que moi. Les jeunes femmes descendirent à Leeds et furent remplacées par des familles qui regagnaient leur foyer avec leurs bagages et des personnes chargées de sacs qui venaient de faire des achats. Et cela continua ainsi. Les gens montaient, voyageaient un moment, parlaient de l'avenir, tandis que j'étais assise seule, sans port d'attache. N'appartenant qu'au mouvement.

Des voix de plus en plus hautes et monotones résonnaient autour de moi. Des pylônes électriques et des poteaux téléphoniques traversaient le paysage, emportant des kilomètres de câble jusqu'à des endroits inconnus. Il y avait des fermes, quelques-unes en brique rouge, d'autres d'un rose délavé, et il y avait aussi des immeubles résidentiels et des magasins de fortune. Au loin, de la fumée sortait des cheminées et était balayée sur le côté, si bien que j'avais l'impression de voir de grands draps gris étendus contre le ciel. L'humanité paraissait si industrieuse, si occupée à être ce qu'elle était que je ne parvenais plus à y trouver ma place. Après Doncaster, le paysage devint plus plat et plus vaste. Les champs étaient gorgés d'eau de pluie.

Quand nous avons dépassé York, le jour avait pris une douce couleur dorée, et les arbres chatoyaient. À

Darlington, de nouveau de la brique rouge, et là aussi la terre vibrait d'animation. Les maisons étaient entassées sur les flancs des collines, le blé prêt à être récolté colorait les champs en jaune, et la rivière serpentait le long de la ligne de chemin de fer. Je distinguai les profils sombres de la cathédrale et du château de Durham, leurs tours et leurs clochers se découpant contre le cicl. Plus bas, les toits de la ville en ardoise noire brillaient. L'obscurité envahissait déjà la fin d'après-midi. Newcastle serait le dernier arrêt.

Tout le monde descend ! Tout le monde descend !

Je fus la dernière à sortir du train. Une fois sur le quai, je dus me tenir à la porte pour garder l'équilibre. Les gens me bousculaient, impatients d'arriver à destination. Je réalisai que ça ne s'était pas trop mal passé ; le voyage avait été supportable tant que le train était resté en marche. Mais maintenant que j'étais à nouveau immobile et sur la terre ferme, je me sentis si étourdie que je pouvais à peine respirer. Je tentai de fixer mon attention sur les poutrelles de fer du toit de la gare, mais dès que j'y parvins elles se détachèrent de leurs rivets pour nager dans les airs.

J'avais la nausée. Mes genoux ne me portaient plus. Je vacillai.

Un puzzle en progrès

Cet après-midi, monsieur Henderson s'est arrêté près de sœur Lucy en sortant de la salle de jour. Regardant le puzzle par-dessus son épaule, il fronça les sourcils un moment comme s'il cherchait les erreurs.

— J'ai l'impression que ça ne marche pas, dit sœur Lucy. Je devrais sans doute laisser tomber.

Monsieur Henderson jeta un œil vers moi et mon carnet.

— J'espère que vous n'écrivez pas sur nous. Ce ne serait pas très intéressant.

Je souris comme je pouvais.

D'une main tremblante, monsieur Henderson prit dans la boîte une pièce du puzzle de sœur Lucy et la posa avec soin près d'une autre.

— C'est St. Ives, dit-il. Ma femme et moi louions toujours une maison de vacances à St. Ives.

Monsieur Henderson resta avec sœur Lucy tout l'après-midi. Ils assemblèrent une partie de la Cornouailles et de l'est de l'Angleterre.

Et toi, mon ami ? Où es-tu ?

Une leçon de danse pour David

Août. Un jeudi soir. J'étais à l'arrêt du car, attendant celui pour Taunton qui s'arrête à Totnes. Je m'étais changée discrètement dans les toilettes des femmes à la brasserie. Sous mon manteau d'été, je portais ma robe de bal. J'avais mis mes chaussures de danse dans mon sac avec un livre de la bibliothèque. J'avais détaché mes cheveux et je les avais laqués de façon à ce qu'ils bouclent.

Tu étais en vacances avec ta famille et tu me manquais terriblement. Napier t'avait remplacé pour quinze jours par un jeune représentant qui s'appelait Nibbs. Tu te souviens de lui ? Nibbs conduisait vite et bâillait beaucoup. Souvent les deux en même temps. Quand quelque chose ou quelqu'un nous est enlevé, on se rend compte très clairement de ce qu'il a apporté à notre vie, et chaque fois que je montais dans la voiture de Nibbs, la sécurité et la douceur de ta présence me manquaient. Je dis sans détour à Napier que Nibbs n'était pas un remplaçant adéquat, au cas où notre patron aurait l'idée de te renvoyer à ton retour. C'était mon quatrième jour sans toi. Je devais encore supporter une semaine entière. J'avais besoin de danser. J'avais besoin d'être auprès d'un homme grand, de lever les bras jusqu'à lui et m'imaginer, pour quelques instants, que j'étais de nouveau avec toi.

À l'arrêt du car, je sentis que quelqu'un tirait sur ma manche. Je sentis cette odeur. Patchouli, cigarette, bière. Je reconnus David avant même de le voir. Étais-tu déjà rentré chez toi ?

Je ne t'avais pas dit que j'avais rencontré David pour ne pas t'embarrasser. Finalement, il s'était presque battu, et après il m'avait demandé de l'argent. Me voyant si bien habillée, les cheveux bouclés, avec du rouge à lèvres rose corail, David fit une sorte de grimace. Il pencha la tête comme s'il essayait de me voir sous un autre angle. Apparemment le changement l'amusait.

— Où allez-vous, Queenie Hennessy ?

— Je sors.

— Où ça ?

Je détournai le regard vers la route. Je ne t'avais jamais dit que j'aimais danser et je n'avais pas non plus dit que j'étais allée plusieurs fois au Royal. (Je ne voulais pas que tu croies que je mourais de solitude.) Il fallait que je réfléchisse sérieusement à sa question. Ton fils paraissait être le genre de jeune homme capable de trahir un secret juste pour voir ce qui arriverait.

— Ça ne te regarde pas, dis-je.

David se planta à mes côtés.

— Oh, ça m'est égal. Votre sortie m'a l'air marrante. (Il alluma une cigarette et, sans la regarder, agita son allumette pour l'éteindre.) Je viens aussi.

Il rejeta une première bouffée de fumée.

Peu importe où j'allais, peu importe où je voyageais, je trouvais toujours un endroit pour danser. J'y allais seule, et je repartais parfois accompagnée. Quand on est seule dans un dancing, ce n'est pas la même solitude qu'ailleurs. Ce n'est pas comme d'être assise chez soi sans que personne ne pense à nous. Dans un dancing, on est à part sans vraiment l'être. On peut faire partie de quelque chose ou choisir de ne pas en faire partie. Et puis, mes parents adoraient ça. Danser. C'est comme ça que j'ai rencontré le Fumier à Corby. Il m'a invitée à danser le fox-trot et les choses sont parties de là.

Je dis à David :

— Tu n'as pas vraiment envie de venir. Ça va être plein de gens âgés. Rentre chez toi. Tes parents vont s'inquiéter.

Il se mit à rire.

— Il est seulement six heures et demie. Et de toute façon, ils sont encore en vacances.

Malgré moi, je sentis mes épaules s'affaisser.

— Et tu n'es pas avec eux ?

— Vous plaisantez.

David se mit à examiner les voitures qui arrivaient. Il mit le pied sur la chaussée et je dus le tirer en arrière.

— Vous pourrez m'acheter cette bière que vous me devez.

Je refusai de m'asseoir à côté de lui dans le car. S'il voulait aller à Totnes, je ne pouvais pas l'en empêcher, mais il ne voyagerait pas avec moi et je ne paierais pas son billet.

— Je ne sais pas pourquoi vous êtes si susceptible, Queenie, dit David en posant ses grandes chaussures sur le siège près de moi.

Je continuais d'essayer de lire mon livre mais j'aurais pu tout aussi bien le tenir à l'envers, ça n'aurait rien changé. J'étais totalement obnubilée par ce mince jeune homme brun qui me regardait avec tes yeux. Il n'y avait pas d'autres passagers et le chauffeur était à l'étage. Je me sentais très seule avec David.

— Qu'est-ce que vous lisez ? (Avant que je ne puisse répondre, il se leva et me prit le livre des mains.) Proust ? Sympa.

Il en récita les premières phrases.

— « Longtemps, je me suis couché de bonne heure. Parfois, à peine ma bougie éteinte, mes yeux se fermaient si vite que je n'avais pas le temps de me dire : “Je m'endors.” »

Pendant qu'il parlait, il ferma aussi les yeux, si bien que les mots arrivèrent aussi doucement qu'une chanson qu'il se serait murmurée. Il remit le livre sur mes genoux.

— Je préfère les existentialistes. Et Blake. Vous le connaissez ?

— William Blake ? Oui. (Je récitai :) « Oh rose tu es souffrante ! »

— Pas mal, dit David.

Le chauffeur apparut en bas des marches et se dirigea vers nous avec sa machine. Je demandai poliment un ticket pour Totnes.

— Moi aussi, déclara David. Totnes. Un ticket pour enfant.

Il ne dit pas « s'il vous plaît ». Le chauffeur examina David de la tête aux pieds.

— Toi, un enfant ?

David croisa ses longues jambes puis ses longs bras, et il regarda le conducteur droit dans les yeux en souriant. J'avais rarement vu un jeune homme de dix-huit ans ressembler si peu à un enfant.

— J'ai quinze ans bien sonnés, monsieur.

— Je pourrais te jeter dehors, dit le chauffeur.

— Ç'a l'air marrant, répliqua David.

Pour la seconde fois, je finis par venir à son secours. Pour éviter une scène, je dis qu'il était avec moi et je m'empressai de payer son ticket. Quand David me suivit au Royal, je finis par payer son entrée. Et je finis aussi par régler son addition : une canette de Stella, un verre de whisky et un paquet de cigarettes.

La soirée avait déjà commencé quand nous sommes arrivés devant le Royal. On pouvait entendre l'orchestre, même si la musique était assourdie comme si elle venait du sous-sol.

Nous nous étions arrêtés de l'autre côté de la rue et nous regardions les nouveaux arrivants gravir les marches en béton. Il faisait encore jour, mais le panneau lumineux projetait le mot « Dancing » au-dessus des portes vitrées et deux piliers style années cinquante scintillaient de part et d'autre de l'entrée. Les danseurs portaient un manteau sur leur costume ou leur robe de bal. Ce qui les différenciait des autres passants, c'étaient leurs petits escarpins argentés ou leurs souliers à lacets lustrés.

— C'est quoi l'âge moyen ici ? demanda David. Soixante ans ?

— À peu près.

— Ils dansent et c'est tout ?

— C'est de la danse de salon.

— Ils n'ont qu'à regarder ça à la télé le samedi soir.

— Ce n'est pas la même chose.

— Ah non ?

Je sentis qu'il m'observait avec intérêt. Je ne le regardai pas.

— Non...

David alluma une autre cigarette. Il secoua l'allumette et la jeta.

— Et pourquoi venez-vous ici ? Vous ne pouvez pas aller danser à Kingsbridge ?

— Si j'allais danser à Kingsbridge, les gens pourraient avoir envie de me connaître.

— Et vous ne voulez pas qu'ils vous connaissent ?

— Non. J'aime bien y aller seule.

Certains évaluent leur bonheur au prix qu'il leur coûte. Plus ils auront dépensé, plus ils pensent qu'ils seront heureux. À cette époque-là, j'évaluais le mien à la distance que je devais parcourir. David sembla comprendre. Il sourit et hocha plusieurs fois la tête, lentement. C'était étrangement agréable d'obtenir son approbation.

— Écoute. Tu es plus jeune que tout le monde ici. Pourquoi ne vas-tu pas faire autre chose ? Nous nous retrouverons pour prendre le dernier car.

Je commençais à me sentir responsable de lui.

— J'ai la musique en moi.

David tendit les bras et se mit à chanter.

— Chut, fis-je.

Les gens se retournaient pour nous regarder. David reprit un air sérieux, mais une lueur d'excitation brillait toujours au fond de ses yeux.

— Je ne vous embarrasserai pas devant vos amis, dit-il.

— Je t'ai déjà dit que je n'avais pas d'amis ici. Je danse.

Il haussa les épaules.

— Peu importe ce que vous faites, je resterai tranquillement assis.

J'expliquai que les gens trouveraient peut-être notre couple bizarre : une femme qui vient d'avoir quarante ans et un jeune homme qui allait tout juste commencer ses études à Cambridge.

— Qu'est-ce que ça peut faire ce que pensent les gens ?

C'était comme d'être avec une version de toi que je ne connaissais pas.

David jeta son mégot dans la rue.

— Alors, vous croyez qu'ils vont me laisser entrer ? Ou la jeunesse et la vitalité sont-elles interdites ?

Il passa ses doigts dans son épaisse chevelure, essayant de la discipliner. J'ouvris mon sac et lui donnai un peigne.

— Le Royal n'est qu'un dancing, dis-je. Ce n'est pas une boîte de nuit ou je ne sais quoi. Généralement, il y a surtout des gens âgés et moi.

— Ouais, ouais, vous me l'avez déjà dit. Comment je suis ?

Il avança un peu et les lumières éclairèrent son visage. Comment était-il ? Très bien. Une peau d'une pâleur d'ivoire. Un menton allongé, des pommettes saillantes. Et des yeux comme des lampes bleues.

— Ça ira, dis-je.

— Venez, Queenie.

À ma grande surprise, David me prit par la main et me conduisit de l'autre côté de la rue jusqu'en haut des marches. Je crois qu'il ne pensait même pas à ce qu'il faisait. Je lui arrivais à peine aux épaules et je devais marcher vite pour le suivre. Je payai pour nous deux au guichet sans regarder la femme derrière la vitre, puis nous avons passé les doubles portes, de nouveau main dans la main. Quand nous avons atteint le coin où la lumière et l'ombre se mêlent, entre la salle et la piste de danse, je fus envahie par un frisson d'excitation que je n'avais jamais ressenti au Royal auparavant.

Je n'étais pas encore une habituée. J'y étais allée six ou sept fois. Il y avait des hommes que je connaissais mieux que d'autres, mais je ne cherchais pas à avoir une relation parce que je t'avais, Harold. Mon cœur était déjà pris. Alors quand un homme m'invitait à danser, j'acceptais mais je ne lui donnais pas mon adresse. S'il me conduisait au bar, je payais ma consommation. En général je me raidissais et me décalais sur le côté s'il essayait de poser sa main sur mon épaule.

— Vous avez une bouche magnifique, me dit un homme un jour. Comme un bouton de rose. (Ses cheveux étaient si gominés qu'on aurait dit du plastique.) Je ne vais pas pouvoir résister à l'envie de vous embrasser.

— Essayez donc très fort, répliquai-je.

Il me donna son numéro de téléphone au cas où je changerais d'avis et aurais envie de dîner avec lui.

Je me suis mise à la danse de salon après Oxford. J'avais compris que je n'avais pas envie d'être enseignante, et je m'étais dirigée vers Londres pour trouver du travail. Un après-midi, alors que je passai devant un dancing à Woolwich, en entendant ce rythme – lent, lent, rapide rapide lent, lent –, je m'arrêtai net en chemin. Je n'avais pas de chaussures de danse, pas de robe de bal. Mais je payai au guichet, j'entrai, et je m'assis dans l'ombre pour que personne ne me voie. Je restai là tout l'après-midi. Ma vie n'était pas facile à l'époque. Je travaillais dans un bar pour joindre les deux bouts. Mais alors que je regardais les couples danser, les robes scintillantes des femmes, les chemises blanches à jabot des hommes, un balancement vers la droite, un pas léger vers la gauche, je découvris de nouveau la beauté. C'est ainsi que j'ai commencé à pratiquer la danse de salon. C'est un peu comme de demander à quelqu'un comment il a commencé à fumer. Cette habitude me convenait.

Et je ne sais pas pourquoi j'ai choisi le jeudi pour passer la soirée au Royal. La première fois que j'y suis allée, c'était un jeudi, et j'ai continué. Comme la plupart des gens désorientés, je me suis toujours raccrochée à une routine.

La piste de danse était déjà noire de monde quand nous sommes arrivés. Je choisis une table ronde vers le fond, loin de la lumière jaune des chandeliers. La scène se trouvait à l'autre bout de la salle, entourée de rideaux rouges. L'orchestre jouait un swing ni trop lent ni trop rapide. J'achetai sa bière à David.

À la manière dont il était assis, penché en avant, remuant les genoux, le menton dans la main, je supposai qu'il détestait le Royal. Je ne pouvais pas m'empêcher de voir cet endroit à travers ses yeux. C'était juste une salle bas de plafond, défraîchie, éclairée par des lampes en faux cristal où remuaient, bras dessus, bras dessous, des tas de gens âgés. Même moi j'avais l'air d'une poupée de cire trapue dans ma robe bleue. Qu'est-ce que je faisais donc ? Je n'y retournerais plus.

Je saisis mon sac à main et dis qu'on devrait partir.

— Maintenant ?

— Oui, maintenant, David.

— Mais ce n'est pas fini, protesta-t-il.

— Je suis fatiguée, répondis-je.

— Je croyais qu'on allait danser ?

— Toi et moi ?

Je me mis à rire. Erreur.

— Si vous ne voulez pas danser avec moi, je danserai tout seul.

Il se leva si brutalement que les pieds dorés de sa chaise imitant le style rococo se soulevèrent et que la chaise fut projetée en arrière avant d'atterrir à l'envers sur le sol. Il se dirigea vers la piste de danse, frôlant les épaules des spectateurs sans même paraître s'en rendre compte. Je le suivis à distance raisonnable. Je voulais éviter un esclandre. Avant que je puisse l'en empêcher, il s'était frayé un chemin jusqu'au centre de la piste. Il se tenait là, au milieu de toutes ces dames vêtues de robes lilas et de ces hommes au crâne dégarni, comme le moyeu d'une horrible roue aux couleurs pastel tournant avec lenteur. Je m'arrêtai juste au bord, dans l'ombre.

Je songeai à la première fois que je t'avais vu, valsant sous la neige. J'étais tellement happée par ce souvenir, si différent de l'atmosphère de cette salle de danse, que pendant un moment j'oubliai David. Je ne pensais qu'à toi.

Puis quelqu'un demanda :

— Que fait ce gamin ?

David restait absolument immobile. Il paraissait ne plus se rappeler où il était. Un couple de dames plus âgées en robes de taffetas assorties lui rentra dedans et reprit sa danse. Puis il se passa quelque chose.

David tendit les bras et pointa le pied droit. Il se lança dans un tango compliqué, occupant toute la piste. Il glissait, il se penchait en avant, il tournoyait. Les gens s'arrêtaient de danser pour le regarder et se moquer de lui, avant de retourner à leurs pas plus conventionnels. Très vite, David se lassa de son tango et il ramena ses coudes contre lui. Il se mit à danser la rumba. Et quand il en eut assez de la rumba, il exécuta un semblant de valse avec une partenaire invisible. Il galopait presque à travers la piste, esquivant les autres danseurs. Les pans de son manteau – qu'il n'avait pas ôté – battaient l'air comme de gigantesques ailes.

Les gens commencèrent bien sûr à se fâcher. Comment pouvait-il en être autrement ? Ils s'arrêtèrent de danser, les couples se séparèrent et disparurent les uns après les autres. Il ne resta bientôt plus sur la piste que David et quelques couples plus courageux que les autres. Je ne bougeai toujours pas.

— Qui est l'imbécile en manteau ? demanda le chef d'orchestre au micro.

Des éclats de rire fusèrent. Mais David ne semblait rien remarquer. Il avait complètement laissé de côté les danses de salon pour faire des bonds. J'étais sur le point de partir. C'est la vérité. S'il était capable d'interrompre ainsi une danse, il était plus que capable de prendre le dernier car. Puis je l'ai regardé de nouveau. Il émanait de lui quelque chose de si débridé, il était si particulier et joyeux que je ne pouvais plus bouger. Il ne dansait ni comme toi ni comme moi, mais ça revenait au même. Ton fils vivait littéralement sa danse.

Un videur s'arrêta près de moi et contracta les muscles de ses bras comme s'il avait l'intention de frapper David. Ton fils provoquait apparemment cet effet sur les gens.

Alors je me suis dirigée vers le centre de la piste de danse. David avait les yeux fermés. Ses cheveux et son visage luisaient de sueur. Mais j'ai pris place à côté de lui et j'ai sauté aussi.

— C'est génial ! dit-il en riant.

— Oui, répliquai-je. Mais le fox-trot c'est bien aussi, David. Si on essayait ?

Dans le car du retour, David était silencieux. À la fin, il dit :

— Vous ne direz pas à père que je suis venu avec vous ce soir ?

— Pourquoi pas ?

— Ma mère ne serait pas contente. J'ai promis de ne pas sortir pendant qu'ils étaient en vacances. Avec elle c'est mieux de ne rien dire. Elle attrape des migraines.

Je sursautai légèrement, comme si j'avais brièvement perdu l'équilibre. Je ne sais pas si je me sentais mal à l'aise ou si c'était autre chose. De la culpabilité ? Pourquoi n'avais-je pas essayé de me débarrasser de lui avec plus de conviction ? C'était ton fils, pas toi.

— Mais je vous verrai jeudi prochain, d'accord ? dit David. Je viendrai de nouveau avec vous.

La semaine fut encore pire que la précédente à la brasserie. Il y eut plusieurs rendez-vous difficiles avec des patrons de pub. On se plaignit à Napier que je me mêlais de tout. Et pendant ce temps-là, Nibbs conduisait si vite que je passais mon temps à écraser des pédales invisibles. Tu me manquais terriblement, j'avais besoin de danser.

Mais je ne retournai pas au Royal.

Le fabricant de chaises

Lent, lent, rapide rapide lent, lent. Deux pas en arrière, puis deux pas chassés sur le côté. Les pieds joints, comme une pause pour une nouvelle inspiration, et on recommence.

Mon père m'apprit à danser. Ma mère était assise à califourchon sur une chaise de cuisine et chantait la mélodie. Elle disait qu'elle était trop grande pour danser, qu'elle casserait quelque chose. Je n'ai jamais compris pourquoi elle disait ça, parce que j'étais sûre qu'ils avaient dansé ensemble quand ils s'étaient rencontrés. Dans mon souvenir, ma mère est aussi en train d'écosser des petits pois pendant que je danse, même si je suppose qu'elle n'a pas fait ça pendant toute mon enfance. Mon père mettait mes petits pieds sur ses grandes chaussures pour que je puisse m'approprier les pas de danse.

— Tout est beau, disait-il, sur une piste de danse. Ne ris pas, Queenie. Demande à ta mère. C'est sérieux.

Il était charpentier. L'ai-je dit ? Il fabriquait des chaises en bois. Des bancs de jardin. Il a passé sa vie d'adulte à créer des sièges pour que les gens s'assoient, et il est mort avant d'avoir eu l'occasion de s'asseoir lui-même, et de l'apprécier.

Il adorait les jeux. Peut-être parce que ma mère était très terre-à-terre et que la langue était un problème entre eux, il jouait souvent avec moi. Les jeux qu'il aimait le plus, c'était ceux qu'il inventait. Quand j'étais enfant, il se tenait dans le salon en survêtement et faisait semblant de ne plus me voir. J'étais évidemment plus petite que mes parents, mais je n'ai jamais été aussi petite qu'un dé à coudre.

— Où est cette fille ? disait-il en soulevant les sets de table en plastique et le tissu qui protégeait le dossier du canapé.

— Je suis ici ! Ici, ici !

Il n'avait jamais l'air inquiet ni en colère, tant il était sûr de me trouver. Moi, c'était tout le contraire. Je lui tendais les bras, tirais sur son survêtement, ne le lâchais pas une minute, criant et riant si fort que j'en avais mal au ventre.

— Où est cette fille ?

Le jeu me faisait d'autant plus rire que je me sentais en sécurité. J'étais là et mon père était là, et même s'il semblait avoir perdu la faculté de me voir – ou alors était-ce moi ? aurais-je acquis celle d'être invisible ? –, je savais que le jeu ne se terminerait pas avant que les yeux de mon père se baissent, rencontrent enfin les miens, qu'il s'exclame : « Ah, mais tu es là ! » et qu'il me soulève pour me mettre sur ses épaules.

« Oh, vous deux... », disait ma mère, comme si mon père et moi étions des étrangers venant d'un pays où elle n'avait jamais été. Et elle se remettait à écosser des petits pois ou à faire tomber des objets.

Lorsque je fus plus grande, mon père inventa un nouveau jeu. Ça commençait par : « J'ai une question sérieuse à te poser. » Et cette phrase devint comme un signal pour ma mère : elle s'énervait, mais mon père était un homme très doux et il ne s'en offensait jamais. Il décrivait un voyage en avion. Soudain, on vous dit que l'avion va tomber. Qu'est-ce que vous regrettez le plus de ne pas avoir fait dans votre vie ? Là je répondais : « J'aimerais jouer du piano. » Ou : « Je voudrais avoir des seins comme Wendy Tiller. » Quelque chose de ce genre. La réponse de ma mère – si on avait pu la persuader de jouer, mais en dehors de Noël ou de mon anniversaire, c'était hors de question – était plus terre-à-terre. Elle levait les yeux au ciel et commençait à empiler les assiettes. Sans douceur. Nous serrions les dents chaque fois qu'elles s'entrechoquaient. « J'aimerais que quelqu'un fasse une tasse de thé. »

— Bonne nouvelle ! disait mon père. Ton avion a été sauvé. (Il avait l'air ravi comme si c'était grâce à lui.) Tu vas donc apprendre à jouer du piano, Queenie ?

Et cet homme-là n'avait jamais pris l'avion, et encore moins joué d'un instrument de musique. Ça l'émouvait à chaque fois.

En grandissant, je devins moins tolérante. Je le regrette, mais je me mis à avoir les mêmes réactions que ma mère.

Ton avion est en train de tomber. Qu'est-ce que tu regrettes le plus, Queenie ?

Ce que je regrette le plus ? Avoir décidé de partir en vacances.

Ce que je regrette le plus ? Ne pas avoir réservé un billet de train.

Ma mère trouvait mes réponses hilarantes. C'était exagéré, mais le fait est que cela la faisait pouffer de rire.

Quand je partis pour Oxford, mon père laissa tomber ses jeux comme s'ils étaient stupides. Je rentrais pour les vacances, mais l'ambiance à la maison n'était plus chaleureuse. Mon père alignait les objets cassés dans son atelier. Ma mère les faisait tomber et les jetait dans la poubelle de la maison. Je ne suis pas en train de dire que c'était un mariage malheureux mais seulement que c'était devenu un mariage usé, comme un vieux manteau dont on ne prend plus soin. Des trous étaient apparus au fil du temps. Ainsi que de fines pièces de tissu pour le rapiécer. Ma mère l'aurait jeté, mon père espérait réussir à le raccommoder un jour. Mais rien de tout cela ne se passa. Ils continuèrent à le porter. Ma présence, lorsque je daignais leur rendre visite, semblait rafistoler leur mariage. Ma mère allait chercher ce qui restait de nos plus beaux verres. Elle essayait de m'inciter à manger du foie de veau poêlé. (« Tu es pâle, disait-elle. Elle est pâle. ») Mon père m'observait avec des yeux brillants. Je crois que mes parents n'arrivaient pas à réaliser que leur fille allait à Oxford. Ils me traitaient comme un objet précieux, quelque chose qui leur serait supérieur, et moi, en échange, je me comportais comme si j'étais un peu à part. Je leur écrivais, mais c'était irrégulier. Je leur téléphonais rarement. Après Oxford, je trouvai des excuses – toutes plutôt bonnes – pour ne pas venir les voir.

Je regrette à présent de ne pas avoir rendu plus souvent visite à mes parents. Mais j'étais prise par ma propre vie. Mes propres erreurs. La dernière fois que j'ai vu mon père, il élaguait un vieux pommier. Il disait qu'il voulait le voir passer un nouveau printemps, mais il s'y prenait d'une telle manière que j'aurais été surprise que l'arbre tienne le coup une semaine. J'ai été chercher l'échelle et je l'ai fait pour lui, même si à l'époque je ne connaissais rien aux arbres. Nous avons passé le reste du week-end au soleil. Mon père parlait de sa retraite. Il dit qu'il aimerait emmener ma mère en Autriche pour des vacances, et elle lui prit la main. C'était une période heureuse, et je me souviens que je m'étais demandé pourquoi j'avais mis si longtemps à revenir à la maison. En mon absence, ils avaient de toute évidence surmonté leurs différences, ou du moins ils avaient appris à apprécier cet amour si particulier qui les liait. Mon père avait soixante-deux ans quand il est mort. Ma mère est morte seulement quelques mois plus tard. Et la maison qu'ils louaient ? Elle a bien sûr disparu avec eux. Ils n'ont jamais été en Autriche.

Mais fabriquer des chaises est une noble profession. J'aurais aimé montrer à mes parents que je savais danser. C'est ce qu'ils m'ont légué après tout.

Qu'allons-nous chanter quand nous mourrons ?

« *Chère Queenie,* lut sœur Catherine. *J'ai visité les thermes romains et je suis allé dans un spa pour la première fois de ma vie. J'ai aussi fait la connaissance d'un acteur très célèbre que je n'ai pas reconnu et j'ai pris le thé avec un chirurgien. La journée a été difficile. Meilleurs souvenirs. Harold Fry.* »

Barbara se mit à rire.

— Ça ne me paraît pas si difficile que ça.

Aujourd'hui on nous avait promis la visite du service de soutien psychologique de l'hôpital. À cause d'arrêts maladie divers et de récentes coupes dans le personnel, ledit service était incarné par une seule femme d'une trentaine d'années à qui il fallut un temps fou pour parvenir à engager sa voiture dans une place de parking. De la salle de jour, nous l'avons d'abord observée, faisant une marche arrière dans le jardin du Bien-être, puis dans le panneau « INTERDIT DE STATIONNER ». Elle était habillée en violet de la tête aux pieds. Foulard violet, robe violette, gilet violet, chaussures violettes.

— Cette femme a l'air d'une ecchymose géante, dit monsieur Henderson.

Elle courut tête baissée sous la pluie. Le vent cognait contre les carreaux et aplatissait les plantes.

Le service de soutien psychologique nous disposa en cercle et nous demanda si nous voulions parler de la mort. Nous pouvions poser toutes les questions que nous voulions, dit-elle. Il n'y eut pour toute réponse qu'un bruit de fond composé de raclements de gorge, de respirations saccadées et de gargouillis d'estomac. Nous étions devenus tous très occupés à ne rien faire. De la vapeur s'élevait des cheveux et des vêtements mouillés de la jeune femme.

— Je vais plutôt parler de sexe, si ça ne vous dérange pas, déclara Finty. Quelqu'un a eu récemment des rapports ?

Le roi Nacré rit si fort que son bras se décrocha.

C'est vrai. Il avoua qu'il ne l'avait pas accroché à son moignon, il l'avait juste fourré à l'intérieur de la manche de sa veste. Les lanières lui faisaient mal. Barbara se mit à chantonner pour couvrir un pet. Le service de soutien psychologique ouvrit son dossier et consulta ses notes.

— Peut-être devrions-nous parler de musique à la place, suggéra-t-elle.

Est-ce que quelqu'un voulait faire une demande particulière pour son enterrement ? Elle expliqua que beaucoup de gens meurent sans avoir indiqué quels étaient leurs chansons ou poèmes préférés.

— Et c'est *votre* enterrement, reprit-elle. Vous devez dire ce que *vous* aimeriez. Ça peut être beaucoup moins pesant pour vos amis et votre famille s'ils savent quelles sont vos chansons préférées.

— Aucun de nous n'a d'amis ou de famille, dit monsieur Henderson.

— Parlez pour vous, dit le roi Nacré. La dernière fois que j'ai parlé à ma famille, j'avais vingt petits-enfants.

— J'ai ma voisine, dit Barbara. Elle est juste trop occupée pour me rendre visite.

— Mon Dieu, dit Finty. Ma vie a été une véritable catastrophe. Mariée à seize ans. Divorcée à dix-sept. Et ça, c'est la meilleure partie. Personne ne versera une larme pour moi. Quand je partirai, vous pouvez mettre une allumette sous mes fesses et allumer la radio.

Cette fois, lorsque le roi Nacré rit, il retint son bras.

Monsieur Henderson baissa les yeux et regarda attentivement sa montre. Un malade, qui était arrivé hier, avait déjà fermé les yeux.

J'étais désolée pour le service de soutien psychologique. Dans mon carnet, j'écrivis quelques lignes que je montrai à sœur Catherine pour qu'elle les lise à haute voix.

— Queenie aimerait une chanson de Purcell intitulée *Ô solitude*. Et aussi *Mighty Like a Rose*, interprétée par Paul Robeson.

Mon cœur battait très fort.

— C'est magnifique, dit le service de soutien psychologique avec tant d'enthousiasme que le nouveau malade se réveilla et poussa un cri de frayeur. Aimeriez-vous nous dire pourquoi ?

J'écrivis dans mon carnet que j'avais l'habitude d'écouter du Purcell sur ma chaîne stéréo à Kingsbridge. J'avais emprunté le disque à la bibliothèque. J'écrivis que ça me rappelait le fils d'un ami, mais je pris garde de ne pas le nommer.

La seconde chanson était l'une des préférées de mon père, et elle était devenue l'une des miennes aussi. Il la chantait dans son atelier et ma mère arrêtait de faire son ménage pour écouter. Parfois on peut aimer une chose non pas parce qu'on est instinctivement attiré par elle, mais parce que d'autres personnes le sont, et garder cette chose au fond de notre cœur nous rapproche d'elles. Je mis un certain temps à mettre tout ça dans mon carnet. Personne ne se plaignit, même pas monsieur Henderson. C'était la première fois que je parlais de mon enterrement.

Je n'ajoutai pas que je possédais toujours ce disque de Purcell. Je n'ai jamais rien volé de ma vie, sauf ce disque. La bibliothèque de Kingsbridge pourrait s'acheter toute une collection de disques classiques avec mon amende.

S'il y a toujours une bibliothèque dans laquelle proposer cette collection de disques classiques, bien sûr.

Mais je ne dis rien de tout cela dans la salle de jour.

— Tu es très classe, Queenie, dit Finty. Je voudrais bien être la fille du *Titanic*. Avec ses bras en avant et tout ça. C'est quoi, cette chanson ?

— Vous voulez dire *My Heart Will Go on* de Céline Dion ? demanda le service de soutien psychologique. C'est très apprécié pour les enterrements.

— Ma troisième épouse l'avait choisie pour notre mariage, dit le roi Nacré.

— Tout comme pour les mariages, ajouta le service de soutien psychologique.

— Le cœur de ma troisième femme n'a pas battu très longtemps pour moi, dit le roi Nacré. Elle est partie avec le barman.

— Céline Dion a sorti un nouveau parfum, s'écria Finty. Et Jade Goody aussi.

— Elle n'est pas morte, Jade Goody ? demanda monsieur Henderson.

— Je ne sais pas, mais elle a sorti un nouveau parfum, répliqua Finty.

— Pourrait-on revenir à notre musique d'enterrement ? demanda le service de soutien psychologique.

Après ça, la discussion fut plus animée. Finty nous dit qu'elle voudrait que tout le monde porte des vêtements de couleur vive à son enterrement et danse sur le parking. Elle n'avait pas envie qu'on traîne nos mines tristes à la chapelle du Repos.

— Désolée, mère supérieure, ajouta-t-elle. Mais c'est trop sérieux là-dedans et il fait frisquet.

Tout le monde éclata de rire, même sœur Philomena, et Finty dit au service de soutien psychologique qu'elle pourrait mettre ses vêtements violets, si elle le souhaitait. Le service de soutien psychologique devint alors très silencieuse, complètement immobile, comme si elle avait été touchée au plus profond de son être. Elle dit :

— Vous voulez vraiment que je vienne à votre enterrement ?

— Bien sûr, dit Finty. J'ai besoin de tous les amis que je peux avoir. À la fête je veux des chaussons à la viande et aux légumes, spécialités de Cornouailles, et des sodas alcoolisés de toutes les couleurs. Et puis de la limonade pour tous les vieux schnocks qui se présenteront, et aussi pour les religieuses.

Les autres se mirent à donner leur avis. Le roi Nacré dit qu'il espérait qu'il n'y aurait pas de grabuge à son enterrement. Il était en conflit avec ses ex-femmes, et la casse le jour du mariage de sa fille avait coûté mille livres. Puis le nouveau malade dit qu'il aimerait être enterré dans un cercueil en bois de saule, ce qui étonna monsieur Henderson.

— Du saule ? Pourquoi pas le traditionnel cercueil en bois, avec ses éléments en cuivre et sa doublure en soie ?

Le roi Nacré grommela :

— Ça, c'est bien quand on peut payer son enterrement cash.

Et le nouveau malade rétorqua :

— Certains d'entre nous doivent penser à leur famille.

Et monsieur Henderson cria :

— Vous croyez que ça m'amuse de vivre seul ?

Comme le ton montait, le service de soutien psychologique pâlit.

— Chacun son tour ! Chacun son tour !

— Oh, la ferme ! dit Finty. On s'amuse. Ça, c'est la vraie vie.

Oui, c'était ça. Tout le monde hurlait, même le service de soutien psychologique. Et Finty avait raison. On avait tous passé trop de temps, récemment, à être auscultés, ouverts et charcutés. On avait passé trop de temps à recevoir de mauvaises nouvelles. Tout ça n'a en soi rien de drôle. Mais nous étions là, comme des rebuts de la société pourrait-on dire, ou du moins tout près de la fin, et c'était un soulagement, un foutu soulagement, de regarder la fin et de cesser d'être aussi inquiets, et de se disputer comme tout le monde. Même si c'était de nos projets funéraires dont il était question.

— Et vous, Queenie ? demanda le service de soutien psychologique. Qu'est-ce que vous souhaitez ?

Je réfléchis un instant et j'écrivis : ***S'il vous plaît, répandez mes cendres dans mon jardin du bord de mer.***

Barbara se mit à chanter *My Heart Will Go on.* Elle était assise, les mains sur les genoux, et son œil aussi. (« Je jure que ce machin bouge », dit monsieur Henderson.) La voix de Barbara était aiguë et pure, comme un voile de brume au-dessus de la mer, tourbillonnant au gré de la marée et s'accrochant aux branches de mon jardin du bord de mer. Puis le roi Nacré l'accompagna de sa voix de basse, et monsieur Henderson l'imita. Le nouveau malade parvint à chanter quelques mesures et Finty me fit un signe de tête et dit :

— Allez, Queenie, chante avec nous.

Je ne dis pas que nous formions un chœur. Je ne dis pas que nous fredonnions tous les mêmes paroles ni même une mélodie. Mais c'était comme un petit cadeau, d'ouvrir la bouche et de ne plus être seule.

Te rappelles-tu *Trois Souris aveugles* ? Moi, je m'en souviens. Quand je chantais à tes côtés, c'était comme me montrer pieds nus devant toi.

Après la chanson, le service de soutien psychologique se moucha et s'excusa. Le roi Nacré dit :

— Pleurez si vous en avez envie. Merci d'être venue. Il y a des tas de gens qui se seraient arrêtés sur le seuil de la porte. Voulez-vous prendre mon bras ?

Mais je crois qu'elle a craint qu'il ne soit en train de lui proposer son bras sans le reste de son corps, alors elle répliqua qu'elle allait bien, vraiment. Ç'avait juste été une journée étrange, dit-elle. Étrange mais magnifique.

— C'est le problème avec les enterrements, déclara Finty. Tous ces gens sympathiques qui chantent des chansons qu'on aime et qui disent des choses gentilles sur nous, et on n'est même pas là. Je préfère entendre tout ça maintenant.

— Prenez-le comme vous voudrez, murmura le roi Nacré, mais je vous trouve exceptionnelle.

Finty devint rouge comme une tomate.

— Je parie que vous dites ça à toutes les filles.

— C'est juste, chérie, mais ça ne veut pas dire que ce n'est pas vrai.

Il sourit avec douceur et garda ses yeux marron foncé fixés sur Finty. Il avait dû être très séduisant autrefois.

— Oh merde ! gloussa-t-elle. Arrêtez ça.

Elle ne pouvait plus parler, elle souriait bêtement.

Pendant le thé, monsieur Henderson me regarda sans arrêt. Je croyais que c'était à cause des saletés que j'avais faites sur ma serviette en tissu en mangeant, mais il continua à me fixer même quand les assiettes furent débarrassées et que tout le monde eut quitté la table. Il se leva, boita jusqu'à mon fauteuil et s'arrêta avec son déambulateur à côté de moi.

— J'aime Purcell, dit-il.

— Alors c'est vrai ? demande sœur Mary Inconnu une fois qu'elle a fini de taper.

Elle relit ses pages, traquant les fautes. Elle sort son stylo correcteur et en corrige une.

Je lui jette un regard interrogateur.

— C'était la première fois que tu pensais à ton enterrement aujourd'hui ?

Je hoche la tête. Oui.

— Et ça allait ?

C'était juste là. Une pensée. C'est tout. Ce n'était rien de plus.

Sœur Mary Inconnu sourit.

— Bien. C'est bien.

La patience incarnée

— Harold ? dis-je.

Tu venais de rentrer, c'était ta première semaine à la brasserie. Tu te souviens ? J'ai besoin que tu y repenses, parce que c'est très important que tu comprennes.

Tu avais pris le soleil en vacances. J'ai tendance à rougir au lieu de bronzer mais ta peau à toi était couleur miel. Il y avait des petits reflets dorés dans tes cheveux et tes yeux étaient encore plus bleus que dans mon souvenir. Le beau temps t'allait si bien. J'aurais voulu jeter mes bras autour de ton cou, tant j'étais soulagée. Soulagée que tu sois revenu travailler, que Nibbs soit parti, de retrouver l'odeur de ta voiture, et tes mains sur le volant. Toi sur le siège conducteur, moi à tes côtés.

— Quelque chose t'amuse ? demandas-tu.

Je dus prétendre que j'étais en train de penser à une blague. Elle n'était pas très bonne. Une histoire de voleurs et de culotte. Tu te mis à rire, et des petites rides apparurent sur ton visage.

— Excellent, dis-tu. Excellent.

Et tu finis même par m'en convaincre. Plus tard je te demandai si tes vacances t'avaient plu et tu répondis : « Oui, oui », avant d'ajouter :

— Je t'ai manqué ?

Tu l'as dit en plaisantant aussi, comme si tu ne pouvais manquer à personne. Pourtant, même si j'étais certaine que tu ne quitterais jamais ta femme, je ne souhaitais qu'une chose : vivre le plus près possible de toi. Bâtis-moi une cabane en bois de saule devant ton portail et viens chercher mon âme à l'intérieur, Harold.

— J'ai ma vie, Harold, dis-je en souriant.

— Alors qu'est-ce que tu as fait ?

— Oh, comme d'habitude.

Soudain je ne pouvais plus te regarder. Je pensais à David en train de sauter au Royal, au videur contractant les muscles de ses bras. Je pensais au visage concentré de David quand je lui apprenais le fox-trot.

— Ça va ? demandas-tu.

Je te dis que j'avais besoin de m'arrêter. Qu'il fallait que je te dise quelque chose.

— C'est peut-être le soleil, dis-tu.

Et je répondis peut-être. Que j'avais juste besoin d'air...

— Il y a quelque chose qui me tracasse.

Tu garas la voiture au café Little Chef. Essaie de te souvenir de ça, Harold. Tu me trouvas une table à l'ombre et tu allas au comptoir me commander une tasse de thé. Je t'ai regardé tirer ton portefeuille de ta poche arrière et dire quelque chose – que je ne pouvais pas entendre – pour faire sourire la serveuse.

— Harold ? commençai-je.

Mais tu m'interrompis. Est-ce que je voulais du sucre ?

— Harold ? essayai-je encore.

— Plus de lait ?

— Non merci, j'ai assez de lait, mon thé est parfait tel qu'il est. Harold...

— Ma femme aussi se fait du souci, as-tu dit.

Tu l'avais compris à son air déprimé.

— Ah bon ?

— Elle s'inquiète pour notre fils.

— Pourquoi ?

Je ne pouvais plus respirer.

— Oh, tu sais. Il grandit, c'est tout. Il lui a manqué pendant que nous étions partis. Je crois qu'elle n'a pas beaucoup apprécié ces vacances.

C'était à moi de te dire que j'avais rencontré David. Que nous avions été danser. Mais maintenant que tu m'avais dit que Maureen se faisait du souci, je ne trouvais plus les mots. Ça semblait cruel. Et pour te parler du dancing, il y avait tant d'autres choses que je devais te dire – par exemple que, comme toi, je savais danser. Que parfois j'allais au Royal pour m'imaginer que l'étranger avec lequel je dansais, c'était toi. Que j'avais un jour sauvé la mise à David sur High Street. Qu'il m'avait demandé de ne pas te parler du Royal. Qu'en effet, peut-être Maureen avait-elle raison de s'inquiéter. Ton fils était plutôt difficile.

L'un dans l'autre, ça représentait beaucoup de choses à dire au Little Chef.

Assise face à toi à cette table de bistrot, je sentais que les mots m'échappaient. Je pris ma tête dans mes mains.

— Mal de tête ? demandas-tu.

— Ça va aller.

Je m'éclipsai aux toilettes pour me rafraîchir le visage. Mon reflet dans le miroir était pâle. Fatigué.

Nous sommes retournés à ta voiture, et déjà, ton fils s'était immiscé entre nous, comme une petite fêlure.

Je regrette de ne pas t'avoir dit la vérité ce jour-là.

Le garçon qui était allergique à la couleur bleue

Au cours de la nuit, je suis réveillée par des pas allant et venant dans le couloir.

— Venez vous coucher, Barbara, dit une infirmière. Je vais vous aider.

J'essaie de me reposer, mais le sommeil vient puis me fuit. Je suis de nouveau réveillée par trois images de David. Trois souvenirs différents. Je les grave dans mon esprit. Dancing. Sourire. Gants. Je me répète les mots presque à l'infini pour ne pas oublier.

Les rituels du matin sont compliqués. L'infirmière de garde passe un long moment à examiner mon cou et ma mâchoire.

— Tu as mal ? demande-t-elle.

Mais je désigne juste mon carnet. Je veux te raconter, Harold, ces souvenirs, ces instantanés, qui me sont venus cette nuit. Un père ne peut pas voir son fils avec les yeux d'un étranger, alors il rate des choses. C'est l'un des petits drames de la vie.

Viens.

Le premier souvenir date de quelques semaines après que David m'a suivie au Royal. Je n'ai pas dansé depuis quinze jours. Je pense que la voie est libre. Mais il m'attend à l'arrêt du car.

— Qu'est-ce qui vous est arrivé ?

Je trouve une excuse qui ne tient pas très bien la route. Il monte dans le car avec moi. Il ne me demande même pas mon avis. Je suis effondrée.

Il porte son grand manteau. Et moi, ma robe de bal. J'ai mes chaussures. Il a troqué ses Doc Martens contre des tennis en toile. Au Royal, il me suit sur la piste et me demande si on peut danser le fox-trot. Lent, lent, rapide rapide lent, lent. Je suis stupéfaite qu'il apprenne si vite. Il regarde et ça lui suffit.

Le chef d'orchestre habituel est en congé, et son remplaçant a un air espiègle. Le rythme s'accélère. Je ne sais plus lequel de nous deux a l'idée de suivre la musique, mais nous accélérons aussi. Ce n'est plus lent, lent, rapide rapide lent, lent. C'est rapide rapide cours cours rapide rapide. David et moi nous déplaçons sur la piste comme si nous volions. Je me demande comment il est possible que nous n'ayons pas encore provoqué de collision, et c'est là que je me rends compte que tout le monde a cessé de danser pour nous laisser la place. David me projette loin de lui. Il me ramène vers lui. Il me fait beaucoup tourner, me prend dans ses bras, puis il me repousse et attrape ma main. Où as-tu appris tout ça ? Mais il n'a rien appris. Il improvise au fur et à mesure. Mes poumons me font mal. Je suis en nage. Je n'ai jamais dansé comme ça de ma vie. Quand la musique s'arrête, je tremble.

David rit pendant tout le trajet du retour.

— Ils ont applaudi, vous avez vu ?

Oui, David, quelques-uns ont applaudi.

— Ils nous ont remarqués.

Ça, c'est certain.

— Il y a eu ce concours de danse il y a longtemps. On était en vacances, moi et mes parents. Je voulais gagner. Mais j'étais un gamin. Je ne savais pas danser. Je faisais juste… vous savez, je jetais mon corps dans tous les sens. Je croyais que les gens riaient parce que je dansais bien, mais ensuite j'ai vu que ce n'était pas le cas. Ils riaient parce que j'étais bizarre. J'ai cherché mon père des yeux et devinez quoi ? Il riait aussi. Et maman. Eh bien, elle tenait simplement sa tête dans ses mains. Comme si elle ne savait pas du tout quoi faire. Je les regarde, Queenie. Et c'est comme si ce n'étaient pas mes parents.

Son histoire m'émeut. J'ai de la peine pour lui. Je sais à quel point c'est déroutant pour un adolescent de regarder ses parents et de trouver si peu de ressemblance avec soi-même. Mais je sais aussi que tu aimes infiniment ton fils. Je veux te protéger.

— Peut-être que ton père riait pour autre chose. Une blague par exemple.

— Non, dit David. Il ne sait pas comment se comporter avec moi.

— Ça devient plus facile quand on vieillit, lui réponds-je.

Il ricane et se détourne.

David fixe le paysage tout noir par la fenêtre. Son mince visage déprimé nage dans l'obscurité. Il ferme les yeux et s'endort. Je le regarde, son front reposant contre la vitre, et je vous vois tous les deux en une seule personne. Il y a David qui veut qu'on le remarque et toi qui veux disparaître. Toi et ton fils êtes les deux versions opposées du même homme, et moi je suis au milieu. Peut-être que je peux être un pont. Peut-être que je peux vous réunir, David et toi.

Ce n'est pas la peine de te dire que ton fils et moi sommes allés danser. Après tout, c'est un travail de réparation que je fais. Je te le dirai une autre fois.

Dans le souvenir suivant, nous sommes dans le car pour Totnes. David est venu pour la troisième fois et je suis contente de le voir. Je lui parle de toi. Comme tu es respecté à la brasserie. Comme tu te débrouilles bien avec les patrons de pub. Franchement, je m'amuse. J'adore parler de toi – je n'ai personne d'autre avec qui le faire.

— Ouais, ouais, c'est bien, dit David.

Il pose les pieds sur le siège en face de lui.

— Ton père aime rendre les gens heureux.

— Heureux ? répète-t-il.

Avec lui, même les mots les plus simples paraissent impropres ou au moins de mauvais goût.

— Oui. Il aime les voir sourire. C'est un homme bien.

Son visage se tord.

— C'est mieux, dis-je. Tu souris aussi maintenant.

— Je ne sais pas ce que vous voulez dire.

Sur le chemin du retour, David pense encore sûrement à ce que j'ai dit, parce que je le surprends en train de faire des grimaces dans la vitre sombre du car. Il plisse le visage, bouge la bouche de haut en bas, l'étire avec ses doigts pour qu'elle forme une demi-lune. Quand il se rend compte que je le regarde, il dit :

— Ça n'a jamais l'air bien.

— Quoi donc ?

— Quand je souris. Ça ne me ressemble pas.

— Et tu ressembles à quoi, à ton avis ?

Il fait une tête bizarre. C'est infantile. Il me tire la langue et ouvre grand ses yeux, comme une sorte de vampire, comme s'il voulait me choquer, mais en même temps, il rit. Je lui offre un bonbon à la menthe et il dit :

— Laissez tomber les bonbons et le reste. Dites quelque chose de vrai, Queenie. Vous avez un petit copain ?

La question me déstabilise mais je ne me dérobe pas.

— Je suis amoureuse d'un homme qui ne m'aime pas.

Il y a un petit silence.

— C'est moche, murmure-t-il. (Il me caresse la main et je ne dis rien.) Qui est-ce, Queenie ?

— Ça n'a pas d'importance.

— Il le sait ?

— Ciel ! non.

— Vous êtes heureuse ?

— Oui, répliqué-je en riant. Très.

David me regarde un moment, essayant de voir à l'intérieur de ma tête qui est cet homme que je ne veux pas nommer. Cette fois c'est moi qui détourne les yeux.

Souvenir numéro trois. On est en bas près du quai. Ton fils boit de la bière. Nous portons nos manteaux et nos gants parce qu'il est tard et que nous venons juste de rentrer de Totnes. On ne distingue pas l'eau, mais on entend le grincement des bateaux contre leurs amarrages. Ce souvenir remonte au mois d'octobre, juste avant le départ de David pour Cambridge. Peut-être est-ce l'humidité que je sens dans l'air de la nuit qui me rend triste. Nous n'avons dansé ensemble que quatre fois, mais depuis que David est entré dans ma vie, j'ai l'impression de m'occuper un peu de toi aussi.

Je suis surprise quand il évoque mes livres de l'université. Il me rappelle la proposition que je t'ai faite une fois de les lui prêter. Je n'avais pas réalisé que tu lui en avais parlé. Que lui as-tu raconté d'autre sur moi ? En attendant, David dit qu'il pourrait passer prendre les livres durant le week-end, avant de partir pour Cambridge. Il me demande mon adresse. Je l'écris au dos du ticket d'autocar.

Il le met dans sa poche sans le regarder puis il dit :

— Je crois que je suis allergique à mes gants.

Je ris. C'est tout à fait le genre de choses qu'il t'arrive de faire : sortir brusquement une phrase qui semble n'avoir rien à voir avec ce qui a été dit auparavant.

— Comment peux-tu être allergique à tes gants ? Ils ne sont même pas en laine.

— C'est la couleur. Le bleu me fait éternuer. J'ai eu une écharpe bleue une fois. Un cadeau de ma mère. Elle me faisait éternuer aussi. C'était comme avoir sans arrêt un rhume. J'ai dû prétendre que je l'avais perdue.

— Mais c'est absurde, David. Une couleur ne peut pas te faire éternuer.

— Vous voulez dire qu'une couleur ne peut pas *vous* faire éternuer. Les gens considèrent toujours que si quelque chose est vrai pour eux, ça doit l'être pour tout le monde. C'est une façon très étriquée de voir la vie.

J'enlève rapidement mes mitaines en laine rouge et les lui offre. Il enfile ses doigts dedans comme il peut, même si elles sont tellement petites pour lui qu'elles couvrent à peine ses premières phalanges. Il observe attentivement ses mains, les tournant et les retournant, comme s'il les voyait pour la première fois. Je dois frotter mes paumes l'une contre l'autre pour lutter contre le froid.

— Merci, dit-il. Je vais les garder, Queenie.

Et il le fait. Il les garde.

— Vous croyez que ça va aller pour moi à Cambridge ? demande-t-il les yeux perdus dans l'obscurité.

Dans la salle de jour, alors que je suis en train d'écrire, Finty m'interrompt pour me demander si j'ai entendu Barbara cette nuit. Je suis concentrée, je dois terminer d'écrire ces trois souvenirs de David, alors je ne relève pas la tête tout de suite.

— Allez, ma fille, insiste-t-elle. Pose ton carnet, je te parle.

Quand je me tourne vers elle, je vois qu'elle a l'air inquiète. Elle vient s'asseoir sur la chaise à côté de la mienne, remontant les genoux sur sa poitrine et enroulant ses bras autour. Puis elle ajuste son chapeau de cow-boy rose, attache le cordon bien serré autour de son cou et dit :

— C'est ce qui arrive à certains d'entre eux. Juste à la fin. Ils s'agitent. Ils ne peuvent pas lâcher prise, tu vois. J'ai déjà remarqué ça.

Elle se frotte le nez et je me demande si elle pleure. Nous regardons Barbara endormie dans son fauteuil.

Elle est aussi pâle qu'une primevère. Sœur Philomena lui tient la main.

Finty déclare :

— Mais elle semble aller mieux aujourd'hui. Je pense que ça va aller. Elle va s'en sortir. Je le pense vraiment. Pas toi ?

Dehors, les religieuses aident les malades à faire quelques pas sous le soleil du matin. L'herbe mouillée a des reflets argentés. La floraison est presque terminée. Une toile d'araignée est accrochée à un coin de la fenêtre et elle est si mouillée elle aussi qu'elle semble faite en feutre. Finty secoue mon bras. Son visage est tout près du mien. Ses yeux sont pleins de larmes.

— Vraiment, flingue-moi si je m'agite, murmure-t-elle.

Une lettre à David

— Ça va aller pour ton fils, te dis-je dans la voiture. J'en suis sûre. C'est formidable, l'université.

C'était juste avant que David ne quitte la maison. Tu ne m'avais pas dit que tu étais inquiet à propos de son départ. Pas directement du moins. Car pour toi, je ne connaissais même pas ton fils. Ce que tu m'avais dit, c'est que ta femme préparait des colis de nourriture pour David. Des cakes aux fruits emballés dans du papier sulfurisé. Des fruits en conserve. Des bocaux d'oignons au vinaigre (ses préférés, apparemment). Des choses qui se conserveraient un certain temps dans sa chambre. Elle s'inquiétait que, livré à lui-même, David oublie de manger. Elle était aussi allée à Plymouth spécialement pour lui acheter des chemises et une veste parce qu'elle ne savait pas si à Cambridge les étudiants pouvaient porter des T-shirts noirs.

— Mais les étudiants peuvent être très débraillés ! dis-je.

— Vraiment ?

— Oui, Harold. Ils ne portent pas de cravate de golf.

Je me mis à rire et tu ris aussi.

— J'espère qu'il écrira, dis-tu.

— Je suis sûre qu'il le fera.

— Ça va être dur pour Maureen si elle n'a pas de ses nouvelles. Son silence, tu sais, ça lui briserait le cœur.

L'après-midi avant son départ pour l'université, David vint jusqu'à mon appartement. Il voulait saisir ma proposition et emprunter mes livres de la fac. Il semblait hésitant sur le seuil de ma porte, l'air étonnamment angoissé. Il n'arrêtait pas de repousser sa frange en arrière alors que d'habitude ça ne le dérangeait pas d'avoir les cheveux dans la figure. Je lui dis qu'il n'avait pas besoin d'entrer mais il répliqua qu'il en avait envie. En fait j'étais nerveuse moi aussi. Nous n'avions pas fixé d'heure et je n'étais pas vraiment sûre qu'il vienne. Même si je n'avais pas passé plus de quelques soirées avec lui, je savais qu'il pouvait se montrer imprévisible.

— Excuse-moi pour le désordre, dis-je.

Il n'y avait pas de désordre dans mon appartement. Il n'y en avait jamais, mais je ne savais pas quoi dire d'autre. C'est une chose d'apprendre à un jeune homme de dix-huit ans à danser le fox-trot dans un lieu public. C'en est une autre, bien plus étrange, de le recevoir chez soi. Il me suivit dans le salon.

Je m'empressai de rassembler les livres et les empilai. J'avais écrit mon nom à l'intérieur de chacun d'eux. Je pensais qu'il partirait tout de suite mais il en prit un et se mit à le feuilleter. Et dans le même temps, je vis qu'il regardait du coin de l'œil le fauteuil près de mon radiateur électrique, la porte qui menait à la petite cuisine, les deux sandwiches que je m'étais préparés pour le déjeuner. C'était comme si, en observant tous ces détails de ma vie privée, d'une certaine façon, il se les appropriait.

— J'ai bien peur de ne pas avoir de bière à te proposer.

C'était une manière polie de prendre congé. Mais David sourit.

— Du thé, ça sera parfait, Queenie.

Il se laissa tomber dans mon fauteuil et continua à lire. Il ne retira pas son manteau. Quand je posai la tasse verte à ses pieds, il la saisit avec ses longs doigts. Il but sans paraître s'en rendre compte, puis il mangea mon déjeuner sans paraître s'en rendre compte non plus. Ensuite il passa ses jambes sur le bras de mon fauteuil et se mit à fumer, se débarrassant de sa cendre dans la tasse verte ou, manquant la tasse, la dispersant sur le tapis.

— Tu as sûrement des tas de choses à faire à la maison. Tes parents doivent t'attendre.

— Ça va, répliqua-t-il en redemandant du thé.

Je finis par aller m'asseoir dans ma cuisine. Je me demandai si David t'avait dit qu'il venait chez moi pour m'emprunter mes livres. Une fois de plus, je décidai que, même si cela devait s'avérer très difficile, je devais tout t'avouer. Je n'avais pas réussi à poser des limites avec David et il était temps que je remette de l'ordre dans tout ça.

— Salut.

Je ne l'avais pas entendu approcher, aussi sursautai-je quand je me retournai et le trouvai en train de m'observer en silence. Je ne savais absolument pas depuis combien de temps il était là. Il eut un rictus nerveux. Il dit qu'il avait terminé le livre.

— En entier ?

C'était *La République* de Platon.

— Ouais, c'était bien.

Il prit la miche de pain et se mit à en arracher distraitement des morceaux, comme si son corps était habitué à se nourrir sans que sa tête le remarque. Puis il tira une enveloppe de la poche de son manteau.

— C'est pour moi, Queenie ?

Mon estomac se retourna. « Pour David. » C'était mon écriture. J'avais fini d'écrire la lettre juste avant son arrivée. Je l'avais glissée à l'intérieur d'un des livres, pensant qu'il la trouverait une fois à Cambridge.

J'essayai de lui reprendre la lettre, mais il l'agitait bien au-dessus de ma tête, si haut que je n'avais aucune chance de l'atteindre.

— Elle m'est adressée.

Il rit en me voyant m'agripper à son bras pour lui arracher la lettre.

— Ce n'est rien, dis-je.

— J'ai l'impression qu'il y a du fric là-dedans.

— Rends-la-moi.

— C'est à moi. Je veux savoir ce qu'elle contient.

Il déchira l'enveloppe. Il regarda à l'intérieur. J'étais si gênée que je le bousculai presque en passant pour sortir de la cuisine. J'arpentai mon petit salon de long en large pendant qu'il lisait.

En fait, j'avais passé beaucoup de temps à écrire cette lettre à David. Mon père m'en avait envoyé une du même genre quand j'étais partie pour Oxford, et je l'avais conservée, entre les pages d'un livre de poésie. Je rappelais à David à quel point il était brillant, doué d'une intelligence phénoménale et promis à un grand avenir. Je l'encourageais à réfléchir avant de parler, parce que si on oubliait de le faire, on se mettait en difficulté. Comme toi, je m'inquiétais pour lui, car il allait se confronter au monde des adultes. Je ne voulais pas qu'il s'attire des ennuis ; j'avais vu l'effet qu'il produisait parfois sur les gens. J'ajoutais que ce serait bien que ceux qui restaient à la maison aient de ses nouvelles de temps en temps. Je parlais de toi et de Maureen. J'essayais d'aider.

Même si je m'étais efforcée de ne pas être trop lourde, pour un garçon de dix-huit ans, c'était probablement très larmoyant. Peu après son départ, je retrouvai la lettre et l'enveloppe sur la table de la cuisine. La seule chose qu'il avait gardée, c'était le billet de vingt livres que j'avais glissé dans l'enveloppe. Il en avait aussi profité pour prendre un autre billet de vingt livres dans mon sac, une bouteille de Gordon's gin dans mon réfrigérateur et mon batteur à œufs. Pour une raison que je ne m'expliquais pas, c'était le vol de ce batteur qui me contrariait le plus.

Chaque fois que je voulais faire une omelette et devais la battre à la fourchette, je me remémorais ce qu'il avait fait. Pourquoi le batteur à œufs ? Qu'allait-il en faire ? Et pourtant je n'en achetai pas d'autre. Peut-être que je voulais marquer la fin de cette partie de ma vie. Je voulais m'en échapper. Depuis que David a volé mon batteur à œufs, il y a si longtemps, je n'ai jamais pu me résoudre à m'en procurer un nouveau. J'ai vécu sans.

Il me faut ajouter à présent qu'il y a aussi des choses que j'ai essayé de perdre. Des chaussons que j'ai gagnés à une tombola. Un tournesol en plastique qui déployait ses feuilles quand le jour arrivait et qui libérait une odeur rafraîchissante mais si chimique et toxique que tous mes plants de haricots moururent. Et malgré tous les efforts que j'ai déployés pour les perdre, ces objets ne m'ont jamais quittée. Le tournesol, par exemple, est sûrement toujours sur le rebord de ma fenêtre. Quant aux chaussons, je les porte en ce moment même.

David ne fit pas allusion à ce que j'avais écrit. Il entra juste dans le salon et prit les livres. Il se dirigea vers la porte. Mais j'étais mal à l'aise à cause de ma lettre alors je ne pus m'empêcher de dire :

— Ton père est au courant ? Il sait que tu es venu ici ?

Il s'arrêta, me tournant toujours le dos. Pendant quelques instants, il ne bougea pas.

— Ne vous inquiétez pas, dit-il, notre secret est en sécurité.

Je balbutiai :

— Mais je ne veux pas de secret, David.

Ses épaules se mirent à trembler et il émit une série de petits sanglots. Je touchai son manteau.

— Ça va aller ?

Quand il se retourna, il essuyait ses yeux pleins de larmes. Et autour, sa peau était si rouge qu'elle paraissait presque bleue.

— Ouais, ouais, dit-il.

— Je peux t'aider ?

— Je crois que je suis juste angoissé. De partir et tout ça. Ça va aller.

Je l'étreignis rapidement. Il avait l'air tendu et mal à l'aise. J'avais remarqué qu'il n'y avait qu'en dansant qu'on pouvait l'approcher facilement. Je dis :

— Je suis contente que tu ailles à Cambridge. Tu as besoin d'un endroit comme celui-là. Tu as besoin de quelque chose de grand. À ta dimension. J'ai été très heureuse à Oxford. C'était la première fois que je rencontrais des gens qui aimaient les livres comme moi. Tes parents t'y conduisent, demain ?

Il évita mon regard. Et préféra répondre à une question que j'avais posée plus tôt.

— S'il vous plaît ne dites rien à mon père sur la danse et tout le reste. Il dirait que je suis pédé…

Je ris. L'idée me paraissait tellement absurde. Et ça me soulageait de rire. Ça apaisait la tension.

— Mais non, mais non.

Il approcha son visage du mien. Ses yeux étaient immenses.

— Ne lui dites pas, d'accord ?

Je repense à ce moment-là et j'essaie encore de comprendre. Je crois que David voulait s'interposer entre nous. C'est la vérité. Il ne savait pas que je t'aimais mais il savait que j'avais du respect pour toi, et comme un enfant il voulait nous enlever ce que nous partagions. Il voulait que je sois son amie. Pas la tienne. Je suis désolée de dire ça, Harold. J'ignore si c'était délibéré de sa part. Mais je crois qu'il aimait le danger. C'était instinctif chez lui. Il aimait frotter les choses les unes contre les autres jusqu'à ce qu'elles prennent feu.

Je ne m'en suis pas aperçue tout de suite.

David sortit à grands pas, mes livres dans les bras.

— Bonne chance, criai-je.

J'attendis à la porte, me demandant s'il se retournerait pour me faire un signe, mais il ne le fit pas.

— Pense à m'écrire !

De sa démarche rapide, il s'éloigna dans le crépuscule, le dos voûté, comme s'il m'avait déjà complètement oubliée. En réalité, c'était un soulagement d'être seule, mais quand je retournai dans mon appartement, je vis la tasse vide, les cendres de cigarette, mon enveloppe déchirée, et je me sentis de nouveau prise au piège.

Je ne sais pas au juste pourquoi j'ai pleuré cette nuit-là mais quelques heures plus tard mes larmes étaient intarissables. Même si mon silence était légitime, je n'avais aucune envie de continuer à te mentir. C'était trop douloureux.

Je finis par téléphoner à l'homme du Royal, celui aux cheveux de plastique, et accepter de dîner avec lui. Pas parce que j'avais faim. Mais parce que je ne pouvais plus supporter d'être en tête à tête avec moi-même. La soirée fut un désastre. C'était la première fois que je sortais avec un homme depuis que j'étais arrivée à Kingsbridge, et au lieu de vivre cette soirée comme une évasion, j'éprouvai le sentiment qu'il s'agissait d'une trahison de plus.

Le lundi matin, je te demandai comment s'était passé ce voyage à Cambridge avec David. Je pouvais à peine te regarder tant j'avais honte de ce que j'avais fait.

— Bien.

Tu hochas la tête plusieurs fois comme si tu cherchais les mots justes sans parvenir à mettre la main dessus.

— Il était excité ? Il a aimé sa chambre ?

— Eh bien, tu sais, il avait un tas de gens à rencontrer. Des choses à faire. Maureen et moi on a attendu mais il... tu sais bien.

Tu ne m'en as pas dit plus. Ta voix s'est perdue dans le bruit du moteur et tu as souri comme si la conversation était terminée. J'ai supposé que David vous avait semés. Un peu plus tard, tu as dit :

— Non, non, je suis sûr que tout va bien. Je suis sûr qu'il s'en sortira très bien.

Tu répondais à une question que je n'avais même pas posée.

— Un bonbon à la menthe ?

— Si ça ne te dérange pas.

Je plongeai la main dans mon sac à main et mon cœur fit un bond. Je dus ouvrir mon sac en grand pour vérifier. Je sortis mon porte-monnaie, mes clés, mon chéquier, mon miroir de poche, les bonbons à la menthe. La poche zippée où je rangeais mes poèmes d'amour était ouverte.

— Qu'est-ce qui se passe ? demandas-tu en ralentissant. Ça va ?

Mes poèmes avaient disparu.

Un coup de téléphone à minuit

Allô, allô ! Tu m'entends, HAROLD ? Tu me reçois ?

D'après le calendrier, j'attends et j'écris depuis vingt-deux jours. Mais hier était un jour de trop. Quelqu'un d'autre est mort. Pas Finty ou Babs ou monsieur Henderson ou le roi Nacré, mais DIEU SAIT que n'importe lequel d'entre nous pourrait être le prochain.

Je ne pouvais pas dormir.

L'infirmière de garde apporta un nouveau patch contre la douleur. Les piqûres de morphine NE SUFFISENT PLUS.

Le docteur Shah examina mon visage et mon cou. Il sentait les chemises fraîchement repassées et la vanille.

LE DOCTEUR SHAH (mains douces) : L'œdème sur la glande X a augmenté et il y a une infection dans l'œil fermé.

UNE VOIX (mains froides) : Il y a aussi des problèmes avec...

Je ne voulais pas entendre. LE CHEVAL MANGEAIT MES CHAUSSONS ROSES. (HOURRA POUR LE CHEVAL.)

L'INFIRMIÈRE : Autre chose ?

LE DOCTEUR SHAH : Merci, non.

LES OISEAUX BLEUS s'envolent du cadre EN GAZOUILLANT.

La femme au pamplemousse chante *ROCK OF AGES.*

Trop fatiguée aujourd'hui pour soulever mon crayon. Et même si je le fais, à quoi ça SERT ? Je vais juste arriver à la partie à laquelle je ne veux pas arriver. Celle où je vois DAVID pour la dernière fois et où il...

NON. Je ne peux pas l'écrire. STOP, STOP, STOP.

D'autres conseils d'ordre spirituel

— Vous vous êtes encore mise dans une drôle de situation, dit sœur Mary Inconnu.

Elle s'assit au bout de mon lit avec sa machine à écrire mais je n'avais que la page de la veille au soir à lui montrer. Parfois j'ai juste besoin d'un signe de toi, Harold. Une carte postale. N'importe quoi, pourvu que ça me rappelle que j'ai raison de t'attendre. C'est tout ce dont j'ai besoin.

Est-ce que je deviens folle ?

Sœur Mary Inconnu lut mon message. Elle sourit et me prit la main.

— Je crois que ce que vous êtes en train de faire est très compliqué. C'est très bien qu'un homme sorte de chez lui et dise à son amie de l'attendre pendant qu'il traverse toute l'Angleterre à pied. Mais c'est une tout autre paire de manches quand on est la femme à l'autre bout. On trouve normal que l'esprit soit solide, que nous ayons toute notre tête, mais l'imagination peut nous jouer toutes sortes de tours. Il faut faire attention.

Je ne veux plus penser au passé. Ça fait mal.

— En effet, dit-elle. J'aimerais que de temps en temps vous écoutiez ce qu'on vous dit et que vous vous reposiez.

À cet instant, sœur Mary Inconnu retira ses doigts de ma main.

— Vous m'excusez ? dit-elle.

Elle leva les mains et enleva délicatement sa coiffe. J'avais l'impression de la voir retirer sa tête. Je pouvais à peine regarder. Je fus surprise de découvrir que ses cheveux étaient foncés, aussi noirs et brillants que les ailes d'un corbeau. Elle s'était fait une natte de chaque côté de son visage puis les avait enroulées ; on aurait dit deux petites pelotes d'épingles. Elle se gratta vigoureusement derrière l'oreille.

— Qu'est-ce que vous regardez comme ça ? (Elle me fit son habituel clin d'œil.) Les religieuses ont des démangeaisons comme tout le monde.

Elle remit sa cornette. Elle posa ses grandes mains rouges sur ses genoux. Je me demandai si j'avais rêvé ce qui venait de se passer.

— Regardez par la fenêtre, Queenie. Qu'est-ce que vous voyez ?

J'écrivis : ***Des nuages. Des nuages gris.*** J'ajoutai : ***On est en Angleterre. Vous vous attendez à quoi ?***

Elle rit.

— Mais vous voyez aussi le ciel.

Oui, d'accord.

— Et le soleil.

En effet.

— Le ciel et le soleil sont toujours là. Ce sont les nuages qui vont et viennent. Arrêtez d'être sur vos gardes et regardez le monde autour de vous.

Je grognai. Je me sentais toujours en dehors de tout.

— Vous êtes bouleversée. Vous avez peur. Alors qu'est-ce que vous pouvez faire ? Vous ne pouvez plus fuir désormais. Cette époque-là est révolue. Vous ne pouvez pas rendre votre problème plus beau en dansant. Vous ne pouvez même pas l'atténuer. Cette époque-là est révolue aussi. Tout ce qui vous reste à faire maintenant c'est d'arrêter de vouloir régler le problème.

Elle prit mes mains dans les siennes. Elle caressa mes doigts fatigués.

— N'essayez pas de vous réfugier dans vos meilleurs souvenirs. N'essayez pas non plus d'imaginer la fin. Restez dans le présent même si ce n'est pas formidable. Et regardez tout le chemin que vous avez déjà parcouru.

Je me dépêchai de ramasser mon crayon. J'écrivis à toute vitesse : ***Qu'est-ce que vous entendez par le chemin que j'ai parcouru ?***

Elle sourit en lisant mon message.

— Quand je vous ai rencontrée, vous aviez peur de tout. Vous ne vous asseyiez pas avec les autres dans la salle de jour. Vous ne vouliez pas vous promener dans le jardin. Vous ne vouliez pas prendre vos boissons protéinées. Et vous ne pensiez absolument pas que vous pourriez attendre Harold Fry ou manger une pêche. Ça prend du temps d'apprendre qu'on peut faire les choses autrement. Ça n'arrive pas du jour au lendemain.

Sœur Mary Inconnu pinça les lèvres et gonfla les joues.

— Mais vous nous entendez toutes les deux, là ? En train de philosopher !

Elle se mit à rire. Nous n'avons plus rien écrit après ça. Nous avons simplement regardé les nuages aller et venir. Parfois ils semblaient aussi grands que des îles de fumée, et parfois ce n'était que des rubans de soie. J'oubliai tout le reste. Puis le soleil disparut et il se mit à pleuvoir. Le nuage de pluie était gros et rose, et les gouttes tombaient à l'oblique comme autant d'éclats d'argent.

— Regardez, dit-elle. Regardez ça. Et ça ne coûte pas un penny.

C'était si beau que nous sommes restées assises, sans parler, juste à regarder.

Vous croyez que c'est un signe ?

Les grands pieds de sœur Mary Inconnu se balancèrent et elle mit son stylo dans sa bouche. J'aime sa manière de ne répondre que si elle a complètement assimilé la question.

— Vous voulez dire un signe religieux ? Un signe pour que vous continuiez à attendre ?

Je haussai les épaules. Je suppose que c'est ce que je veux dire, même si je déteste qualifier ça de religieux. Il y eut une autre pause.

— Peut-être, dit-elle enfin. C'est peut-être un signe. Ou peut-être pas. C'est un nuage et un peu de pluie. Vous avez envie d'une banane ?

— Oui, dis-je.

Et c'était vrai.

Bonnes nouvelles de Stroud

— Bonnes nouvelles ! Bonnes nouvelles !

Sœur Catherine courut si vite jusqu'à la salle de jour que je craignis qu'elle ne contrôle pas son élan et qu'elle s'envole jusqu'au jardin du Bien-être par les portes ouvertes.

— Harold Fry se dirige vers Stroud ! Il est à Nailsworth ! Il a téléphoné d'une cabine ! Je lui ai dit que vous l'attendiez. Je lui ai dit qu'il devait continuer à marcher !

Tout cela ne sortit pas de sa bouche dans cet ordre. Elle avait tendance à manger ses mots ou à les lâcher n'importe comment, mais il ne faut pas oublier qu'elle avait couru depuis la réception. Elle était tout excitée.

— Il sera là dans trois semaines !

— Tu as entendu ça, Babs ? cria Finty.

— Oh, il est en mode course maintenant, dit le roi Nacré.

Finty voulut faire un tope-là avec sœur Catherine, mais sœur Catherine ne comprit pas et le tope-là se transforma en une poignée de main plutôt douloureuse. Finty me sourit de tout son dentier.

— Je te l'avais dit, pas vrai, Queenie Hennessy ? Je t'avais bien dit de ne pas laisser tomber.

Ça fait presque une semaine que je ne t'ai pas écrit. Il y a eu des morts ici. La camionnette des pompes funèbres. Il y a eu des larmes. Mais il y a eu d'autres choses aussi. Il y a eu des séances de musicothérapie. Des chants d'oiseaux. Les sœurs ont poussé nos fauteuils dehors pour qu'on voie les premiers martinets. Les petites feuilles de l'arbre juste devant ma fenêtre se sont transformées en mains vertes. Dans le jardin, les roses bourgeonnent. On a eu droit à des manucures, au coiffeur, à des massages à l'huile de lavande. À des boissons protéinées et à des parties de cartes. Sœur Lucy a continué de lire *Les Garennes de Watership Down* à Barbara et, inspirée par le nouvel étui à lunettes de cette dernière, une bénévole a tricoté plusieurs sacs multicolores pour les pompes à seringues. Ça peut paraître insignifiant, mais on retrouve un peu d'humanité à conserver cet objet purement pratique dans un bel étui. Une malade se sentit même assez bien pour rentrer chez elle. Nous avons attendu près de la fenêtre pour lui faire signe tandis que son fils l'aidait à monter dans sa voiture.

— Quel charmant jeune homme, déclara Finty.

— Sa mèche cache sa calvitie, dit monsieur Henderson. Il a sûrement une carte senior.

— Ouais, cause toujours, dit Finty.

J'ai dormi, et des airs de musique ont tourné dans ma tête mais pour une fois je n'ai pas cherché les paroles. On a recouvert la chose sur mon visage d'un nouveau pansement. J'ai pris des médicaments et des antidouleurs, et tous les matins j'ai fait mes exercices d'étirement pour les doigts. J'ai passé du temps dans le jardin avec les autres malades, et j'ai somnolé à côté de sœur Lucy et de son puzzle. Mercredi, celle-ci m'a donné un cadeau enveloppé dans du tissu, et devant mon air surpris, elle a juste retroussé ses manches.

— Ce n'est pas l'anniversaire de quelqu'un que je connais ?

C'était un nouveau carnet.

Par la fenêtre, j'ai regardé la lumière passer du blanc au bleu puis au noir, avec parfois un peu de rose au milieu. Je suis restée allongée dans l'obscurité à écouter les chansons de Barbara ou le vent dans l'arbre. Et nous attendons tous, Harold. Les chansons, le vent, la nuit. Nous t'attendons.

Cela fait quatre semaines et demie que tu as commencé ta marche. J'arriverai à la fin de ma lettre, celle que je t'adresse.

— Bien, dit sœur Mary Inconnu. C'est parfait.

Une journée heureuse

C'est la fin octobre. L'une de ces douces et superbes journées où la lumière est d'un bleu doré et où les arbres n'ont pas encore perdu toutes leurs feuilles. Les verts sont teintés de rouge et de brun, ce qui leur donne plus de caractère. Les asters forment des bandes mauves le long de la route. L'été est bel et bien fini, pourtant il y a de nouveau du soleil, une variante plus douce et plus clémente que le soleil d'août.

Nous voyageons toi et moi toutes vitres ouvertes. Un air doux et chaud nous fouette le visage. J'ai soudain envie de te demander comment ça se passe à Cambridge, mais je ne veux pas gâcher cette fin d'après-midi et je décide de ne rien dire.

Et puis soudain la voiture a un raté, tu regardes le tableau de bord, et la voiture vibre de nouveau. Quand tu t'arrêtes et coupes le contact, le moteur pousse un sifflement, comme s'il soupirait.

— Merde ! t'exclames-tu.

Tu ouvres ta portière et descends de voiture. Je me rappelle le silence sur cette route de campagne. Rien que le chant des oiseaux, le bourdonnement des insectes. L'immobilité d'une route que le soleil a chauffée toute la journée. Devant nous il n'y a que des arbres. Derrière nous aussi. Tu te frottes les mains et tu ouvres le capot. Je ferme les yeux un moment. Je sens le soleil d'automne sur ma peau.

— Qu'est-ce qu'il y a, Harold ?

Pas de réponse.

Quand je sors de la voiture, tu es penché sur le moteur. La lumière sur tes épaules est dorée. Tu te grattes le visage. Quand tu retires ta main, tu as une marque de graisse noire au-dessus de l'œil gauche.

— Un problème ? demandé-je.

Apparemment, oui. Nous avons besoin d'un garage. Mais nous sommes dans le sud du Devon. Le garage le plus proche est à Kingsbridge. Et puis, ajoutes-tu, il y a un autre problème. Tu n'as aucune idée de l'endroit où nous nous trouvons.

— Tu veux dire qu'on est perdus ?

— J'espérais plus ou moins que tu ne le remarquerais pas.

Je regarde la route déserte devant et derrière nous. Une brume humide brille sur le tarmac dans les deux directions.

— Qu'est-ce qu'on va faire ?

— Je dois aller chercher de l'aide.

— Mais tu ne sais pas où on est.

Tu fais une grimace. Tu soupires.

— C'est vrai.

— Tu as une carte ?

Ah oui, une carte. Tu plonges dans la voiture et en sors une grande carte d'état-major. Tu fermes le capot, tu déplies le plan avec soin et tu l'étales dessus. Nous nous penchons tous les deux, essayant de comprendre où nous sommes. Pendant un instant je t'oublie, j'oublie la lumière d'automne, je me concentre sur la carte. Je suis surprise de constater que nous nous touchons presque, bras contre bras, visage contre visage, ton odeur est si proche qu'elle imprègne ma peau, et pourtant je suis capable de continuer à regarder la carte, de distinguer les routes, les courbes de niveau, les fermes et les églises.

— On est ici. (Je désigne triomphalement un point sur le plan.) On est exactement ici.

À ma grande surprise, tu te mets à rire. Je me redresse et, franchement, si quelqu'un a bien matière à rire, c'est plutôt moi, parce que c'est toi qui as une marque de graisse au-dessus de l'œil gauche.

— Qu'est-ce qu'il y a de si drôle ? demandé-je.

Apparemment, ce que tu trouves si drôle t'ôte toute faculté de communiquer. Tu te tiens le ventre et tu ris, d'un rire haut perché. Alors je tire sur ta manche et tu gémis comme si j'allais te chatouiller, et tu dis en pouffant :

— Lâche-moi.

Et quand je te demande de nouveau ce qui est si drôle, tu prends soudain un air sérieux et tu réponds :

— Toi.

— Moi ?

— Oui. Tu veux toujours arriver la première.

Tu as raison, bien sûr. Je suis méticuleuse. Je traque les détails. Je travaille dur. Et j'ai l'esprit de compétition. Mais tu te moques de moi et ça m'est bien égal. En fait, je vois ce qui te fait rire. Je souris.

— C'est parce que je suis enfant unique.

— Je suis *aussi* enfant unique.

— Je ne sais pas. Tu es plus gentil que moi.

— Ça c'est vrai, dis-tu.

Je replie la carte et te donne une petite tape avec. Tu te protèges avec tes bras, feignant de te défendre, et je ne sais pas pourquoi mais même ça, c'est drôle.

Je suis heureuse. Voilà pourquoi. Je suis très heureuse.

— Au moins, je sais où nous sommes.

Et je réalise que je le sais à plus d'un titre. Je sais où toi et moi sommes sur la carte. Mais je sais aussi où en est notre amitié. L'amour que je te porte est plus profond. Je peux presque toucher ton bras et te frapper avec une carte d'état-major. Je peux me tenir à côté de toi et parvenir quand même à distinguer autre chose. Tu n'oblitères plus le paysage. Le fait de te côtoyer rend même tout le reste un peu mieux, un peu plus intense. J'arrive à sentir la légère odeur de bois dans l'air. J'arrive à voir le ruban de vapeur blanc dans le ciel se transformer en or et disparaître. Je vois aussi les baies d'un chèvrefeuille qui sont d'un rouge absolument éclatant dans cette lumière. T'aimer rend le monde plus beau. J'arrive à voir des choses que je n'avais jamais vues auparavant.

Je propose de retourner à pied à Kingsbridge. Tu suggères que je reste dans la voiture à t'attendre, mais je te demande si tu me prends pour la reine d'Angleterre. Tu dis que non, mais tu ne résistes pas à l'envie de faire un jeu de mots avec mon prénom.

Nous partons. Tes pieds font un bruit sourd et régulier sur le tarmac. Les miens font plutôt une sorte de cliquetis. Des nuages de mouches d'été se pressent audessus de nos têtes. Tu marches d'un bon pas et par moments je dois sautiller un peu pour rester à ta hauteur.

— Je ne sais pas pourquoi tu portes ces chaussures-là, dis-je.

— Quel est le problème ?

— On n'est pas sur un bateau.

Tu t'arrêtes pour rire et avoues :

— Je ne sais même pas nager.

Tu t'essuies les yeux. Après ça, nous ne parlons pas beaucoup. Nous passons sous des tunnels de feuilles vertes. Ton visage est rouge, et le mien aussi sans aucun doute. Nous marchons sans rencontrer âme qui vive. Parfois tu me demandes si je vais bien, et je suis si profondément plongée dans mes pensées, à propos de nous deux et de ce qui adviendra de cette histoire, que j'oublie de répondre, ou du moins je mets longtemps à le faire.

Tu admets :

— Je ne marche jamais.

— Moi non plus.

Nous continuons encore une demi-heure. Je sens une chaleur humide sous mes aisselles. Mes genoux commencent à faiblir. Nous atteignons Kingsbridge et la route s'élargit, les rues apparaissent, avec les réverbères, les maisons, les jardins, les voitures. Et en voyant tout cela, je réalise que nous marchons côte à côte, au même rythme, si proches que nous nous touchons presque.

Nous nous touchons presque et une fois de plus tu n'as rien vu.

Tout le reste de l'année, je n'ai pas eu de nouvelles de David. Pas de lettre. Pas de carte postale. Je te demandais de temps à autre dans la voiture :

— Quelles nouvelles de ton fils ?

J'essayais de deviner d'après tes réponses si David t'avait parlé de mes poèmes. Il semblait évident qu'il n'en avait rien fait. Je t'ai aussi demandé comment il se débrouillait. S'il aimait la ville, comment il trouvait ses cours. J'ai même demandé une fois :

— Est-ce qu'il aime faire de la barque ?

Tu as fixé la route et tu as répété ma question.

— Je ne crois pas. Maureen n'a fait allusion à aucune « barque ».

Je ne sais pas pourquoi mais nous avons ri. Ce terme paraissait si saugrenu d'un seul coup.

Même si David avait mes poèmes, comme je le redoutais, il ne pouvait pas imaginer qu'ils t'étaient dédiés. Je n'avais jamais mentionné ton nom. Aucune description physique non plus. Ces poèmes parlaient plus de la nature de cet amour qu'ils ne retraçaient l'historique des moments que nous avions passés ensemble. Si David les avait pris, ils avaient sûrement fini dans une poubelle. Et peut-être qu'il m'avait rendu service. Il était probablement temps pour moi de renoncer à écrire des poèmes.

Maintenant que David était parti, je dansais de nouveau avec des étrangers au Royal. Des hommes aux cheveux fins. Aux pieds nerveux. Aux mains moites. La femme au guichet me dit un soir :

— Quel dommage que votre fils ne vienne plus. J'adorais le voir danser.

Ses cheveux noirs étaient coiffés en une sorte de choucroute qui semblait l'empêcher de bouger la tête. Mais c'est sans importance.

— Il est à Cambridge maintenant. Il étudie les lettres classiques.

— Les lettres classiques ? (Elle leva un sourcil. Un portier vint se poster près d'elle.) Intelligent, alors ?

— Très.

Tu vas trouver ça absurde, mais je me sentis toute fière.

— Peut-être qu'il reviendra pendant les vacances.

— Peut-être.

— Oh, un garçon adore toujours sa maman.

À sa manière de me dévisager, puis d'échanger un sourire complice avec le portier, il était évident que cette conversation était beaucoup plus complexe que je ne l'avais présumé. Elle voyait à travers moi. Et je ne peux qu'imaginer ce qu'elle voyait. Après ça, j'évitai la femme du guichet.

J'étais désolée pour Maureen. Tu me dis une autre fois qu'elle attendait toujours que David téléphone ou écrive.

— Il lui manque. Il lui manque terriblement. Elle lui parlait beaucoup, tu sais. Ils n'arrêtaient pas. J'entrais dans une pièce, et ils étaient en train de parler. Comme si je n'étais pas là.

Cette image ne m'était jamais venue à l'esprit. Celle de Maureen et David en train de parler ensemble. Quand je me représentais David chez lui, il était silencieux, rôdant comme un animal devenu trop grand pour sa cage.

— Je suis sûre qu'il la contactera bientôt, dis-je.

C'était le début du mois de décembre. Tu avais recommencé à jeter les canettes vides dans la cour. Il pleuvait très fort, les gouttes ressemblaient à des épingles noires, mais tu sortais les canettes de sous ton manteau et tu les déposais avec soin dans les poubelles.

J'aperçus David une ou deux fois ce Noël-là, mais il ne me vit pas. Il déambulait sur Fore Street dans son grand manteau et portait un chapeau mou avec une plume. Le chapeau me fit rire. Les gens s'arrêtaient sur son passage pour le regarder et à mon avis il le savait et cela lui plaisait. Tu es devenu trop grand pour Kingsbridge, pensai-je. Et même si ça devait être dur pour Maureen, j'étais heureuse pour David. Il avait besoin d'être libre.

Ainsi nous nous connaissions depuis plus d'un an, toi et moi. Et je t'aimais depuis près d'un an. J'avais aussi commencé à sortir avec un homme qui s'appelait Bill. Je ne quittais plus le Royal seule le soir. Je dansais avec Bill tous les jeudis et je le retrouvais le samedi. Nous allions voir un film. Manger quelque chose. Mais jamais à Kingsbridge. Bill était veuf depuis peu de temps et vivait avec ses deux grandes filles.

— Pourquoi est-ce que je ne peux pas venir chez toi ? demandait-il.

J'inventais des excuses, évoquant les autres habitants ou l'exiguïté de mon appartement. Une fois il dit :

— Tu as honte de moi, n'est-ce pas ?

Je lui assurai immédiatement que je n'avais pas honte du tout. Mais je sentis mes épaules se recroqueviller parce qu'il avait raison. J'avais honte et maintenant qu'il l'avait dit, je ne pouvais plus penser le contraire. Je ne l'aimais pas comme je t'aimais. Et je ne pouvais pas. Je ne voulais pas. Je n'avais de place dans ma vie que pour un seul homme.

Je te surpris un jour en train de regarder fixement mon annulaire nu.

— Personne ne veut de moi, dis-je en souriant.

Tu éclatas de rire mais tu ne dis pas : « Moi, je veux de toi. »

David se montra si peu pendant les vacances de Pâques que je me demandai s'il était tombé amoureux. Je me rappelle m'être dit que ça aussi, ça devait être dur pour Maureen. Je pensai également à mes propres parents et je regrettai de ne pas avoir été plus gentille avec eux quand j'avais l'âge de David. En même temps, c'était un soulagement qu'il ne s'interpose plus entre toi et moi.

Et puis j'ai eu quarante et un ans. Pour mon anniversaire, je t'ai acheté des gâteaux à la crème à la pâtisserie. Nous les avons mangés sur le bord de la route.

— Une occasion spéciale ? demandas-tu.

— Pas du tout, répliquai-je.

Cette fois tu ne dis pas : « Tu vas me faire grossir », ce qui me fit sourire parce que tu avais justement un peu épaissi au niveau de la taille et du menton. Ton pantalon ne tombait plus sur tes hanches.

Bill m'attendait devant les grilles de la brasserie avec des fleurs et un ballon qui portait l'inscription « BON ANNIVERSAIRE ». Il me dit qu'il voulait juste voir où je travaillais. Je l'ai quasiment poussé dans la rue en essayant de le cacher – même s'il est difficile de cacher un homme avec un ballon de ce genre. Il insista pour m'emmener dîner à Kingsbridge et j'ai honte de reconnaître que ce fut une soirée éprouvante. Quand nous en sommes arrivés au tiramisu, Bill s'impatienta.

— Tu t'ennuies, n'est-ce pas ? Tu as quelqu'un d'autre ?

— Bien sûr que non, répondis-je.

— Tu n'arrêtes pas de lancer des coups d'œil à l'extérieur.

Il sortit une petite boîte de sa poche et essaya de la glisser dans ma main.

— Épouse-moi.

Dehors le ciel était encore clair. Je m'en souviens parce que j'ai regardé par la fenêtre pendant un long moment, me demandant ce que je devais faire. Si j'épousais Bill, je pourrais m'occuper de lui. M'occuper de ses filles. Je pourrais bâtir un foyer. Tandis que je pensais à tout cela, la pièce se mit à tourner. J'essayai de garder les yeux fixés sur le trottoir, mais en fait je ne faisais que te chercher. Bill s'agita sur sa chaise.

— Je savais qu'il y avait quelqu'un d'autre.

— Je suis désolée, dis-je. Je suis vraiment désolée.

Il demeura immobile pendant un instant. Puis il termina son tiramisu, raclant le verre avec sa cuiller. C'est curieux comme, quand des choses vraiment graves nous arrivent, on essaie souvent d'en minimiser l'importance.

— Ça ne fait rien, que tu aimes quelqu'un d'autre, dit-il enfin. Je peux m'en accommoder.

— Non, tu ne peux pas. (J'attrapai mon manteau.) C'est fini.

C'était également fini avec le Royal. Et d'ailleurs plus personne ne me ferait la cour non plus. Je ne suis plus jamais sortie avec un homme après ça. Et ne sois pas désolé pour moi, Harold, c'était mon choix.

Je continuai pourtant à voir les filles de Bill. Quand la plus jeune se maria, je lui offris un service de verres. Elles m'écrivaient de temps en temps. Même quand je vivais à Embleton Bay, je continuais de leur envoyer des cartes postales. Je n'ai cessé que quand je suis tombée malade. J'ai rompu avec tous mes amis quand je suis tombée malade.

Cet été-là tu as pris tes vacances d'été comme d'habitude mais tu n'es pas parti. David t'avait dit qu'il parcourrait l'Europe en train et apparemment Maureen avait décidé qu'elle préférait rester à la maison. Quand je t'ai demandé à ton retour ce que tu avais fait – je m'étais morfondue à la brasserie sans toi –, tu as répondu :

— J'ai tondu la pelouse.

Ce qui nous a fait beaucoup rire.

D'autres nouvelles

Nous avons reçu une nouvelle carte postale. « Le Warwick historique ». Tu ne peux pas imaginer l'émotion que ç'a provoqué dans la salle de jour quand sœur Catherine est arrivée avec le courrier.

— Que dit Harold Fry ? hurla Finty. Qu'est-ce qu'il dit ?

Elle avait reçu une lettre lui demandant si elle avait eu des accidents récemment ; elle pourrait avoir droit à des milliers de livres de compensation. Elle cria :

— Non, non, ne lis pas tout de suite ta carte postale ! Prenons d'abord nos milkshakes marron. Faisons-en quelque chose de spécial, comme Noël dans les pubs à la télé. Allez, Babs, remets ton œil.

— Oh, j'adore Noël, dit Barbara.

Sœur Lucy posa le livre qu'elle lisait à Barbara et alla chercher le chariot de boissons protéinées. Elle apporta aussi de la crème fouettée, des pailles et des petits parapluies à cocktail en papier d'aluminium. Le roi Nacré commença à ouvrir un colis. Monsieur Henderson plia son journal.

— Puis-je vous aider, ma sœur ? dit le roi Nacré d'une voix douce.

Il posa son colis sur le chariot qu'il poussa de son bras valide jusqu'au fond de la pièce. Quand sœur Catherine proposa d'aider, il répondit qu'il contrôlait la situation, et là il cligna délicieusement de l'œil, ce qui provoqua le fou rire de Finty.

— Toi alors, tu es vraiment un numéro. Je parie que tu as préparé des tas de cocktails dans ta vie.

Le roi Nacré sourit et dit que oui, en effet.

— Une fois, je me suis retrouvé attaché à un arbre.

— J'ai entendu pire, dit monsieur Henderson.

— Mais l'arbre était à Rotterdam. Et aux dernières nouvelles, j'étais dans un pub de l'East End, à Londres.

Le roi Nacré distribua les boissons une par une. Et même s'il tremblait un peu à cause de l'effort qu'il devait fournir pour marcher, la plus grande partie du liquide resta dans les verres et quelques gouttes seulement tombèrent sur nos genoux et sur le tapis. Il n'arrêtait pas de s'excuser et de proposer d'aller chercher une serpillière mais sœur Catherine se contenta de rire et dit : « Dieu vous bénisse. »

— Vous y arrivez, mademoiselle Hennessy ? demanda monsieur Henderson en me tendant une serviette en papier.

Je hochai la tête pour signifier que j'y arrivais.

Nous allions lever nos verres quand Barbara prit la parole.

— Vous savez quoi ? Je vais me mettre à pleurer. Pas parce que je suis triste. Mais parce que vous êtes des gens si gentils. Je suis très émue.

— Je vois ce que tu veux dire, déclara Finty. J'ai rencontré des tas de salopards dans ma vie. Mais vous, vous êtes épatants. Même toi, Henny.

Elle leva son verre en direction de monsieur Henderson. Il sourit presque, puis réalisant ce qu'il allait faire, il se remit à froncer les sourcils comme à son habitude.

— À la santé d'Harold Fry, grogna le roi Nacré.

— Dieu le bénisse, dit sœur Catherine.

Barbara leva son verre.

— Finalement, ce qu'on est importe peu. Ce sont les amis qui comptent.

Nous avons à nouveau prononcé ton nom et nous avons bu. Au début, le liquide était épais et chaud et j'avais l'impression que c'était de la colle. Je devais faire un énorme effort pour le diriger vers ma gorge. Je ne savais pas avant d'être malade que ça pourrait un jour être si compliqué d'avaler. Puis quelque chose dans le liquide, quelque chose qui n'avait pas le goût de carton mais qui me semblait sucré et fort, chatouilla mes gencives et affola mes papilles. C'était comme si j'étais de nouveau entière.

Je me rappelais Noël dans mon jardin du bord de mer. Je passais du fil autour des coquillages que je suspendais aux branches nues des arbres. Chaque année des gens venaient regarder. Une fois je passai la journée avec une vieille dame à siroter du gin tout en admirant la manière dont le vent qui venait de la mer faisait danser et étinceler les coquillages au-dessus de nos têtes. Son visage était émerveillé. Elle chuchota : « Je n'ai jamais vu un endroit comme celui-ci. » Je craignis qu'elle ne dise autre chose et gâche tout mais elle ne dit rien. J'allai chercher des couvertures et elle resta assise près de moi à observer la nature.

— C'est dingue. (Finty frappa son verre contre la table basse. Elle s'essuya la bouche du revers de la main.) Je n'ai pas goûté à quelque chose d'aussi bon depuis le jour où j'ai été arrêtée.

Monsieur Henderson s'étouffa sur sa paille.

— Arrêtée pour quoi ? demanda l'une des bénévoles.

— Disons qu'il était question d'un homme de Gloucester et d'un extincteur.

— Mon Dieu ! gémit monsieur Henderson en me jetant un coup d'œil complice.

— Je ne comprends pas, dit sœur Lucy, l'air à la fois ravie et stupéfaite. Vous dites que les boissons protéinées sont bonnes aujourd'hui ?

— Elles sont plutôt meilleures que d'habitude, approuva le roi Nacré.

Mais il dut chuchoter parce que deux nouveaux malades avaient posé leur verre et dormaient profondément. Du coup la voix du roi Nacré ressemblait moins à un tracteur et plus à une brosse à dents électrique. Nous avons reporté notre attention sur ta carte postale. Elle était posée là où sœur Catherine l'avait laissée, entre un bain de bouche et des pansements.

— Je ne peux plus attendre, il faut que je sache ce qu'Harold a à nous dire, dit Finty en plissant les yeux. Allez, vite, que quelqu'un lise. Où est notre bonhomme maintenant ? Il marche toujours ?

Sœur Lucy ramassa la carte. Elle la parcourut rapidement des yeux. Il y eut un silence tendu.

— Écoutez, il est passé par tant d'endroits ! dit-elle enfin.

— Vite, vite, dit Finty. Ou je vais me pisser dessus tant je suis excitée.

— Il a dépassé Cheltenham.

— Cheltenham ? dit le roi Nacré. J'y suis allé. Assister aux courses. Je suis arrivé en Rolls-Royce et je suis rentré en car. (Il rit pendant un long moment.) Oui, c'était une belle journée.

Sœur Lucy continua à lire.

— Il a dépassé Broadway.

— Broadway ? dit Barbara. J'y suis allée. J'étais avec ma voisine. Nous avons pris un thé au lait. Elle avait acheté des dessous de verre pour sa véranda.

Sœur Lucy continua à lire.

— Il a dépassé Stratford-upon-Avon.

Ce fut le tour de monsieur Henderson.

— Stratford ? J'y suis allé. J'ai vu *Le Roi Lear* avec Mary. Nous avons nourri les cygnes pendant l'entracte.

— Et attendez, dit sœur Lucy. Il a atteint Baginton.

Sœur Lucy s'arrêta pour nous laisser le temps de commenter mais personne ne prit la parole.

Elle continua à lire.

— Il raconte qu'il a rencontré un charmant jeune homme appelé Mick qui a pris sa photo et lui a offert une limonade. Et aussi des chips au sel et au vinaigre. (Là elle s'arrêta et fixa la carte.) Il a décidé de voyager sans argent. À partir de maintenant il va dormir dehors et compter sur la générosité des gens.

Personne n'eut le temps de répondre. Un bruit survint. Un long sanglot aigu comme le sifflet d'une bouilloire. Nous nous sommes tous retournés et avons vu sœur Philomena prendre Barbara dans ses bras. Accrochée ainsi au corps solide de la religieuse, Barbara ressemblait à un tas de bâtonnets dans une chemise de nuit.

— Qu'est-ce qu'il y a ? demanda sœur Philomena. C'est Harold Fry ? Mais tout ira bien pour lui. Il poursuit son voyage.

Quand les mots arrivèrent, ils étaient à peine audibles.

— J'aimerais tant avoir un autre Noël, dit Barbara.

Elle tremblait dans les bras de la sœur. Nous entendions mais aucun de nous ne parla. Nous la regardions comme un enfant regarde un autre enfant qui pleure, ou comme un automobiliste observe un accident de la route, essayant de comprendre mais ne voulant pas échanger notre place avec elle.

— Tu en auras encore un, Babs, dit Finty. Je te le garantis.

Derrière Barbara, le soleil de la mi-mai brillait à travers les fenêtres de la salle de jour comme une rivière torsadée de lumière.

Le poète

David commença sa deuxième année à Cambridge. Et puis soudain, une lettre arriva. Je la reçus un samedi. Elle était brève. Il disait qu'il aimait toujours ses cours même si quelques-uns d'entre eux étaient ennuyeux. Il disait aussi qu'il s'était vraiment éclaté en Europe !!!!! (Je n'ai jamais fait confiance à un point d'exclamation, encore moins quand il y en a plusieurs.) Il ajoutait que le Royal lui manquait et il me donnait son adresse. Il y avait un post-scriptum. Pouvais-je lui passer un peu d'argent ? Il y avait un autre post-scriptum. Il était désolé.

Je lui répondis l'après-midi même. Je trouvais qu'il avait du culot de me demander de l'argent mais je lui pardonnai, d'un côté parce que j'étais touchée qu'il ne m'ait pas oubliée et de l'autre à cause de sa remarque sur le Royal. Je lui envoyai une carte et un billet de cinq livres, glissés dans la même enveloppe.

Les lettres continuèrent à arriver. Pas régulièrement mais toutes les quelques semaines et chaque fois il demandait de l'argent. Il m'arrivait d'ignorer ses missives. Je ne répondais qu'aux messages les plus insistants. Je dois t'avouer, Harold, que j'avais l'impression qu'il m'exploitait. Je savais que si je t'en parlais, tu aurais honte. Début décembre, David écrivit pour me demander s'il pouvait venir passer un week-end chez moi. Il avait besoin de me voir, disait-il ; les choses étaient en train de se compliquer sérieusement !!!!!! Il m'appelait son amie.

Sans vouloir t'inquiéter, je te demandai si Maureen ou toi aviez eu de ses nouvelles. Et je ne sais pas si tu t'en souviens mais tu m'as répondu comme d'habitude que David était trop occupé pour écrire. Dans sa lettre, David m'avait donné les horaires de car et demandait si je pouvais payer son billet, alors je lui envoyai l'argent par retour de courrier (vingt livres, cette fois). Je nettoyai mon appartement. Je lui préparai un lit sur le canapé. Une fois qu'il serait à Kingsbridge, j'avais l'intention de suggérer qu'il vous rende visite à toi et à Maureen. Le vendredi après-midi, je sortis tôt du travail. Je veillai à ce que tu ne me voies pas partir.

David ne se montra jamais. J'attendis trois heures à l'arrêt du car avec mon livre, mais il ne vint pas. Il n'écrivit plus non plus. Tu es une idiote, pensai-je. Il n'avait évidemment pas l'intention de venir. Il voulait juste l'argent. Il avait probablement déjà bu toute sa bourse. Mais au moins je n'avais pas besoin de te mentir.

À la mi-décembre, tu recommençais ton manège avec les canettes vides. Je me demandai si David aurait le culot de venir chez moi, mais il s'abstint. La première fois que je l'aperçus à Kingsbridge, j'eus du mal à croire que c'était lui.

La foire annuelle de la Saint-Nicolas battait son plein sur le quai. Je t'avais demandé si tu y allais mais tu m'avais répondu que le marché de Noël n'était pas ce que Maureen préférait. C'était une nuit froide sans pluie et les lumières des stands formaient des dessins mouvants sur l'estuaire sombre. Je me souviens de l'odeur épicée du vin chaud, et de celle des oignons frits pour les saucisses et les hamburgers. Il y avait quelques manèges pour enfants, les gens criaient et riaient pardessus le bruit des moteurs. Au bout du quai une foule s'était rassemblée pour voir un orchestre local sur une scène de fortune. Je les regardai un moment, les mains autour de mon gobelet de vin chaud – les membres de l'orchestre étaient jeunes, probablement de l'âge de David –, et les gens dans le public se mirent à danser. J'aperçus la secrétaire de Napier, Sheila, avec son mari et quelques-uns des représentants. Le vin chaud me piquait la gorge et me dopait. C'était comme si j'étais de nouveau au Royal, faisant partie du monde tout en restant en retrait. Je me souviens d'avoir pensé que c'était dommage que tu sois resté chez toi. J'avançai un peu parce qu'un autre groupe de gens s'était formé et que j'entendais des rires. Je voulais rire aussi.

Derrière la foule, j'avais du mal à voir, et la musique de l'orchestre était si forte que je n'entendais pas bien. Je me frayai un chemin vers l'avant, et je dus m'arrêter pour m'assurer que je voyais réellement ce que je pensais que j'avais vu.

David avait perdu du poids. Il se tenait dans un cercle de lumière vive, un micro à la main. Ses traits semblaient plus tendus, ou plutôt plus marqués. Je compris qu'il avait dû se maquiller. Il avait laissé pousser ses cheveux et les avait attachés en queue-de-cheval. Il était vêtu d'un large costume noir avec de grands revers, et il portait toujours ses vieilles chaussures et mes mitaines. Quand je visualise la scène aujourd'hui, les mitaines représentent la seule tache de couleur. C'est comme de voir une tache de rouge sur une photographie en noir et blanc. C'était presque choquant.

J'étais encore fâchée contre David pour m'avoir fait perdre mon temps et mon argent, mais j'étais surtout fâchée contre moi-même de m'être laissé exploiter. Je demeurai cachée dans la foule. Je ne voulais pas qu'il me voie. Il récitait des poèmes. Malgré le froid, il avait une aisance, un charme, un charisme qui attiraient les gens et leur donnaient envie d'écouter. C'était évident. Il fumait tout en déclamant, et il y avait une bouteille à ses pieds ; de temps en temps il se baissait pour en boire une gorgée. Quelqu'un cria :

— Fais passer la bouteille, David !

Alors il rit et dit :

— Achetez-vous la vôtre, monsieur.

Apparemment, beaucoup de gens le connaissaient. David tenait quelques feuillets à la main mais le plus souvent il ne les regardait même pas. Il déclamait avec une voix profonde et énergique qui portait loin. D'après ce que je compris, les poèmes étaient satyriques. Chaque fois qu'il en terminait un, le public applaudissait avec bonheur. Ils l'appréciaient et David le savait. Il avait posé son chapeau mou à ses pieds ; une femme s'avança et y jeta quelques pièces. Je l'entendis annoncer qu'il publierait bientôt son travail dans un pamphlet et quelques personnes acquiescèrent pour montrer que ça les intéresserait.

— La prochaine s'appelle *La Chanson d'amour d'une jeune femme qui n'en a jamais eu,* dit David.

Les gens dans la foule se mirent à rire et il s'arrêta pour boire une gorgée de bière.

— C'est comme un chœur et vous pouvez tous vous joindre à moi.

Il sortit une écharpe en soie de sa poche et l'attacha autour de son cou. Je supposai qu'elle appartenait à Maureen. Quelqu'un cria :

— Tu te cuites !

Alors David sourit et dit :

— Oui, c'est ça.

Je me rapprochai. D'une voix haut perchée David se mit à réciter des mots que je connaissais. Les mots que j'avais dans mon sac avant de les perdre. Mes poèmes. (« Je regarde le monde et je ne vois que toi », ce genre de choses. Je peux à peine les répéter.) Le chœur résonna – ça n'avait rien à voir avec moi mais la foule hurlait de rire. « Mon amour est pur. Je suis ta fiancée. Mon Dieu, mon Dieu, serai-je enfin baisée ? » Tout le monde répéta la phrase en s'époumonant, et mon visage brûla de honte.

David continua et récita trois ou quatre autres poèmes. Je restai parce que ce que j'entendais me blessait et me désorientait tant que j'étais incapable de bouger. Tous ces poèmes étaient des parodies des miens. Ils faisaient tous ricaner la foule. À la fin du cinquième, je ne pus plus supporter d'entendre David. Je fis demi-tour et me frayai un chemin pour m'éloigner.

Puis je me mis à courir. Je dépassai les kiosques, les manèges. Je cachai mon visage avec ma main pour que personne ne me voie. Une fois que je fus de l'autre côté du quai, je dus m'arrêter et m'asseoir sur un banc. J'imaginai, à travers l'eau noire et huileuse, la foule en train de rire, et je me sentis comme dépouillée de mes vêtements. Je ne pus me contrôler et je sanglotai de honte. Et si tu avais vu les poèmes ? Ou pire, et si ta femme les avait lus ? J'aurais voulu être en sécurité dans mon appartement mais je n'avais pas la force de me lever. Puis le public se mit à siffler et à applaudir. Je compris que le récital de David était fini. Je restai assise un long moment, à regarder les gens rentrer chez eux en longeant le quai. Des parents portaient leurs enfants dans leurs bras. Une jeune femme cria quand plusieurs hommes que je reconnus comme étant des représentants de la brasserie la maintinrent au-dessus de l'eau comme pour la jeter dedans. Un cheval harnaché fut ramené à son box. Les pubs commencèrent à se remplir. La soirée se terminait.

— Salut vous.

Une main frêle mais ferme me tira par l'épaule et me fit pivoter. Je sentis son odeur et je dus me contrôler. Je ne pouvais absolument pas le regarder.

— Vous étiez là ?

Je me levai pour partir mais David me suivit. Quand je le regardai enfin je vis les fines lignes noires autour de ses yeux et la tache rouge sur sa bouche. Il avait recouvert son visage de fond de teint blanc.

— Tes parents sont au courant de tout ça ? demandai-je froidement.

Il rit et dit :

— Sans doute pas.

Il ne fit pas allusion aux lettres et à l'argent que j'avais envoyés ni à sa visite manquée. Il jeta un œil au marché de Noël par-dessus son épaule.

— C'était bien. Les gens m'ont apprécié. Vous avez de l'argent ?

Je grimaçai et il rit de nouveau.

— Je plaisante.

Il me montra le chapeau. Il était rempli de pièces et aussi de billets.

— Vous voulez boire un verre ? Je vous invite.

— Non.

Il haussa les épaules et s'éloigna. Je le vis marcher jusqu'au pub.

Ce lundi-là, quand je montai dans ta voiture, je pouvais à peine te regarder. Tu as dit que j'avais l'air d'être en petite forme.

— En petite forme ? répétai-je avec irritation. Non, pourquoi ?

Tu souris d'un air gêné et te concentras sur la route.

— Tu fais quelque chose d'agréable pour Noël ? me demandas-tu.

Je ne répondis pas. Nous avons roulé un moment en silence jusqu'à ce que tu t'arrêtes sur le bord de la route.

— Attends là, as-tu lancé.

Et tu es sorti pour prendre un sac dans le coffre.

Une fois que tu as eu regagné ta place, tu m'as dit de regarder. Tu as sorti une boule rouge du sac et tu l'as attachée avec soin au rétroviseur. Elle a tourné sur elle-même quand tu as enlevé tes mains. Tu as tiré le pare-soleil de mon côté et y as accroché une autre boule, dorée cette fois. Puis tu as suspendu une boule bleue au clignotant, et la dernière, argentée, au crochet à vêtements derrière mon siège.

— Joyeux Noël, Queenie, as-tu dit.

— Je ne comprends pas, David.

C'est le lendemain de Noël et il a décidé de me faire une visite surprise. Il est à la porte de l'immeuble, m'offrant une bouteille à moitié pleine de Southern Comfort et une petite branche de houx. Il grelotte à cause de la pluie et du froid – il porte juste une veste et un jean et il pleut des cordes dehors – mais je ne le laisserai entrer chez moi sous aucun prétexte.

— On fait la paix ?

Il tend la bouteille. Sa chemise est si mouillée que le col est plaqué contre sa peau comme du papier. Je suis sur le point de fermer la porte et peut-être qu'il le sent, je ne sais pas, parce qu'il lève la tête de manière à ce que je m'en aperçoive. Il a pleuré.

Derrière lui, la pluie frappe la rue, le trottoir, l'estuaire. Tout est trempé et gris, tout est noyé. Je regarde David, ses yeux rouges, sa bouche tordue de douleur, son corps trop grand pour ses vêtements gorgés d'eau, je cède.

— Entre.

Il laisse une traînée d'eau à travers le hall d'entrée, mon appartement, le tapis et jusqu'à la chaise, où il s'assoit les chevilles croisées, les bras serrés contre son corps. Son genou tressaute de haut en bas, haut en bas.

— David, je suis fâchée contre toi.

— Oui, je sais. (Il secoue ses cheveux mouillés et des gouttes de pluie tombent sur ses vêtements.) Et je suis désolé, Queenie, vraiment désolé.

Je lui fais du thé. Je vais chercher des serviettes et une couverture. Je m'active pour ne pas m'asseoir et lui parler. Sauf que c'est différent maintenant qu'il est dans l'appartement. Il a l'air plus petit. Il vide sa tasse de thé et la remplit de Southern Comfort.

Je m'assois sur un coussin par terre.

— D'accord, lui dis-je. Explique-toi.

Il parle tout l'après-midi. Il me raconte ses cours, l'université, sa vie à Cambridge. Il avoue qu'il a du mal avec le travail. Il avait une petite amie, mais ça n'a pas marché. Maintenant il trouve qu'il s'entend mieux avec les gens quand il est saoul ; ça le rend plus drôle, moins inhibé. Mais évidemment son travail en pâtit. Ses parents ne savent rien mais ses professeurs sont au courant.

Quand il déclame ses poèmes il montre aux gens qui il est, dit-il, sans les déranger ni les faire fuir. Il le fait à l'union des étudiants et dans la rue. C'est comme s'il jouait pour des intellectuels. Il aime l'attention que ça lui vaut et aussi l'argent que ça lui rapporte.

— Je veux que les gens me remarquent. Mes parents ne se rendent compte de rien.

— Mais tu as volé mes poèmes. Tu les as ridiculisés.

Il me regarde gentiment, avec tes yeux, et il dit simplement :

— Je veux juste que quelqu'un me voie, Queenie. Que quelqu'un voie qui je suis vraiment.

C'est tout ce que nous voulons, au fond : être vus.

— Mais ces poèmes que tu déclamais, David, n'étaient pas les tiens. Comment veux-tu qu'on te voie ?

Il rit un peu mais se remet à parler avec la même franchise désarmante.

— C'est ça, justement. Vous me voyez, Queenie. Vous voyez que je suis juste un imposteur.

La colère que j'ai ressentie, le sentiment de trahison s'évanouissent. Je veux aider ce garçon, vraiment.

— Tu dois montrer ton cœur, David.

Je pose ma main sur mon propre cœur et je le sens battre contre ma paume.

Au bout d'un moment il demande :

— C'est ce que vous faisiez avec vos poèmes ? Vous montriez votre cœur ?

Cette fois je ne réponds pas.

David attrape sa bouteille, dévisse le bouchon et remplit sa tasse à thé verte de Southern Comfort. Il essuie soigneusement le goulot avec sa manche. Je finis par réchauffer un pudding de Noël (pour une personne) et je le partage avec lui au coin du feu. Nos assiettes sont posées sur nos genoux. Il me parle un peu de son été en Europe et ce n'est que quand la lumière du jour commence à baisser qu'il demande :

— Vous les avez écrits pour qui, vos poèmes ?

— Quelqu'un que tu ne connais pas. Je les ai écrits il y a des années.

Je lève les yeux. Il m'observe avec attention et il sourit. Il me croit. Il n'a pas compris que j'étais amoureuse de son père. Il me sert une tasse de Southern Comfort et je bois si vite que l'alcool me pique la gorge comme du poivre.

— Je voulais juste en être sûr, dit-il.

Au cours des semaines suivantes, David me téléphone plusieurs fois. Il appelle en PCV, bien sûr, et me raconte comment ça se passe à Cambridge. Il m'assure que depuis notre conversation il se sent mieux. Plus solide. Il a commencé à écrire ses propres poèmes, dit-il, et il est vraiment content du résultat. Ce n'est pas drôle comme avant ; est-ce que je pense que c'est bien quand même ? Je lui garantis que s'il exprime vraiment qui il est, c'est bien. C'est vraiment bien.

— Je peux vous les envoyer, Queenie ? demande-t-il.

Apparemment il a rencontré quelqu'un à Cambridge qui connaît quelqu'un d'autre, et ce quelqu'un d'autre a lu ses écrits et pense que David a un bel avenir, le don de s'emparer d'un sujet et de l'exploiter à son maximum. Les premiers arrivent le jour suivant : une liasse épaisse dans une enveloppe brune.

Je vais être sincère avec toi, Harold. Les poèmes de David ne valent pas grand-chose. Ils sont bourrés de clichés. Souvent inaboutis. Ils sont aussi tellement sombres qu'ils en paraissent presque complaisants. Je note des commentaires dans la marge. Là où son imaginaire manque de précision, je suggère des idées nouvelles. Je fais ce que je peux pour l'aider. D'autres poèmes arrivent. Ils sont encore plus sinistres. Ils parlent de mort, du trou noir. Il écrit souvent au bas de la page : « Seulement pour vos yeux !!!! » Il me presse de ne pas le dire à ses parents ou il ne me fera plus jamais confiance. Je le rassure : « Ton secret est en sécurité. » Pourtant je suis inquiète, et je ne sais pas comment te le dire.

Pâques s'en va comme il est venu. Je me rappelle avoir caché des petits œufs en chocolat entourés de papier d'aluminium dans ta voiture. J'avais prévu une chasse aux œufs de Pâques surprise, mais tu t'es assis sur un des œufs et nous avons dû passer un long moment dans un café à essayer de nettoyer ton pantalon.

David rentre pour quelques jours. Quand il repart pour son trimestre d'été, les poèmes arrivent de nouveau. Je continue à l'aider avec son écriture et parfois, je l'avoue, j'en profite pour faire d'autres suggestions. Et s'il se joignait à un groupe de poésie ? Mange-t-il correctement ? Si quelqu'un m'avait demandé ce que je faisais avec David, j'aurais expliqué ceci : je t'aidais en aidant ton fils. Moi aussi, j'avais été étudiante à Oxford. Moi aussi, j'avais eu des parents qui étaient en admiration devant mon intelligence. J'espérais que David retomberait sur ses pieds ; à ce moment-là, je pourrais te raconter l'air de rien que nous avions dansé ensemble, que je lui avais envoyé de l'argent, je pourrais te parler des poèmes et de tout ce que j'avais omis de t'avouer. Dites après coup, rien de toutes ces choses ne paraîtrait très grave puisqu'elles feraient partie du passé et que David serait heureux.

Nous avons continué à rouler ensemble tous les jours, toi et moi. Et je t'observais, je t'achetais des barres chocolatées, j'avais de petites attentions pour te montrer que j'étais là. Parfois tu prenais la route la plus longue pour rentrer et tu me montrais les oiseaux. Nous nous sommes arrêtés une fois – tu te souviens ? – parce que tu as dit que j'avais l'air très pâle. (Je l'étais. David m'avait envoyé le matin même un poème où il mentionnait les « bêtes sauvages bleues » de son esprit.) Nous nous sommes assis sous un figuier et j'étais trop abattue pour parler. Au bout d'un moment, tu t'es mis à ramasser des figues et à les aligner avec soin le long de l'aire de repos. Tu demandas si j'avais déjà joué à figue-balle. Quand je répondis que non, tu eus l'air surpris et tu m'expliquas que c'était très simple ; c'était comme le bowling, mais avec des figues.

— On peut y jouer n'importe où. Je ne comprends pas pourquoi ce n'est pas une discipline olympique. Et si tu ne trouves pas de figues, tu peux jouer avec des marrons.

Aussi incroyable que ça puisse paraître, j'étais très bonne à figue-balle.

— Tu vois, dis-tu. Tu souris de nouveau maintenant.

— Un jour je viendrai ici avec mon fils.

Nous sommes installés à la terrasse d'un pub à Slapton Sands. Je bois un sherry. Et toi, une limonade. Il y a un paquet de chips sur la table devant nous. Ça doit être l'été – la fin de la deuxième année de David à Cambridge. La mer est très calme, comme du verre poli, et le ciel brille comme de l'argent, régulièrement brisé par un éclair de lumière venu de Start Point.

— Nous boirons une bière, David et moi.

Une bière ? pensé-je. Tu es sûr ? Tu souris comme si tu lisais dans mes pensées.

— Ou peut-être une limonade. Nous parlerons. Tu sais. (Tes yeux bleus s'embuent.) D'homme à homme.

— Ce serait bien, dis-je.

— Quand on est jeune ce n'est pas si facile de parler à son père. Mais un jour. Un jour, il aura mon âge. Ce sera plus facile de parler quand on sera vieux.

Je me représente David avec mes mitaines. Je ris.

— Je ne peux pas imaginer David avec des gants de conduite, Harold.

Tu sembles si triste soudain, si peu sûr de toi, que j'essaie de te réconforter. Mais avant même que j'aie terminé ma phrase, je réalise ce que j'ai dit. J'aimerais pouvoir remettre les mots dans ma bouche mais au lieu de ça je termine mon sherry.

— Je ne comprends pas, dis-tu, interrompant le silence. Tu as rencontré David ?

La mer caresse doucement la plage. Il serait si simple de dire oui. Oui, Harold, je l'ai rencontré. Nous avons dansé ensemble plusieurs fois. Il téléphone. Il demande de l'argent. Ce n'est pas trop tard pour soulager ma conscience. Ce n'est jamais trop tard. Mais après je pense à mes poèmes, les poèmes qu'il m'a pris, et je ne sais absolument pas comment t'expliquer que je t'aime.

— Non, répliqué-je. (Je le dis encore, au cas où la première fois n'aurait pas suffi.) Non. Pas du tout. Je ne l'ai jamais rencontré.

Tu me fais un sourire accompagné d'un petit bruit de bouche. Pas assez fort pour être un rire mais plus chaleureux qu'un simple sourire.

— Je crois que tu l'aimerais, dis-tu. Lui, il t'aimerait beaucoup.

Tout cela commence à devenir très pesant.

L'alarme incendie

Nous avons été réveillés très tard par l'alarme incendie. L'un des nouveaux malades avait fumé et il avait provoqué une petite explosion dans sa bouteille d'oxygène. L'équipe de nuit et les religieuses nous ont emmenés dehors dans le jardin du Bien-être et nous ont enveloppés dans des couvertures. La journée avait été chaude et l'air était étonnamment doux. Les parfums un peu terreux de l'aubépine, du persil et des premières fleurs de sureau montaient jusqu'à mes narines.

— Cet imbécile aurait pu nous tuer, dit l'une des infirmières de l'équipe de nuit.

Elle semblait d'humeur maussade, avait l'air fatiguée, au bord des larmes.

— Oui, mais il ne l'a pas fait, dit sœur Philomena en souriant. Tout va bien, Barbara. Tu n'as pas besoin de te lever. Reste tranquille. Prends ma main.

Le visage des malades brillait sous les lumières venant de la salle de jour. Rien n'avait de substance dans l'obscurité. Les gens, les arbres, la pagode, les pierres du jardin de rocaille, les étoiles argentées de l'astrance et les cascades de cytise, tout cela était presque incolore à cette heure de la nuit.

— C'est comme Watership Down ici, dit sœur Lucy. Tout est paisible.

— Vous plaisantez ? grogna monsieur Henderson.

Sœur Lucy répliqua qu'elle ne plaisantait pas. Ce n'était pas grave qu'elle ait sauté le début ; elle trouvait que c'était une très jolie histoire. Elle venait de finir de la lire à Barbara.

— Tous ces lapins ? Écrasés, blessés ?

Sœur Lucy porta ses mains à sa bouche.

— Des lapins ? répéta-t-elle. Où sont les lapins ?

— Ce sont tous des lapins, dit monsieur Henderson.

— Quoi ? Tous ? (Sœur Lucy eut l'air horrifiée.) Mais ils parlent. Je ne savais pas que c'étaient des lapins. Oh non !

Elle demeura silencieuse, digérant la nouvelle, son visage se voila, et elle murmura encore :

— Oh non ! C'est vraiment affreux.

— Quel besoin aviez-vous de lui dire que c'étaient des crétins de lapins ? chuchota Finty.

Et monsieur Henderson dit qu'il était désolé. Il croyait que tout le monde savait que c'étaient des lapins. Il y avait même une photo de lapins sur la couverture. Il regrettait d'avoir mentionné les lapins.

— Oh non ! sanglotait sœur Lucy.

Sœur Philomena enveloppa la jeune religieuse dans une autre couverture. Je lui pris la main.

Un peu plus tard quelqu'un dit :

— Regardez, mère supérieure. Regardez la lune.

Quand sœur Philomena la vit, elle demanda à ce que l'on pousse nos fauteuils jusqu'à un endroit du jardin d'où l'on pourrait la voir aussi. La lune était bas dans le ciel, comme une clémentine. Tout autour, les étoiles scintillaient et palpitaient. Monsieur Henderson désigna la constellation de la Grande Ourse et la constellation préférée de mon père, un petit groupe d'étoiles appelées les Sept Sœurs.

— Vous voyez, sœur Lucy ? demanda-t-il. Mademoiselle Hennessy, vous voyez aussi ?

Je pensai à mon jardin du bord de mer. Les sculptures brillant au clair de lune. Les carillons retentissant dans le vent. Je me représentai Embleton Bay sous la neige, le vent et le soleil ; les différentes facettes sous lesquelles j'avais vu mon jardin. Je vis les vagues des nuits d'hiver s'élevant tels des murs noirs, et la mer un matin de juillet, comme une étendue de soie rose. En fait, Embleton n'est pas loin, à une cinquantaine de kilomètres tout au plus, mais la distance entre mon jardin et moi me semble aussi vaste qu'une année-lumière.

Après toute l'émotion provoquée par l'explosion de la bouteille d'oxygène puis les lapins, je ne voulais pas pleurer et me rendre ridicule. Alors je me dis : « Pense à autre chose. Pense à Harold Fry. Lui aussi, il est sous la lune orange et ces étoiles-là. »

Manières d'aimer

— Les gens peuvent aimer de différentes façons, dis-je à David. Tu peux aimer intensément en faisant beaucoup de bruit, ou tu peux le faire en silence, en lavant la vaisselle. Tu peux même aimer quelqu'un sans qu'il le sache.

Je veillai à détourner le regard.

C'était à Noël, au cours de la troisième année de David à Cambridge, et les choses avaient empiré. Lorsqu'il me rendait visite, il s'asseyait sur le fauteuil près du radiateur électrique, recroquevillé dans son manteau noir, fumant un joint. Quand je lui dis tout le mal que j'en pensais, il répliqua que ça l'aidait à se détendre. Apparemment, il écrivait toujours des poèmes, mais il ne voulait plus me les montrer. Quand je lui posais des questions sur son travail à la fac, ses yeux se voilaient. De même lorsque je l'interrogeais sur ses amis. Il se plaignait souvent du froid et je passais mon temps à lui apporter des couvertures. Je lui dis de consulter un médecin mais il me rit au nez. Il eut la même réaction lorsque je lui suggérai de te parler. Je m'étais promis d'être un pont entre ton fils et toi, mais j'avais échoué.

Et c'est probablement pour détourner mon attention qu'il me ramena à la discussion que nous avions eue à propos de l'amour. Il était horrifié qu'on puisse s'aimer en faisant la vaisselle. Comment pouvais-je être aussi triviale ?

— Parfois on doit penser d'une manière plus banale, David, dis-je. Parfois la vie n'est pas telle qu'on s'y attendait.

— Je préfère mourir qu'être banal, Queenie.

Il leva la tête, me regarda. Son visage était empreint d'une telle douleur que je dus détourner les yeux. Je comprenais pourtant ce qu'il voulait dire quand il affirmait qu'il voulait être plus que banal. Quand j'étais étudiante, je ressentais la même chose. Je tombais sans arrêt amoureuse de grands et beaux bruns. Ces grands bruns m'invitaient à sortir avec eux pour que je les renseigne sur mes grandes copines. J'écrivais de superbes lettres d'amour de leur part. Après ça, les beaux bruns et mes belles amies blondes me considéraient comme une chic fille ou un roc, mais ça revenait au même que de dire

« Tu es gentille » ou « Tu as de jolis pieds ». Ils me montraient leur soutien. Je ne voulais pas de leur soutien. J'avais ce qu'il fallait pour ça. Je voulais de l'amour.

Quand j'ai commencé à le trouver, ça ne menait jamais nulle part. Je choisissais des gens qui me laissaient tomber. Et quand ce n'était pas le cas, j'étais choisie par des gens que moi, je laissais tomber. Il n'est pas nécessaire d'en dire beaucoup plus. C'est difficile d'apprendre à aimer. Je savais, par exemple, que le Fumier de Corby était un mauvais choix, alors il me fallut me donner beaucoup de mal pour ne pas voir la réalité en face. Parfois on sait qu'on fait fausse route, mais on fait quand même tout pour garder le cap. Il faudrait maintenant que j'arrête de l'appeler le Fumier. C'est probablement un bon mari. Un bon père et grand-père. Un bon voisin. Tout ça.

Ensuite je t'ai rencontré et je suis tombée amoureuse de toi, et pour une fois, je serais bien restée. J'avais économisé assez d'argent pour m'acheter une petite maison. Mais il y a eu la tragédie avec David, et ça se termina comme d'habitude. Je transmis mon message à ta femme et le lendemain je m'en allai. Je suis allée vers le nord, vers l'est, jusqu'à ce que je tombe sur la mer (maudite petite île) et, une fois encore, je dus m'arrêter.

Ce que je découvris c'est que ce n'est pas facile de cesser d'aimer. L'amour ne s'arrête pas parce qu'on a fui. Ça ne s'arrête pas non plus quand on décide de repartir de zéro. On regarde la mer du Nord et on voit la Manche. On regarde les dunes du Northumberland et on se rappelle celles du sud du Devon. Je ne pouvais pas fuir la réalité : mon amour était toujours aussi ardent et je devais en faire quelque chose.

Je n'avais rien planifié quand j'ai commencé mon jardin. Je n'avais aucune expérience en matière de plantes ou de sculptures. Ça évolua lentement. Comme l'amour. Tous les jours je marchais le long des dunes jusqu'à

Craster et j'observais ce qui poussait entre les rochers et les chemins. Je prenais des notes. À Craster, je regardais comment les gens creusaient et plantaient. J'étudiais les jardins de rocaille devant le port. Ensuite je regagnais ma maison du bord de mer et je creusais et plantais dans mon propre jardin. Chaque année il devenait plus grand. Chaque saison il s'enracinait un peu plus.

Au fil du temps, mon jardin fut pourtant mis à rude épreuve. Il y eut mes propres erreurs, et non des moindres. Le temps. Les mouettes. Les gens aussi. Ils proposaient parfois de m'aider mais il arrivait que leur aide n'en soit finalement pas vraiment une. Et ils s'interrogeaient à mon sujet. Comment pouvais-je consacrer ma vie à un jardin ? Comment pouvais-je rester toujours au même endroit sans jamais voyager ? Je leur répondais volontiers. Ça me faisait plaisir de parler de mon jardin. Un été, je fus interrompue par trois jeunes femmes qui célébraient l'enterrement de vie de jeune fille de l'une d'entre elles. Je m'en souviens parce que celle-ci tenait une pancarte avec l'inscription « FUTURE MARIÉE » et un ballon géant en forme de pénis. Ce n'est pas le genre de détail qu'on oublie.

Elles portaient toutes les trois un short, un haut de bikini et un diadème argenté. Elles étaient plutôt potelées, leurs épaules et leur poitrine étaient brûlées par le soleil et le sel.

— Beau jardin, dit l'une.

— Joli piège à soleil, dit la deuxième.

— Mais trop près de la mer, dit la future mariée.

Alors je posai ma fourche et je racontai mon histoire habituelle. Mon jardin était dédié à un homme que je ne pouvais pas avoir. C'était ma façon d'expier une erreur terrible que j'avais commise. Je montrai aux jeunes femmes mes pièces d'eau avec les anémones et les minuscules poissons bleus que j'avais taillés dans des coquilles de moule. Je leur montrai les sculptures en bois et les bannières d'algues et les guirlandes de cailloux colorés avec un trou creusé par la mer. Je leur montrai les massifs d'agapanthes et d'angéliques (j'ai toujours eu une prédilection pour les grandes fleurs), les digitales blanches, et celles que je préférais, les pavots bleus et les iris. Les saisons se succédaient ; les plantes mouraient et réapparaissaient. Chaque partie de mon jardin avait une histoire, dis-je. Ça me rappelait ce que j'avais laissé derrière moi.

— Mais comment un jardin peut-il remplacer un homme ? demanda la fille à la pancarte.

— Trisha se marie la semaine prochaine, dit son amie.

— Ce soir on va dans une boîte à Newcastle, dit l'autre. Pour célébrer ses derniers jours de liberté.

Les trois jeunes femmes éclatèrent de rire. Je demandai si on ne pouvait pas être à la fois libre et mariée.

— Pas quand on connaît mon fiancé, dit Trisha.

Je dis qu'avec mon jardin j'avais appris qu'il y avait des moments pour intervenir, et d'autres où il fallait que je laisse une plante tranquille. Il n'était pas ma possession, et je ne pouvais pas le traiter comme un être humain.

— Je préfère quand même le mariage, répondit Trisha.

— Vous devriez voir sa robe et son voile, dit son amie.

— Une femme doit avoir au moins une journée spéciale dans sa vie, où elle se sent comme une princesse, ajouta l'autre.

Je repensai à ma vie. Il n'y avait pas eu de fête, pas de discours au sujet de ma bonté, pas de robe spéciale, pas de confettis. Personne n'avait passé toutes ses soirées avec moi et ne s'était réveillé auprès de moi chaque matin. Et même si je me disais que c'était mon choix, qu'à la place j'avais mon jardin et ma solitude, j'eus froid en plein soleil et je ne pus rien avaler.

Environ un an plus tard, la future mariée revint. Elle avait maigri. Elle me dit que le mariage n'avait pas marché. Elle me demanda si j'avais des plantes qui feraient joli sur le rebord de sa fenêtre et je lui donnai des boutures. Elle avait rencontré quelqu'un d'autre mais elle ne se pressait pas cette fois-ci.

— Pas de mariage, déclara-t-elle.

Nous avons regardé la mer et je crois que nous avons toutes les deux souri.

Je n'entendis plus parler qu'une seule fois des poèmes de David, à la fin de sa troisième année. Il me confia à quel point c'était difficile de s'entendre dire que l'on est quelqu'un, puis de se faire lâcher comme si l'on était rien du tout. Il était rentré chez lui et se préparait soi-disant pour ses examens de fin d'année.

— Ç'aurait été mieux, dit-il, de vivre sans espérances.

— Mais tu t'attendais à quoi ? demandai-je. Que t'ont dit les gens sur toi ?

— Ils m'ont dit que j'étais un poète. Que je serais célèbre.

— Mais pourquoi as-tu besoin qu'on te dise qui tu es ? Pourquoi n'écris-tu pas juste pour écrire ? On n'a pas besoin d'être célèbre pour faire ça.

Il secoua la tête avec rage et alluma une autre cigarette.

— Vous ne comprenez pas.

— Non, mais j'aimerais bien comprendre.

— Ça ne sert à rien d'être un connard de poète si personne ne le sait. Je préfère être un moins-que-rien, comme mon père. Je préfère savoir que je ne suis rien et faire avec.

— Tu n'es pas un moins-que-rien, David, et ton père n'en est pas un non plus.

Il émit un grognement impatient et se leva de mon fauteuil, comme si j'étais devenue insupportable. Il jeta sa veste sur son épaule et quitta mon appartement.

Parfois je repense au fait que David voulait être célèbre. Il disait qu'il avait tout raté parce que le monde ne se levait pas pour le remarquer. Je pense à ce gâchis et je te le dis, Harold : j'ai envie de tout bazarder. C'est difficile d'apprendre à aimer, je l'ai déjà dit. Mais c'est encore plus difficile, je crois, d'apprendre à être quelqu'un d'ordinaire.

Quelques années après avoir commencé mon jardin à Embleton Bay et trouvé le morceau de bois de grève qui me faisait penser à toi, j'en ai trouvé un autre. J'étais sur la plage à Craggy Rock, espérant dénicher des huîtres, quand mon pied nu heurta quelque chose de dur. Je m'arrêtai. Dégageai le sable. C'était un morceau de bois de grève noirci aussi long que mon bras, mais un nœud le tordait en forme de V, et les deux extrémités avaient été fragilisées par l'érosion. Ce morceau de bois était si triste que j'en fus bouleversée. Je ne voyais que David. Je le transportai avec soin jusque dans mon jardin et passai la journée à me demander où j'allais l'installer. Je choisis finalement un lit de pierres et une rose pimprenelle couleur crème. Je plantai aux alentours un arum rouge qui me rappelait mes mitaines en laine.

Ce soir-là, je continuai à travailler dans mon jardin longtemps après le coucher du soleil, longtemps après que la lune se fut levée, teintant les vagues d'une traînée argentée. J'avais besoin d'entendre la mer et le vent et de faire quelque chose de mes mains. Je ne pouvais pas supporter l'idée de rentrer dans la maison.

À propos de l'avenir

La nuit dernière j'ai rêvé que je retournais dans mon jardin du bord de mer.

Dans mon rêve, Harold, je tentais de protéger les sculptures en bois et de renforcer les semis grâce à des tuteurs, mais le vent fouettait la mer en tourbillons noirs et blancs, emmêlant mes cheveux et brutalisant mon jardin. Puis les plantes et les sculptures se soulevèrent et s'envolèrent comme des naufragés balayés par le vent, et j'essayai de leur courir après mais je n'y parvenais pas. Je vis la tempête les emporter.

Quand sœur Mary Inconnu arriva, j'étais incapable de penser à ma lettre. Tout ce que je pouvais écrire c'était :

Qu'est-ce qui va arriver à mon jardin du bord de mer ?

Sœur Mary Inconnu s'assit devant la fenêtre, elle joignit ses mains aux doigts rouges contre sa bouche. Derrière elle, la masse de feuilles dans l'arbre ressemblait aussi à des mains potelées, et des petites pointes de floraison apparaissaient sur les branches. Elle était plongée dans ses réflexions.

— C'est la première fois que vous pensez à ça ? dit-elle enfin.

Ce n'était pas le cas. Je portais cette question en moi depuis un moment, mais elle rôdait dans l'ombre et je m'étais concentrée sur autre chose parce que je ne voulais pas y penser.

Tandis que j'attendais sa réponse, j'observai sœur Mary Inconnu avec attention. J'avais tellement peur de ce qu'elle pourrait dire, mais en même temps, j'avais tellement besoin d'entendre la vérité que je ne voyais qu'elle. L'arbre disparut. J'oubliai même qui j'étais. Je ne voyais que sœur Mary Inconnu et ses yeux verts.

— Vous avez fait un testament ?

Non. Je sentis ma gorge se serrer.

— Vous devez faire un testament, Queenie. Vous le savez, n'est-ce pas ?

Je me mis à pleurer et elle prit ma main mais mon émotion ne provenait ni de la peur ni du chagrin. J'étais émue parce qu'elle avait raison et que je le savais. J'avais juste attendu que quelqu'un prononce ces mots-là.

— Ce n'est pas si terrible, mon cœur, de faire son testament. C'est comme si vous nettoyiez votre maison avant de partir en vacances. Ça permet juste de mettre les choses en ordre. Vous devez en parler à sœur Philomena. Dites-lui que vous voulez faire votre testament.

Un peu plus tard, sœur Lucy me lava les cheveux. Elle me massa le crâne avec l'après-shampooing et je sentis tout mon corps, de mes mains à mes orteils, se laisser aller. J'imaginai de nouveau mon jardin du bord de mer, mais cette fois le chaos avait disparu et le seul mouvement perceptible était celui des aurores, ces papillons qui semblaient glisser dans l'air. Dans la baie, la mer était d'un bleu lisse, et les vagues étaient des volants de dentelle. L'air était doux. Sœur Lucy m'enveloppa la tête dans une serviette chaude. Elle me sécha les cheveux et me fit les ongles.

— Vous avez l'air plus heureuse aujourd'hui. Vous avez envie de faire un tour dans le jardin ?

Je lui pressai la main pour lui dire merci.

— Bien. (Elle sourit.) Moi aussi. Je vais chercher mon gilet.

L'Inquisition espagnole

— Maureen dit que j'ai besoin d'une veste, me dis-tu un jour.

Tu te souviens de ce jour-là ?

— Quel genre de veste ? demandai-je.

— Le genre de veste qu'un père mettrait pour la cérémonie de remise de diplômes de son fils.

Nous rentrions à la brasserie. Les petites routes du Devon étaient entourées de verdure. C'était comme de conduire à travers d'épais massifs verts. Quelques kilomètres plus loin, tu t'éclaircis la gorge et tu dis :

— Tu aurais une idée, Queenie, du genre de veste qui conviendrait ?

— Tu me demandes mon aide, Harold ?

— En fait, oui.

Tout à fait une réponse à la David. Nous nous sommes arrêtés à Kingsbridge dans le magasin de vêtements pour homme. Tu me présentas au vendeur – son fils était allé à l'école avec David.

— Voici mademoiselle Hennessy. C'est drôle. Nous nous sommes rencontrés dans le…

— À la cantine.

— Local à fournitures.

Tu te mis à rire. Je me souviens que le vendeur t'a demandé des nouvelles de David et que tu as dit qu'il passait ses examens de fin d'année. Le vendeur nous raconta que son fils travaillait dans le ramassage des bennes à ordures. Personne ne le formula, bien sûr, mais il était évident que, des deux garçons, c'était David qui excellait. Tandis qu'il allait chercher un choix de vestes, le vendeur continua à parler en termes élogieux de l'intelligence de David. Il était plus brillant que les professeurs. Il avait appris le grec ancien tout seul un week-end, en lisant un livre de la bibliothèque, et il avait aussi appris à démonter une bicyclette. Je me rappelle ton visage. Il rayonnait.

— Et vous vous souvenez de ce jour, dit le vendeur en riant, où ils ont trouvé ce petit con sur le toit de la salle de sciences ? Que faisait-il déjà ? Il récitait des poèmes ?

Tu te rembrunis. Tu regardas dans ma direction et tu baissas les yeux vers tes pieds, comme si tu t'inquiétais de ce que je pensais. Puisque, pour toi, je n'étais pas censée connaître David.

— Ah oui, dis-tu doucement. J'avais oublié ça.

— Passez-moi l'expression, me dit le vendeur.

— J'aime bien cette veste, dis-je.

J'en désignai une en tweed. Je n'avais pas vraiment regardé ; je changeais juste de sujet parce que tu avais l'air très perturbé par le souvenir de David sur le toit. La veste avait de larges revers, trois boutons et une poche de poitrine, et elle était d'un marron très « haroldien ». Le vendeur dit que c'était la collection d'automne, pour le mois de septembre, et il y assortit une cravate prune.

— Oh non, dis-tu très vite dans un murmure avant de choisir une cravate beige à la place.

Je songeai que la raison pour laquelle tu faisais tant d'efforts pour ne pas attirer l'attention avait un rapport avec ton enfance, même si tu n'avais parlé de ta mère que deux fois. Peut-être était-ce parce que tu étais en train de t'évertuer à sortir tes bras des manches de la veste, mais je vis en toi le garçon perdu que tu avais dû être, et je me précipitai pour te venir en aide.

— Merci Queenie. Ça ne te dérange pas de tenir ma veste ?

— Pas du tout.

Ça faisait trois ans que je m'occupais de toi, rappelle-toi. Je pliai soigneusement la veste sur mon bras. À bien y réfléchir, cette veste en tweed était trop habillée et trop épaisse. Je ne t'ai plus jamais vu la porter. Mais quand tu l'ôtas, un autre souvenir fit rire le vendeur.

— Et la nuit où la police a trouvé David en train de jouer à cache-cache sur Fore Street ? Il aurait pu se tuer, ce petit con.

À présent tu avais l'air malade.

— Passez-moi l'expression, ajouta le vendeur.

Tu fis de ton mieux pour sourire, dis que la veste et la cravate seraient parfaites, merci. Nous sommes partis rapidement et tu es resté silencieux et distrait jusqu'à la brasserie. Tu n'arrêtais pas de passer ta main dans tes cheveux et tu hochais la tête sans arrêt.

— Comme c'est excitant d'aller à la remise de diplômes de son fils, dis-je.

Ce qui signifiait : « Ça va aller, Harold. Tu es assez grand pour affronter ça. David a besoin de toi. »

Quand je demandai au téléphone à David comment s'étaient passés ses examens de fin d'année, et s'il y avait eu une question sur *La République* de Platon, il rit.

— Qu'est-ce que c'est que ça ? Cette foutue Inquisition espagnole ?

Du moins je crois que c'est ce qu'il a dit. Sa voix était si empâtée, il avait tant de mal à articuler que les mots étaient terriblement déformés. Il était indéniable qu'il buvait de plus en plus. Quand il rentra à Kingsbridge et vint me rendre visite, l'odeur de l'alcool était si forte que si j'avais craqué une allumette nous aurions peut-être tous les deux pris feu. Je lui faisais des toasts pour absorber l'alcool et je lui versais un verre de lait, mais il avait cessé de manger devant moi. Je devais laisser l'assiette et le lait à ses pieds et partir faire autre chose. Il ressemblait à un animal brûlé. Maigre, effrayé et incapable d'accomplir les gestes les plus simples de la vie quotidienne. Je lui proposai une fois de venir danser avec moi mais il m'a regardée comme si je l'avais insulté. Et s'il allait consulter un médecin ?

— Je vais très bien, répliqua-t-il sèchement. Je suis fatigué, c'est tout.

D'autres fois il se plaignait du froid mais quand j'allais lui chercher une couverture dans ma chambre, la plupart du temps je le retrouvais assoupi dans le fauteuil. Ça me faisait de la peine de voir à quel point il avait l'air frêle lorsqu'il dormait. Le moindre coup de vent aurait pu le soulever et l'emporter par la fenêtre. J'avais envie de le recouvrir d'une épaisse couverture en laine pour le lester. Il fallait que je trouve un moyen de te parler.

J'en eus l'occasion après la remise de diplômes de David. Nous étions en voiture et je te demandai comment ça s'était passé. Et si la veste en tweed s'était avérée être un bon achat. Tu répondis l'habituel « Oui, oui », et tu ajoutas que la veste grattait un peu et que tu avais eu du mal à plier les bras. Un peu plus tard tu reconnus que David avait été très occupé. Tu ne l'avais pas beaucoup vu parce qu'il avait lui-même des tas d'amis à voir. Quels amis ? songeai-je. Il n'en avait pas. Je me rappelais ma propre cérémonie de remise de diplômes. Ma mère assise dans l'herbe, les jambes écartées et mangeant des sandwiches avec le petit doigt en l'air. Mon père tenant toujours le chapeau de paille de ma mère et s'en servant comme d'une assiette pour recueillir les miettes. Ils n'étaient pas dans leur élément. Leur présence était un fardeau pour moi et je n'avais qu'une envie, c'était de fuir. Mais je ne les aurais jamais abandonnés.

Je pris une profonde inspiration.

— David va bien ?

Tu pâlis. Je dus pâlir aussi. L'atmosphère entre nous se tendit.

— Bien ? répétas-tu.

— Parfois les étudiants trouvent ça compliqué. Après leur diplôme. Je sais que moi, je me sentais un peu perdue. Je ne trouvais pas de travail.

J'essayais de faire attention à ce que je disais. Tu émis une série de soupirs. Tu donnas aussi un coup de volant un peu brusque et nous avons pris un virage trop vite. Mais je poursuivis :

— Est-ce qu'il a besoin de... ?

Je n'arrivai pas à prononcer le mot « aide » et j'hésitai. Avant que j'en dise plus, tu te dépêchas de me donner une réponse.

— Il va faire une randonnée. À Lake District. Jusqu'à ce qu'il trouve du travail.

Je n'étais pas du tout au courant. Ça me donna de l'espoir pour David. Tu n'arrêtais pas de meubler le silence comme si tu voulais m'empêcher d'en dire plus.

— Au moins il a un diplôme. Il a fait quelque chose de sa vie.

Tu ne parlais pas comme d'habitude. Tu avais l'air fâché contre toi-même.

Je songeai que ces vacances feraient du bien à David. Et j'étais aussi soulagée. Quand ton fils était à la maison, Harold, tu semblais fatigué. Et tu ne te débarrassais plus de canettes de bière. À présent c'étaient des bouteilles vides.

Lorsque David me parla de son projet, je l'encourageai moi aussi. C'était la première fois depuis des mois qu'il avait l'air enthousiaste. L'exercice, le grand air, le changement de décor. J'espérais que tout ça l'aiderait. Et quand il me réclama de l'argent pour acheter des chaussures de marche parce que Maureen ne lui avait pas donné assez, je lui en donnai. Je me souviens que j'ai dit un peu sèchement que je serais contente de le voir avec ses chaussures de marche. Et il a ri en disant :

« Oui, bien sûr. » Au moins il avait eu la décence de demander de l'argent cette fois.

Tu crois vraiment qu'il est allé à Lake District ? Parfois je me demande même s'il a eu son diplôme. Il cachait tant de choses sur lui. Finalement, David était un mystère pour moi.

Mais maintenant qu'il avait l'air heureux, tu semblais plus heureux toi aussi. Nous avons de nouveau joué au bowling avec des figues. J'ai demandé comment se passaient les vacances de David, tu m'as dit qu'il avait appelé Maureen plusieurs fois. Je préparai des pique-niques pour nos balades en voiture. Un après-midi j'ai suggéré que nous allions voir les oiseaux à Bolberry Down : j'ignorais que ce serait notre dernière fois. David rentra de ses vacances quelques jours après. Plus tôt que prévu.

Il semblait évoluer dans un autre espace. Il parlait d'une voix hésitante, comme s'il ne parvenait pas à faire coïncider ce qu'il avait en tête avec des mots. On ne pouvait pas capter son regard, et ses joues étaient terriblement creuses. Sa peau n'avait plus de couleur, et même ses yeux, sa bouche, ses cheveux avaient pris une drôle de teinte grisâtre. Parfois quand il me rendait visite, il s'effondrait presque dans la pièce. Ou alors il me téléphonait au milieu de la nuit pour me dire qu'il était sur le quai. Il m'appelait toujours en PCV et j'avais du mal à comprendre tout ce qu'il disait mais si je raccrochais, il rappelait. Il m'accusait de ne pas écouter, de l'éviter. Il pouvait délirer pendant des heures. Je suis plusieurs fois allée sur le quai et l'ai retrouvé évanoui sur un banc. Je l'aidais à rentrer chez vous, Fossebridge Road, mais ne voulant pas te mettre mal à l'aise, je n'allais jamais jusqu'à votre porte d'entrée. J'ouvrais la grille du jardin pour lui et je le mettais sur le chemin. Je m'assurais toujours qu'il y avait de la lumière. Un jour, je t'ai aperçu à l'étage, en train de regarder par la fenêtre. Tu semblais si fatigué, Harold.

J'ai essayé une fois de plus de te mettre en garde. C'était l'heure du déjeuner et quand je te vis sortir de la cantine en hâte, je courus derrière toi. Je voulais que tu saches que j'étais inquiète. Je voulais que tu saches que David avait besoin d'aide. Je t'appelai :

— Harold ? Je peux te parler ?

Tu t'es retourné et tu as dit :

— Ah bonjour. Ça alors !

Tu pleurais. Tu as essayé de le cacher avec ton mouchoir. Des représentants nous ont dépassés en courant et tu as dû continuer à détourner les yeux pour qu'ils ne voient pas ton visage. Si seulement je n'avais pas fait l'erreur idiote de te cacher que j'avais dansé avec David. Ou peut-être que j'aurais juste dû dire « Je t'aime. » Tout était devenu si confus et compliqué. Je n'arrivais plus à te parler.

Tu as dit :

— Je suis désolé, Queenie. J'ai quelque chose dans l'œil. Est-ce que ça peut attendre ?

— Harold, c'est très important, ça ne peut pas attendre.

— Je dois partir. (Tu as répété en te dépêchant de t'en aller :) Une autre fois, Queenie. Une autre fois.

Il n'y eut pas d'autre fois. David disparut pendant une semaine. Quand j'y repense, il me semble que même à ce moment-là nous croyions encore, toi et moi, que ce n'était pas trop tard pour le sauver. Qu'une partie de toi, la chair de ta chair, pouvait encore être sauvée pour la seule raison qu'il *était* une partie de toi.

Mais cinq jours plus tard, David était mort.

Pauvre Barbara

— Pourquoi y a-t-il un sapin de Noël dans la salle de jour ? demanda monsieur Henderson. Nous sommes le 20 mai.

— Et qu'est-ce que c'est que cette odeur ? demanda Finty en inspirant profondément.

Nous étions assis dans nos fauteuils roulants près de la porte, respirant l'odeur des pins. Les rideaux de la salle de jour étaient tirés et la pièce était sombre, seul un mince filet de lumière filtrait de part et d'autre des fenêtres. L'unique réelle source de lumière était un petit sapin décoré d'ampoules argentées et de boules de Noël. Il clignotait dans le noir. Il y avait apparemment une personne assise seule sur une chaise, mais on n'y voyait pas grand-chose.

— Réunissez les malades à l'intérieur, dit sœur Philomena aux autres religieuses. Je vais chercher Barbara.

Sœur Lucy était si heureuse qu'elle n'arrêtait pas de rire et de cogner mon fauteuil roulant contre les meubles. Je tournai la tête vers elle et la dévisageai avec étonnement. Pour la première fois elle n'eut pas l'air affolée. Elle dit :

— Attendez, vous allez voir.

L'inconnue restait à l'écart. Maintenant que mes yeux s'étaient accoutumés à l'obscurité, je pouvais voir que c'était une petite femme de la même taille que moi à peu près. Elle portait un manteau d'été léger et son sac à main était posé à ses pieds. À sa manière d'attendre, habillée comme pour sortir mais assise là, toute droite, elle ne ressemblait pas à une malade, mais elle ne ressemblait pas plus à une visiteuse habituelle. Je me revis quelques semaines plus tôt, ne voulant pas qu'on me parle ni qu'on me regarde. J'essayai de sourire à l'étrangère pour lui montrer que j'étais amicale, mais elle frissonna. J'ai oublié, ces jours-ci. J'ai oublié à quoi je ressemble.

Sœur Philomena arriva enfin, portant Barbara dans ses bras. Barbara était aussi frêle qu'un enfant.

— Qu'est-ce qui se passe ? murmura-t-elle.

Les mots sortaient lentement, mais c'était sûrement à cause des médicaments.

— Je sens qu'il se passe quelque chose. Je suis morte ? Je ne suis pas morte, si ?

Son visage s'était tellement ratatiné que la peau de son cou pendait comme les pans d'une chemise ouverte.

— Non, non, dit sœur Philomena avec un sourire. Vous n'êtes pas morte, Barbara.

Nous avons tous ri. Surtout de soulagement.

— Pas morte, Babs, caqueta Finty. Absolument pas.

En voyant Barbara, l'étrangère se raidit tellement sur sa chaise qu'elle aurait pu en tomber. Puis elle se figea. Elle était assise au bord de son siège et s'agrippait au col de son manteau.

Sœur Philomena installa Barbara dans un fauteuil près de l'étrangère. Celle-ci pressa sa main contre sa bouche. Puis sœur Philomena pria l'une des bénévoles d'aller chercher une couverture et des oreillers. Elles couvrirent et bordèrent Barbara, lui demandant si c'était confortable, si elle avait assez chaud, mais elle ne répondit pas.

D'une voix douce, sœur Philomena dit :

— Barbara, vous avez de la visite.

L'étrangère émit un sanglot qui ressemblait à un petit renvoi. Elle prit un mouchoir dans la boîte et s'essuya la bouche.

— Vous m'entendez, Barbara ? dit sœur Philomena.

Barbara fit signe que oui. Elle tendit la main droite en tâtonnant vers le bras de son fauteuil puis vers l'étrangère. Soudain celle-ci attrapa la main de Barbara et je compris que, bien sûr, ce n'était pas une étrangère. C'était la voisine. La voisine de Barbara. Elle était venue la voir.

— Oh, je suis tellement désolée ! dit-elle très vite. J'ai été si occupée.

Ses yeux allaient et venaient vers chacun d'entre nous, comme si elle était condamnée et plaidait sa cause pour qu'on lui laisse la vie sauve.

— Au moins tu es venue, chérie, dit le roi Nacré.

La voisine eut l'air surprise. Peut-être prit-elle sa voix pour une sorte de machine.

— Mieux vaut tard que jamais, commenta Finty.

Sœur Philomena se leva et attrapa l'une des boules dans le sapin. Elle la mit entre les mains de Barbara.

— Vous sentez comme elle brille ? demanda-t-elle sur le même ton que si elle chantait une berceuse.

Barbara hocha la tête pour montrer que oui. Elle resta agrippée à la main de sa voisine comme si elle n'allait jamais la laisser repartir. Sœur Philomena décrocha l'ange en papier du sommet de l'arbre et le donna aussi à Barbara. Elle lui demanda si elle pouvait sentir l'odeur de pin, puis elle guida ses doigts vers les branches.

Sœur Philomena tenait la main gauche de Barbara, chuchotait son prénom et lui disait que c'était Noël, c'était Noël et sa voisine était là. Tout irait bien à présent.

Au milieu de la nuit, j'entendis brièvement Barbara chanter. Je crois qu'il s'agissait de *Away in a Manger**. Sa voix allait et venait, si ténue que je devais rester immobile dans mon lit pour l'entendre. Pour la première fois de la semaine, je n'entendis pas Barbara se lever ni rôder dans les couloirs.

Au matin, la camionnette des pompes funèbres était là.

* Chanson de Noël américaine datant de la fin du XIXe siècle.

Dans la salle de jour, personne ne parlait. Personne ne prit de boisson protéinée. Une lourde chape de silence s'était abattue sur nous, et avait anéanti toute pulsion de vie. C'était comme le jour où ta première lettre était arrivée, Harold, mais c'était plus douloureux, parce qu'à ce moment nous ne nous attendions à rien, alors que là, nous nous étions habitués à quelque chose qui venait de nous être arraché. Quelle que soit la manière dont nous essayions d'envisager l'existence, tout était terminé. C'était difficile de voir quoi que ce soit d'autre que la fin.

— J'ai juste pensé..., commença Finty, puis elle renonça.

— Un Scrabble ? proposa sœur Lucy.

— Je ne crois pas, dit le roi Nacré. Je crois qu'on ne jouera plus.

Derrière lui, le coin Harold Fry semblait poussiéreux et abandonné. Une punaise avait dû se décrocher car l'une des cartes postales pendait, sur le point de tomber.

Nous avons fermé les yeux. Nous nous sommes endormis.

Folie de la morphine

— Je suis inquiet pour l'œil, dit quelqu'un.

Je ne savais pas qui. Ils étaient tous penchés sur moi. Je sentais leur odeur aseptisée.

— Je ne pense pas qu'elle tienne le coup, dit la femme au pamplemousse.

LE DOCTEUR SHAH : Pansements.

L'INFIRMIÈRE : Oui, docteur.

LE DOCTEUR SHAH : Gouttes pour les yeux.

Plip plop.

J'entendis quelqu'un dire « infection » et quelqu'un d'autre dire « température ».

L'INFIRMIÈRE : Ne t'inquiète pas, Queenie. Ça va aller.

(Mais ça n'allait pas, elle avait des araignées dans la bouche.)

SŒUR PHILOMENA : Queenie attend son ami Harold Fry.

Ha ha ha ! fit le cheval.

LE DOCTEUR SHAH : Je suis au courant.

L'INFIRMIÈRE : Sacrée histoire, n'est-ce pas ?

L'infirmière sourit (d'autres araignées).

LE DOCTEUR SHAH : Vous croyez qu'il sera bientôt là ?

Bientôt ? dit en riant la femme au pamplemousse.

Bientôt ? rigola le cheval.

Où es-tu, Harold Fry ?

Six mouchoirs blancs

Je n'ai pas écrit depuis deux jours. Je ne me sentais pas assez bien. Rien de ce que j'ai vu ou entendu ne m'a motivée à prendre mon crayon. Sœur Mary Inconnu m'a rendu visite mais je n'ai fait que dormir et prendre mes médicaments. Et puis peut-être quelqu'un a-t-il oublié de tirer les rideaux la nuit dernière ou peut-être l'infirmière de nuit les a-t-elle ouverts très tôt sans que je m'en aperçoive, mais quand je me suis réveillée ce matin la lumière dehors était argentée.

Le temps paraissait très calme. Il n'y avait que très peu d'étoiles dans le ciel. Les feuilles sombres de l'arbre pendaient, sans bouger. C'était le moment précédant le lever du soleil, quand il y a juste un minuscule trait gris dans le noir mais rien de plus. Pas encore de bleu. C'était l'heure que je préférais pour travailler dans mon jardin. Je regardais les plantes et les sculptures prendre vie en sortant de l'obscurité. Je regardais la couleur émerger à la surface de la mer.

Il me parut important de donner un nom à ce moment de la journée. Je pensai à « pré-aube », mais c'était un peu mince pour qualifier la magie de cette bande lumineuse que je voyais par la fenêtre.

Quand l'infirmière de nuit vint changer mon patch contre la douleur, j'écrivis dans mon carnet : ***Comment s'appelle cette lumière ?***

Elle dit que c'était peut-être la nuit, ou bien l'aube, et qu'elle était désolée mais qu'elle avait des tas de choses à faire avant de finir son service. Je hochai la tête pour lui montrer que je comprenais. Un peu plus tard, sœur Catherine frappa à ma porte avec un verre d'eau.

— Il paraît que vous voulez en savoir plus sur l'aube ? J'ai regardé sur mon ordinateur. (Elle sortit un bout de papier.) J'ai fait des recherches. Et je peux maintenant vous dire que le moment avant l'aube n'est pas appelé « pré-aube ». C'est la nuit. Mais il y a trois étapes dans l'aube : « l'aube astronomique » (qui ressemble à la nuit), « l'aube nautique » (juste assez claire pour distinguer un objet dans le noir) et « l'aube civile » (quand il fait assez jour pour que les gens se lèvent sans se cogner partout). Certains l'appellent aussi « l'heure argentée », ajouta-t-elle. C'est celle que je préfère.

Sœur Catherine alla jusqu'à la fenêtre et regarda le ciel. Elle toucha la vitre comme si elle cherchait à capter l'air du dehors.

— Écoutez ces oiseaux. Ça doit être très agréable de se promener par une matinée comme celle-ci. Si j'allais à Saint-Jacques-de-Compostelle, c'est ce que je ferais. Je marcherais à l'aube. Je suis sûre que je me ferais aussi des amis. Des gens que je ne connais même pas.

Six colombes passèrent, elles ressemblaient à des mouchoirs blancs se posant sur le sol.

Sœur Catherine se tourna vers moi.

— Qu'est-ce que vous faites, Queenie ? dit-elle en riant. Vous avez déjà commencé à écrire ?

La voie à suivre

Après la mort de ton fils, Harold, le monde changea. Il ne changea pas pour Napier. Il ne changea pas pour ma propriétaire, tes voisins ou les gens que je croisais dans la rue. Si quelque chose changea pour eux, ce fut aussi anodin que de rater une marche. La disparition brutale d'une personne nous rappelle un temps notre propre fragilité, et puis nous reprenons nos petites habitudes qui nous donnent le sentiment d'être à nouveau invulnérables. Mais de là où j'étais, j'avais pu voir la secousse sismique qui s'était produite. Et comme toutes les secousses sismiques, elle éventra et démolit tout. Tous les matins quand je me réveillais, pendant un court instant, la vie me semblait avoir retrouvé son cours... et puis je me rappelais avec horreur ce qui s'était passé. Et le souvenir de ce que j'avais fait me forçait à me lever. Il fallait que je m'occupe pour ne pas penser. Je n'arrivais pas à imaginer comment tu arriverais à supporter ton deuil ni même si tu t'en remettrais. J'avais beau essayer, je ne voyais pas d'issue.

Je me rappelle avoir été très en colère. Ça me troublait parce que parmi toutes les émotions que l'on rattache à la douleur, on évoque peu la colère. La solitude, oui. Le remords, oui. Mais la rage ? Elle arrivait d'un coup, sans que je m'y attende. Un jour, sur Fore Street, une femme me bouscula avec ses sacs de courses. Elle me cogna la cheville, ce n'était vraiment pas grave mais je lui ai couru après. Je voulais qu'elle sache qu'elle avait eu tort, je voulais qu'elle en éprouve de la honte parce que c'est ce que je ressentais, moi. La rage palpitait dans mon ventre comme une respiration.

— C'est quoi, votre problème ? rétorqua-t-elle quand je lui demandai de me faire des excuses. Allez, dégagez !

Alors je tentai de recommencer à vivre comme avant la mort de David. Je m'habillais le matin et je prenais le bus pour aller travailler. Je m'achetais du lait sur le chemin du retour. Je me préparais des toasts pour le dîner. Je lisais la nuit. Mais de toutes ces choses, aucune n'avait de sens. Je les faisais mais c'était comme si je ne faisais rien.

Pendant ce temps, tu enterras ton fils. Tu te mis à boire. D'autres événements se produisirent. Des événements terribles dont je parlerai plus tard. Il me paraissait évident que j'étais responsable de tout. Je n'avais pas réussi à sauver David et la douleur que je t'avais infligée était impardonnable. Il était temps que je parte mais je n'en étais pas encore capable. Je ne pouvais pas supporter l'idée de te quitter et de quitter Kingsbridge.

Quand je finis par partir, ce fut dans la précipitation. Je jetai des affaires dans ma valise. Je ne pris pas mes chaussures de danse. Ni ma robe de bal. Et le tailleur en laine marron ? Je le laissai aussi. Ainsi que mon tourne-disque. Pas de place pour tout ça. C'était comme une mue. À part des vêtements, je ne m'autorisai à conserver que les tasses vertes et les soucoupes. Je les emballai dans mes chaussettes et mes collants. Quand l'aube se leva, je pris le premier car pour Exeter. Je gardai les yeux braqués sur la route, espérant te voir. Mais il était tôt. À cette heure, tu n'étais même pas encore arrivé à la brasserie.

Après j'ai attendu au café en face de la gare d'Exeter et j'ai rencontré l'homme solitaire qui n'était pas si solitaire que ça. Je me suis dépêchée d'acheter un billet de train. Et c'est ainsi que je me suis retrouvée en route pour Newcastle.

Je regrettais de ne pas m'être évanouie sur le quai de la gare. Cela aurait été une forme de fuite. En fait, j'ai simplement titubé et trébuché, m'éraflant les genoux et attirant ainsi sur moi une petite vague d'attention indésirable. Plus tard dans l'après-midi, je pris une chambre dans un hôtel bon marché. L'un de ces endroits modernes près d'un sens giratoire dont les murs sont si minces qu'on a l'impression d'être couché devant l'arrêt du car. Une femme de chambre poussait un chariot chargé de draps et de serviettes propres. Me voyant toute seule, elle me montra comment ouvrir la porte. C'était un coup à prendre, me dit-elle. J'avoue que je ne regardai pas. Je me demandais surtout ce que j'allais faire quand je serais dans la chambre. Il n'y avait pas de bruit à l'intérieur, on n'entendait que la circulation et les cris qui montaient de la rue.

Il faisait encore assez chaud dehors, mais je me souviens que ma chambre était très froide. Je sentis un souffle d'air glacé dès que la porte fut ouverte. Je regardai le lit une place blanc, l'armoire vide, les murs nus, mais je n'eus pas le courage d'entrer. Je dis à la femme de chambre que j'avais besoin d'aller prendre l'air. Je n'attendis même pas sa réponse. Je laissai ma valise sur le seuil et je me précipitai dehors.

Je marchai vite. J'avais faim, mais j'avais l'impression que je ne pourrais jamais ralentir le pas ni m'asseoir à une table pour manger. Il fut un temps où je ne voyais que des mamans et des bébés. Là je voyais des mères et leurs grands garçons. Ils étaient partout. D'autres versions de ta femme et de ton fils. J'aurais donné n'importe quoi pour cesser de me rappeler, mais les paroles de Maureen résonnaient encore clairement à mon oreille, même à Newcastle, tandis que je longeais le Tyne ; j'avais beau marcher vite et loin, je n'arrivais pas à y échapper. Quand je rentrai à l'hôtel, il était tard et j'étais affaiblie par la faim. Il y avait de la lumière à la réception mais je ne vis personne.

Lorsque je me retrouvai devant ma chambre, je me rendis compte que je n'avais pas pris la clé. Il n'y avait pas trace de ma valise et quand j'essayai d'ouvrir la porte, je m'aperçus qu'elle était vérouillée. J'avais appréhendé le retour dans cette chambre mais maintenant que j'étais là, que j'avais décidé d'aller me coucher, je ne voulais plus que ça. J'avais désespérément besoin de dormir dans cette chambre blanche et vide.

— Il n'y a personne ?

J'appuyai plusieurs fois sur la sonnette de la réception. Personne. Je me glissai derrière le bureau et attrapai la clé.

Ç'a l'air facile d'ouvrir une porte. C'est censé être facile. C'est un de ces gestes qu'on fait sans y prêter attention, en pensant à des choses plus intéressantes. Je tournai la clé dans la serrure un nombre incalculable de fois mais la porte restait bloquée. Je la poussai et la tirai. J'ai même donné un coup de pied dedans. Rien. Submergée par le désespoir, je tentai de me raisonner et de réfléchir calmement, mais ça ne changeait rien. Cette satanée porte ne s'ouvrait pas. J'ai fini par m'asseoir sur le tapis du couloir pour essayer de m'assoupir.

Ce fut la femme de chambre qui me trouva.

— Mais je vous ai montré, mon chou, dit-elle tout en m'aidant à me relever. Je vous ai expliqué pour la porte.

Elle me prit la clé des mains et la tourna doucement dans la serrure. Puis elle saisit la poignée, et sans aucun effort tira la porte vers la gauche. Bien sûr. Une porte coulissante.

— Ça ira maintenant ? demanda-t-elle.

J'aurais aimé pouvoir te dire que j'ai dormi cette nuit-là, parce que je n'avais pas fermé l'œil depuis des semaines, mais la vie n'est pas ainsi faite, et ce ne fut pas le cas.

Le lendemain matin, je pris un car très tôt pour Ainwick. Un autre car. Je m'étais mis dans la tête que je devais aller vers le nord. Le car roula jusqu'à un village appelé Embleton, à une cinquantaine de kilomètres de Berwick-upon-Tweed, puis il tomba en panne. Je demandai s'il y avait un autre car. « Oui, demain. Tout le monde descend, s'il vous plaît. » Tout, apparemment, touchait à sa fin. J'essayais d'avancer mais toutes les portes se fermaient devant moi.

Le village était presque vide. J'aurais pu demander un taxi à l'hôtel ou dans un magasin mais je n'avais envie de voir personne. Pas envie qu'on m'aide parce que cela impliquerait une conversation, un échange, et tout ce que je voulais c'était continuer à bouger. Je traînai ma valise le long d'un chemin qui indiquait la direction du golf. Ce chemin est une invitation à rejoindre la mer. J'en connais à présent chaque recoin, chaque fleur. Je comprends pourquoi je l'ai suivi. Un chemin large et droit comme celui-là a un réel pouvoir d'attraction. Entre moi et le fil bleu au loin s'élevaient des dunes de sable pâle et des touffes d'herbes sauvages. Je ne sais pas si je pensais particulièrement à David en marchant mais je pensais très fort à en finir.

Je dépassai le gazon parfaitement tondu du terrain de golf et poursuivai ma route. Quand j'atteignis l'entrée de l'estuaire, je sentis tout à la fois le parfum iodé du varech et le vent soufflant dans mes vêtements et dans mes cheveux.

La baie s'étendait tout autour de moi, formant un arc parfait. De l'autre côté, le profil délabré du château de Dunstanburgh pointait vers le ciel. La marée était basse et le sable brillait comme du verre. Au loin les vagues écrasaient sur la côte leurs volants blancs. C'est Bantham Beach, songeai-je. J'ai parcouru près de mille kilomètres et je me retrouve à mon point de départ. Où aller à présent ? Qu'est-ce qui reste ?

Je me traînai péniblement en avant, je dépassai les lits de varech, les rochers noirs, jusqu'à ce que la mer vienne lécher mes chaussures. Cette fois je ne m'arrêterais pas. Je laisserais l'eau recouvrir mes pieds. Atteindre ma taille, mes seins, mon menton. Ce coup-ci j'en finirais une fois pour toutes. L'eau était si froide qu'elle piquait. Je continuai d'avancer.

Je devais avoir de l'eau jusqu'aux genoux quand quelque chose de minuscule et de pâle scintillant sous les vagues attira mon attention. Je baissai la tête pour la première fois. Des algues vertes s'enroulaient autour de mes chevilles. Des coquillages et des cailloux parsemaient les ondulations du sable. Quand une vague arrivait, cette image se déformait un peu, se perdait, puis elle revenait. Un jardin sous l'eau que j'aurais si facilement pu ne pas voir.

Je pensai à la porte de la chambre d'hôtel qu'il ne fallait pas tirer ni pousser mais faire glisser de droite à gauche. Parfois, Harold, aller en avant n'est pas toujours la solution. On essaie de forcer quelque chose à prendre une direction qui nous est familière, et l'on découvre que ce qu'il faut, c'est l'emmener dans une autre dimension, en quelque sorte. Pour aller de l'avant, il ne faut pas aller en avant, mais faire un pas de côté pour se retrouver dans un endroit qu'on n'avait jamais remarqué jusqu'alors.

Je sortis de l'eau et tirai ma valise vers les dunes.

— Quelle belle journée pour barboter ! dis-je à une famille emmitouflée jusqu'aux oreilles.

Ils me regardèrent bouche bée.

Je retournai sur le chemin côtier.

Les pèlerins

Quand sœur Catherine poussa mon fauteuil jusqu'à la salle de jour, Finty n'était pas dans son siège inclinable. Mon estomac se crispa. Pas Finty. S'il vous plaît, pas elle. Je n'arrivais pas à me contrôler. Je me mis à trembler.

— Qu'est-ce qui t'arrive ?

Je ne comprenais pas d'où venait sa voix. Peut-être me hantait-elle déjà. Ç'aurait bien été son genre. Je parcourus la pièce des yeux. Tous les sièges étaient occupés, sauf celui qui avait appartenu à Barbara. Le roi Nacré somnolait, un colis sur les genoux. Monsieur Henderson fixait son journal mais il ne tournait pas les pages. Sœur Lucy était assise à la table, penchée sur son puzzle, mais elle ne s'emparait d'aucune pièce. De nouveaux malades tenaient la main de membres de leur famille et de leurs amis, ils étaient silencieux, ils attendaient. Près de la fenêtre il y avait aussi un pêcheur avec un chapeau de pluie jaune et une paire de jumelles braquée sur la mer du Nord. Mais pas de Finty. Aucune trace d'elle. Finty était partie.

— Par ici, ma fille !

Le pêcheur se tourna. Il enleva son chapeau. Il était chauve. C'était…

— Finty !

Le son sortit de ma bouche sans que je puisse l'en empêcher.

— J'attends Harold Fry !

Elle souleva ses jumelles et les braqua une fois de plus sur l'horizon. Personne ne parlait. Tout le monde continua à ne rien faire comme si le chapeau jaune n'existait pas. J'ouvris mon carnet pour écrire une nouvelle page, mais le bruit de mon crayon griffant le papier dans le silence ambiant suffit à m'interrompre.

— Où es-tu, Harold Fry ? marmonna Finty.

Monsieur Henderson posa son journal.

— Vous regardez la mer du Nord, ma chère. Je ne sais pas si ça vous a traversé l'esprit mais Harold Fry ne vient pas en bateau. Et même si c'était le cas, je suis certain qu'il ne se frayerait pas un passage par les Orcades.

Finty trouva cette tirade très drôle mais ne parut pas autrement perturbée. (Se frayer un passage ? Ha ha ha !) Monsieur Henderson et moi avons échangé un regard désespéré.

Finty dit alors :

— J'ai réfléchi. Depuis que Babs est partie, on s'ennuie ici. Je suis peut-être en train de mourir mais, bon Dieu, je ne suis pas encore morte. Si Harold Fry est vraiment en train de marcher, qu'il le fasse aussi pour moi. Tout ce que j'ai à faire c'est d'attendre. Facile.

Ma gorge se serra comme si j'allais pleurer, mais je ne savais pas au juste si c'était de joie ou de tristesse.

— Vous attendez, Finty ? demanda lentement sœur Catherine. Vous attendez Harold Fry ?

— Plutôt deux fois qu'une, ma sœur.

Finty proposa une tournée supplémentaire de boissons protéinées, suivie d'une sieste et de quelques prières. Elle n'avait jamais mis les pieds dans la chapelle du centre auparavant. À partir de maintenant, déclara-t-elle,

elle devait conserver ses forces et élargir son champ d'action.

— Parce que je ne mourrai pas avant que cet homme n'arrive. Et c'est mon dernier mot.

Sur ce, elle reprit son poste près de la fenêtre, avec ses jumelles et son chapeau de pluie jaune. Le roi Nacré émit un étrange bruit de ferraille et sœur Lucy vint à son secours avec un verre d'eau.

— Merci, je suis en train de rire, dit-il.

Et quand elle demanda s'il avait besoin d'autre chose, il dit qu'il aimerait rejoindre Finty à la fenêtre.

— Je suis avec elle, affirma-t-il tout en se déplaçant lentement au côté de sœur Lucy. J'attends aussi. Harold Fry a l'air d'être un type en or.

À présent, il y avait un frêle pêcheur avec son chapeau jaune et un grand roi Nacré avec son unique bras et son air de pirate qui t'attendaient derrière la fenêtre. Je me ratatinai dans mon fauteuil.

— Henny ? dit Finty.

Tout le monde se tourna vers monsieur Henderson, qui lui m'observa et me fit un chevaleresque salut de la tête.

— Si Harold Fry est un ami de mademoiselle Hennessy, il est aussi mon ami.

— Ouais ! cria Finty. Henny est avec nous. Allez, vous autres. Qui attend aussi Harold Fry ?

Je pouvais à peine les regarder. Je pensais que personne d'autre ne dirait oui. Que personne ne répondrait. Et je savais qu'ils auraient raison parce que, dans le fond, qu'est-ce que je faisais ? Je t'attendais alors que la mort était partout et pas seulement au centre de soins palliatifs.

L'un après l'autre, et en silence, tous les malades levèrent la main. Des visages amaigris. Des poignets squelettiques. Des bandages et des tubes. La lumière du soleil inondait la pièce, où brillaient des particules de poussière tournoyant comme des flocons de neige. Puis les amis et les familles des malades se mirent aussi à lever la main, ainsi que les bénévoles et les religieuses. Tout le monde dans la salle de jour avait la main en l'air. Grands, petits, jeunes, vieux, gros, maigres, gens en bonne santé, mourants. Tous se regardaient avec un sentiment d'émerveillement et ils souriaient. Il se passait quelque chose. C'était palpable.

— Très bien, dit Finty. C'est oui, à l'unanimité. À partir de maintenant, personne ne meurt. Nous attendons tous Harold Fry.

Qu'est-ce qui se passe ?

Ces derniers jours il y a eu du changement. Avec toute cette attention centrée sur moi, j'ai eu du mal à trouver un moment de tranquillité pour t'écrire.

Mardi : Monsieur Henderson a sorti son stylo et il a déclaré qu'il allait essayer de faire les mots croisés du journal. Je l'ai aidé en lui donnant quelques indices. Le sac à courrier de sœur Catherine contenait trois cartes de soutien d'anonymes de St. Boswells, Urmston et Peterborough. Sœur Lucy les a punaisées dans le coin Harold Fry. Je mis le reste de la journée à répondre à mes cartes de prompt rétablissement.

Mercredi : Monsieur Henderson agita son journal en l'air.

— Bon sang, Harold Fry a même réussi à figurer dans les nouvelles locales aujourd'hui.

Que voulait-il dire ? demanda une bénévole. L'air embarrassée, sœur Lucy lut un article sur « Harold Fry et le courage des gens de sa génération ». Plus tard sœur Catherine me montra une pivoine dans le jardin du Bien-être. J'avoue que j'ai essuyé une larme.

Jeudi : Une femme qui rendait visite à un nouveau malade se tourna vers moi et je jure qu'elle m'a souri. Un homme tatoué qui rendait visite à son père leva le pouce dans ma direction et dit :

— Dieu vous bénisse, madame.

Nous avons aussi reçu en cadeau un panier rempli de muffins, de brownies et de cupcakes. (« Putain, a dit Finty, est-ce qu'on peut passer ces trucs au mixeur ? ») Sœur Lucy demanda si quelqu'un pouvait l'aider avec son puzzle et trois malades acceptèrent. Ils ont terminé l'Écosse et le sud de l'Angleterre, et filent à présent à toute allure vers les Midlands.

Vendredi : Une femme a voulu, avec son téléphone portable, prendre une photo de sœur Catherine en train de me préparer un milkshake, et sœur Philomena s'est précipitée en disant :

— Non, non, pas ici, s'il vous plaît.

Plus tard, un homme muni d'un téléobjectif dut être chassé du jardin du Bien-être. Je reçus six autres cartes de soutien de la part d'admirateurs, des fleurs d'une unité de cancérologie du pays de Galles, des confitures maison, de l'huile d'olive, de la crème pour le corps, un appareil de massage pour le crâne et trois bouillottes. Monsieur Henderson me dit :

— Ce sera bientôt le Graal. N'est-ce pas mademoiselle Hennessy ?

Ce matin, quand l'infirmière de service vint changer mon pansement, etc., elle pensa tout haut :

— Le monde est vraiment fou.

Qu'est-ce qui se passe ?

— Personne ne vous a rien dit ?

Je secouai la tête.

— Vous avez entendu parler de Twitter ?

Je savais évidemment ce que c'était parce que Simon, le bénévole qui venait m'aider dans ma maison du bord de mer, m'en avait parlé. Il pianotait souvent sur son téléphone quand j'étais assise dans mon jardin. J'ai déjà évoqué l'époque où j'avais des haies bien taillées et des roses, où les gens venaient visiter mon jardin et m'apportaient des cadeaux. Parfois Simon disait : « Oh, très joli ! », et parfois il hochait simplement la tête en regardant son téléphone. J'ai passé de nombreuses heures à côté de Simon dans mon jardin.

L'infirmière de service me mit un bandage propre. Elle parlait tout près de mon oreille et ses mots me chatouillaient. Elle disait :

— Hashtag Harold Fry. Hashtag Queenie Hennessy. Hashtag étrange pèlerinage. Hashtag centre de soins palliatifs. Hashtag respect. Hashtag vivre éternellement. Je ne sais pas. Vos noms sont partout.

Finty passa l'après-midi à apprendre à tweeter avec l'une des bénévoles. À présent elle a trois cents followers.

À propos d'une maison de bord de mer

Ce matin, je suis restée au calme dans mon lit et j'ai pensé à mon jardin du bord de mer. Je n'étais pas prête à aller dans la salle de jour. Au lieu de bouger, je me concentrai sur mes éoliennes, et plus je les imaginais, plus je m'en souvenais. Quand il y eut un souffle de vent dehors et que les feuilles vertes de l'arbre se relevèrent toutes en frissonnant, je souris parce que j'avais la sensation d'entendre le tintement des coquillages.

Sœur Mary Inconnu était assise sur sa chaise et mangeait son déjeuner directement dans le tupperware tout en lisant son nouveau magazine. (*À l'intérieur du Vatican.* J'aurais du mal à croire que ça fourmille de blagues, mais elle riait à gorge déployée.)

— Peut-être que vous devriez écrire sur votre jardin du bord de mer, dit-elle enfin.

Je vais te raconter, Harold, comment je me suis bâti un foyer dans le Northumberland.

Le ciel était d'un bleu turquoise avec seulement quelques nuages blancs ; le soleil réchauffait mon cou et mes bras ; au loin, la mer était calme et brillait comme une étoffe de soie bleue. Il y avait du vent mais il était doux.

Ce jour-là, il y a vingt ans, quand je sortis de l'eau et regagnai la terre ferme, je ne pensais absolument pas créer un jardin. Je ne pensais pas non plus trouver une maison. Je hissai ma valise sur les dunes d'Embleton Bay sans avoir la moindre idée de l'endroit où je me rendais, je savais seulement que je cherchais quelque chose sans savoir ce que c'était. Non loin de la mer, un piton rocheux servait de perchoir aux oiseaux, et les vagues venaient s'y briser en longs rouleaux blancs. Je n'entendais que les mouettes et les vagues.

La découverte des maisons du bord de mer me prit par surprise. C'était comme d'arriver en plein milieu d'une fête quand on se croit tout seul. La plupart d'entre elles étaient barricadées avec des planches, mais quelques-unes étaient ouvertes, avec des chaises longues dans le jardin. Toutes les maisons étaient différentes. Certaines étaient de simples abris en bois. D'autres étaient peintes et avaient une véranda, des marches pour y accéder, des baies vitrées tout autour. Elles étaient un peu éloignées les unes des autres, disséminées au hasard, comme si quelqu'un avait pris une poignée de maisons et les avait laissé tomber au sommet d'une falaise sablonneuse. La mienne fut la dernière que je trouvai. Il y avait un panneau « À VENDRE » peint à la main.

Les murs de façade étaient constitués de lattes de bois cassées, et le toit, si l'on peut parler d'un toit, était recouvert de tôle ondulée. L'encadrement des fenêtres était pourri et il n'y avait plus de vitres, si bien qu'à chaque coup de vent, les rideaux rouges déchirés sortaient tels des langues par les fenêtres orientées vers la mer. Certains volets s'étaient détachés. Une cheminée en pierre dépassait d'un côté de la maison et un sureau poussait de l'autre côté. L'endroit était jonché de mauvaises herbes.

Je laissai ma valise au soleil et me frayai un passage jusqu'à l'entrée, un morceau de planche appuyé sur deux poteaux en bois à la peinture écaillée. Quand je poussai la porte, elle me résista. Ce n'était pourtant pas une porte coulissante. Je vérifiai. Elle était fixée au cadre par des lacets. Je les défis, soulevai la porte et la posai sur le côté.

Dès le seuil de la maison, je fus submergée par une forte odeur d'humidité et de feuilles en putréfaction. Là où la pluie avait pénétré, les solives du plancher avaient pourri, et dans les interstices jaillissaient des touffes de phlox à fleurs roses. La peinture des murs en lambris s'écaillait. Je devais marcher prudemment. Un faux pas et mon pied passerait à travers le plancher. J'essayai de faire fonctionner le robinet qui se trouvait au-dessus d'un évier en pierre, et il me resta dans la main.

La maison comportait quatre pièces de la même taille, ayant chacune une fenêtre. Les deux pièces de devant donnaient sur la mer. Les deux autres – dont l'une devint ma salle de bains –, sur les falaises herbues. Je regardai à travers les fenêtres cassées : il n'y avait pas d'autre maison en vue. Juste un lit d'orties qui s'arrêtait au bord de la falaise. En dessous, il y avait la mer, le littoral découpé bordé d'écume blanche, et la lointaine silhouette du château en ruine. La maison donnait l'impression de n'être enracinée ni sur la terre ni sur la mer. Je laissai ma valise à côté et regagnai le chemin côtier.

Je demandai des informations au golf mais personne ne savait rien sur les maisons du bord de mer. J'étais à mi-chemin du village quand je me rendis compte que je ne marchais plus : je courais. Non, me dit-on au magasin du village, personne n'y habitait. La maison et son terrain étaient en vente depuis longtemps. Les propriétaires n'y avaient pas passé l'été depuis de nombreuses années. Qui les en blâmerait ? Elle tenait à peine debout et ne survivrait sans doute pas à un autre hiver. Je pris le numéro de téléphone des propriétaires et achetai du pain et une bouteille d'eau.

Je retournai près de la maison. Je m'installai au soleil avec ma valise et, tout en mangeant, je regardai la baie. La lumière rendait l'air scintillant. Le soleil était haut dans le ciel et projetait des étoiles dans la mer. Des mouettes à tête brune volaient en cercle au-dessus de l'eau et se laissaient brusquement tomber comme des pierres, à la recherche de poisson. Au loin, un bateau de croisière traversait l'horizon. Des gens marchaient le long du chemin côtier, minuscules taches en route pour les ruines du château de Dunstanburgh. Et tous, nous poursuivions notre vie. Les passagers du bateau de croisière. Les promeneurs du week-end. Les mouettes. Les poissons. Moi, avec ma valise. Les orties se balançaient.

La côte du Northumberland ne ressemblait finalement pas du tout à celle du Devon, ou alors il s'agissait d'une version simplifiée. Les plis et les replis de la côte du Sud étaient plats ici. Là où les routes du Devon étaient étroites et tellement hérissées de haies qu'on ne pouvait pas savoir ce qu'on trouverait au prochain tournant, à Embleton, le paysage était étendu et ouvert. Je regardai la baie, le golf, les sommets des falaises, le château branlant, et j'eus l'impression de respirer à nouveau. Je pouvais tout embrasser du regard.

Je vais vivre ici. J'ai *besoin* de vivre ici, me dis-je. Et j'éprouvai déjà un élan de tendresse pour cette maison en ruine.

Je téléphonai aux propriétaires le soir même et leur proposai d'acheter leur maison.

La folie continue

Chère Queenie,

Les événements prennent un tour surprenant. Un nombre incalculable de gens veulent avoir de tes nouvelles.

Amicalement,

Harold

P-S : À la poste, une dame très gentille ne m'a pas fait payer le timbre. Elle t'adresse ses pensées.

Ta dernière carte postale est arrivée. Cette fois il y a tellement de monde dans la salle de jour – bénévoles, infirmières, familles et amis tous réunis pour avoir de tes nouvelles – que Finty a dit à sœur Lucy de se mettre debout sur une chaise pour lire ta carte. À la suite de quoi il y a eu une discussion animée pour commenter la gentillesse de la dame de la poste, la lenteur du service postal et les actes charitables de certaines personnes dans la pièce. Une femme, par exemple, qui est la sœur d'un malade, dit qu'elle court trois marathons par an pour aider l'orphelinat de la ville. Finty demanda à la dame, puisqu'elle était si gentille, de lui prêter son téléphone portable pour qu'elle voie où en était son compte Twitter. Sœur Lucy punaisa ta carte dans le coin Harold Fry. Je ne voulais pas faire d'histoires et n'osais pas demander quelle illustration figurait au verso.

— Nous devons lui envoyer un mot, dit Finty. Pour le tenir au courant de la tournure que les choses prennent ici.

— Quelle tournure, exactement ? demanda monsieur Henderson.

Il attendit pendant que l'infirmière de service lui changeait son cathéter.

— Il doit savoir que nous attendons tous, dit Finty en désignant le groupe dans la salle de jour. S'il sait qu'il y a tant de gens qui l'attendent, il arrivera peut-être plus vite.

— Si Harold Fry découvre combien nous sommes à l'attendre, dit monsieur Henderson, il retournera peut-être tout droit chez lui. Et puis comment comptez-vous vous y prendre pour envoyer un message à un homme qui marche à travers tout le pays ?

Finty ne tint pas compte de cette remarque. Elle s'adressa à la table des bénévoles.

— Nous devons commencer à tout planifier. Harold Fry peut arriver d'un jour à l'autre. Nous devons être prêts.

Elle dut s'arrêter pour cracher dans un mouchoir. Tandis que sœur Philomena et l'infirmière de service distribuaient des boissons protéinées et des antidouleurs,

Finty commença donc à nous exposer ses plans. Ils étaient étonnamment concrets.

— Première chose, nous devons faire une banderole « BIENVENUE, HAROLD FRY ». Quelqu'un a envie de s'en charger ?

Sœur Catherine fut désignée pour diriger une équipe qui s'occuperait de la banderole. Elle alla chercher les lettres adhésives, du tissu, des ciseaux, de la colle et une longue bande de toile blanche.

Finty suggéra aussi que nous écrivions une chanson durant la séance de musicothérapie pour t'accueillir.

— Peut-être que le journal local prendra notre photo, dit-elle. Autre chose, nous allons avoir besoin de lever des fonds.

— Est-ce que je peux avoir mon téléphone maintenant ? chuchota la dame du marathon.

— Vous permettez ! répliqua Finty. Je suis en train de tweeter. Je fais plusieurs choses en même temps.

— Pourquoi devons-nous lever des fonds ? demanda une nouvelle malade.

— Pour financer une réception. Il faudra faire une fête quand il arrivera. Il ne va pas arriver et juste… s'asseoir.

Je regardai toutes ces chaises dans la pièce. À part t'asseoir, je ne savais pas très bien ce que tu pourrais faire. Je jetai un œil vers monsieur Henderson et il fronça les sourcils.

— Si on faisait une loterie ? grogna le roi Nacré.

— Génial ! dit Finty.

Elle demanda à quelqu'un de me prendre mon crayon et mon carnet des mains. Elle avait besoin de faire une liste. L'une des bénévoles offrit de faire des cartes pour la levée de fonds. Une autre proposa de faire des petits gâteaux.

— Je ne suis pas sûre que nous devions faire une réception, dit doucement sœur Philomena. C'est un centre de soins palliatifs ici. Mais si vous voulez vous préparer à l'arrivée d'Harold Fry, nous pouvons peut-être persuader sœur Lucy de sortir son séchoir à cheveux.

— Si vous voulez, dit avec entrain sœur Lucy. Je peux aussi faire des coupes de cheveux.

Il y eut des murmures d'assentiment. Finty se tut et enfonça son chapeau sur sa tête. (Un chapeau rasta de couleur vive dont je parlerai plus tard.) Quelques-uns des amis des malades dirent qu'ils seraient ravis de se faire couper les cheveux. Ils n'avaient pas eu beaucoup le temps, récemment, de penser à aller chez le coiffeur avec ces visites à l'hôpital presque quotidiennes.

— Vous pouvez me les couper très court, sœur Lucy ? demanda l'une des bénévoles.

Ses cheveux formaient comme un halo autour de sa tête.

— Oh, oui, très court, dit gaiement sœur Lucy. Si vous voulez, je peux vous faire une coupe brésilienne.

Les activités continuèrent toute la journée. Sœur Catherine supervisa la confection de la banderole. Le visage de sœur Lucy rosit sous la chaleur de son séchoir. Finty se chargea des relations avec les médias. Le roi Nacré dit qu'il pouvait contacter quelques-unes de ses relations pour qu'elles contribuent à offrir un prix pour la tombola. Je restai assise près de la fenêtre avec mon carnet.

— Finty a mille followers, dit une voix douce près de moi.

Je fus surprise de découvrir monsieur Henderson. J'étais si concentrée sur ce que j'écrivais que je ne l'avais pas entendu approcher.

— Qu'est-ce qu'on fait avec mille followers ? reprit-il en s'installant dans un fauteuil près du mien. J'avais une femme et un meilleur ami. Je n'avais pas besoin de plus.

Il tourna les yeux vers le jardin du Bien-être. Des martinets jaillissaient d'entre les arbres et la pagode en bois projetait son ombre sur la pelouse. Monsieur Henderson et moi regardions dehors. Je n'écrivais plus. Les feuilles du jardin avaient toutes pris une douce teinte verte.

Finty poussa un cri de joie à l'autre bout de la pièce.

— Hé ! glapit-elle. Je suis vachement dans le vent !

Il y eut des acclamations et des sifflets.

Monsieur Henderson sourit aux martinets.

— Est-ce fréquent, murmura-t-il, que des Hommes sur le point de mourir soient si joyeux ?

L'endroit où j'ai retapé une maison et créé un jardin

En sortant de ma nouvelle maison du bord de mer, je posai le pied en plein sur un cake aux fruits.

Entre les orties il y avait aussi une cocotte, un quart de lait, un paquet de harengs fumés, et une flasque.

Quand j'achetai la maison et ce terrain où il ne poussait pas grand-chose, les gens du coin me considérèrent avec curiosité, comme si je n'étais pas tout à fait saine d'esprit et que j'avais besoin qu'on s'occupe de moi. Au début la rumeur courut que j'avais acheté le terrain pour y construire, et même si personne n'avait la moindre envie de vivre dans cette maison, personne ne voulait non plus qu'elle soit démolie ou remplacée. Un rassemblement de protestation fut organisé à l'hôtel du Château. À part le protestataire et deux de ses amis (un plombier et sa femme), je fus la seule personne à me présenter. Nous avons bu du cidre et le plombier et sa femme ont fini par me proposer de m'aider à rénover ma maison. En échange, j'acceptai de jeter un œil sur leur comptabilité. Et même si ce travail me faisait de la peine parce qu'il me rappelait Kingsbridge et David, je comprenais qu'on ne pouvait pas se débarrasser complètement du passé. Il faut vivre avec sa peine.

Le protestataire me prêta une tente et une bâche jusqu'à ce que mon toit soit réparé. Il m'aida à les rentrer dans la maison. Il dit que je n'avais pas à le payer mais que je pourrais réécrire les textes de sa campagne pour sauver la couche d'ozone.

Je dormais sur une palette en bois, un vieux matelas et m'enroulais dans un sac de couchage que m'avait donné une voisine du plombier et de sa femme. En retour la voisine me demanda d'aider son fils en latin. J'avais donc trois activités. La comptabilité, les leçons de latin et la couche d'ozone. Je dormais tout habillée.

Les gens continuèrent à m'apporter de quoi manger. Parfois ces gentilles attentions formaient même un petit chemin entre les orties. Des cakes, des tupperwares et des plats à four enveloppés dans du papier d'aluminium pour les garder au chaud. Quand j'étais déprimée, j'allais au terrain de golf et je commandais un plat chaud au club-house. Lorsque je discutais avec le personnel de cuisine, notre unique sujet de conversation était le temps qu'il faisait, et au bout d'un moment cela devint notre langage, exactement comme toi et moi avions le nôtre dans ta voiture. Belle journée. Journée pourrie. Nous décrivions nos émotions en termes de température. De temps à autre, l'un d'eux demandait :

— Ça va là-haut, mon chou ? Vous avez ce qu'il vous faut ?

Le plombier, sa femme et moi avons fabriqué des étais pour que le toit ne s'effondre pas. Nous avons dû charrier le bois le long du chemin dans des brouettes. Nous avons débarrassé le toit de sa mousse et des débris pour que l'eau de pluie ne stagne plus et ne goutte plus dans les chambres. Un autre ami du plombier installa des gouttières et remplaça les châssis des fenêtres. Des feuilles de Perspex furent collées là où il n'y avait plus que des vitres cassées. En guise de rémunération, j'acceptai de me charger de la comptabilité de l'ami du plombier et de le coacher une fois par semaine pour qu'il prenne confiance en lui. Il avait le sentiment que sa timidité l'empêchait d'avancer dans la vie, et même si je ne me considérais pas comme une femme particulièrement sûre d'elle, je constatais que mes rapports avec Napier avaient fini par avoir leur utilité.

Le plancher fut changé par trois ouvriers que je rencontrai sur le terrain de golf. En échange, je fis du poisson et des saucisses au barbecue pour leur famille et j'apportai des bouteilles de cidre du pub. La porte fut réinstallée avec de nouvelles charnières. Je payai les charnières avec ce que ma mère aurait appelé de la petite monnaie. Juste avant mon premier Noël dans ma maison du bord de mer, un couple que j'avais rencontré à la poste me donna un poêle à bois d'occasion. J'appris que leur mariage battait de l'aile. En remerciement pour le poêle, je leur offris des leçons de danse tous les dimanches après-midi dans leur cuisine. Lent, lent, rapide rapide lent, lent. Je pensai à ma mère écossant des petits pois alors que je dansais avec mon père, mes petites chaussures sur les siennes. Et je ne sais pas si c'est grâce à la danse ou à l'esprit de Noël, mais le couple ne se sépara pas. Des années plus tard, ils descendaient encore dans mon jardin et dansaient le fox-trot sur les sentiers. Nous installions un tourne-disque près de ma fenêtre et si l'un d'eux demandait : « Et toi Queenie ? Qu'as-tu fait de ton cavalier ? », j'allumais une lampe dans le jardin et je pensais à toi.

Je passai la majeure partie de ce premier hiver à essayer de garder le poêle à bois allumé. Je grelottais dans mon lit même avec des chaussettes de pêcheur, un gilet, et un bonnet en laine (qui m'avaient tous été offerts par une femme de l'hôtel ; en retour de quoi, je l'aidais à écrire une lettre hebdomadaire à sa fille vivant en Australie). La maison se balançait dans le vent, et le bois craquait. Mais j'étais en sécurité. J'avais fait ce que personne n'avait cru possible. J'avais passé un hiver seule à Embleton Bay.

Le printemps arriva. Les fulmars et les mouettes firent leur nid dans les rochers. Quand il commença à faire meilleur, j'achetai de la peinture noire de bitume – ma plus grosse dépense – et je ravalai tout l'extérieur de la maison. Ce fut un jour de fête. D'autres propriétaires avaient commencé à rouvrir leur maison de vacances. Je les invitai ainsi que les gens qui m'avaient aidée. Mes hôtes apportèrent leur guitare et des pique-niques et nous avons dansé toute la nuit sur le sable. Plus tard, je peignis les rebords des fenêtres et les volets en bleu. Puis les murs intérieurs en gris pâle. En guise de rideaux, j'accrochai des tentures de soie que j'avais achetées à un vide-greniers.

Maintenant, tu vois, j'avais une maison que j'adorais, parce que je l'avais sauvée de la décrépitude et fait revivre. J'avais aussi au moins dix rendez-vous par semaine avec les gens du coin, auxquels je transmettais les compétences que j'avais acquises ces dernières années. Parfois je restais un peu plus longtemps avec eux, et nous partagions un repas ou nous allions nous promener sur le chemin côtier jusqu'au château en ruine. Parfois je prenais un verre avec eux et nous observions les oiseaux, ou bien encore nous nous installions sur le port de Craster pour manger des crabes. Mais je ne disais jamais d'où je venais et je ne parlais pas de la chose terrible que je croyais avoir faite. Et toujours, toujours, il y avait ce manque de toi.

Avec l'arrivée de l'été, je pensais me sentir apaisée. J'avais recommencé à rêver de David. Je laissais mes fenêtres ouvertes la nuit dans l'espoir que le bruit du vent me calmerait. Ça ne marchait pas et je me réveillais souvent en larmes. C'est à ce moment-là que je décidai d'arracher les orties et que je découvris que j'avais sans le vouloir créé un jardin de rocaille.

Je trouvai sur la plage un rocher noir assez grand pour servir de banc. Avec l'aide de quelques golfeurs, il me fallut la matinée pour le remonter sur le chemin côtier. Je le plaçai en plein milieu à quelques mètres de la maison. Il marquait le centre de cet espace comme le moyeu d'une roue. J'aimais le regarder de ma fenêtre, le voir changer de couleur au soleil ou sous la pluie, j'aimais voir son ombre s'allonger ou diminuer selon l'heure de la journée. L'un des golfeurs suggéra que je taille des marches dans le sable pour aller de mon jardin à la plage. Quand on se promène sur le sable d'Embleton Bay à Craggy Rock, on peut encore distinguer la trace du sentier qui conduit à mon jardin, mais récemment, j'ai laissé la mer le submerger et on ne trouve plus les marches aussi facilement.

Un peu plus tard je creusai un trou, le remplis de compost et y plantai un églantier. Cet arbuste était si fragile que je craignais qu'il ne survive pas à l'alliance d'une terre peu fertile et du vent. Au cours d'une de mes promenades matinales sur la plage, je ramassai un morceau de bois flotté de la taille d'une canne et l'enfonçai dans la terre à côté de l'églantier en guise de tuteur. À présent, j'avais un jardin de rocaille, un rocher noir et un églantier. Mon jardin était né.

Je puisais mon inspiration en regardant autour de moi. J'étudiais les jardins des autres, comme je te l'ai dit, ainsi que les sentiers, mais j'étudiais aussi les motifs sur le sable ; les ruisselets, les lignes, les stries, les rangées d'empreintes semblables à des vertèbres. Je pouvais passer une matinée à essayer de reconnaître les couleurs et les formes présentes dans les pièces d'eau ; anémones aux longs tentacules noirs, fleurs vert bronze, crustacés argentés, crabes noirs et étoiles de mer tachetées de rose. Je regardais les brumes marines envelopper la terre quand la marée arrivait, ou je m'asseyais sur les rochers noirs qui faisaient penser à la plage de Greymare Rock envahie par les phoques. Je ramassais des algues et je les accrochais pour les faire sécher au-dessus de mon porche en bois ; lorsqu'il y avait de l'orage, elles dansaient comme des rubans de plastique.

Avec le temps je commençai à comprendre que je m'étais trompée en pensant que rien ne poussait dans mon jardin. Beaucoup de choses poussaient dans cet endroit désertique. Je n'avais tout simplement pas su en évaluer la richesse. Je dénichai des choux frisés de mer, des ancolies, des coquelicots, des ajoncs et du géranium sauvage. Je trouvai une place pour chaque espèce.

Je construisis ma pièce d'eau lors de la deuxième année dans ma maison du bord de mer. Elle fait un peu plus d'un mètre de diamètre et est composée de petits rochers en silex intercalés avec des coquillages. Je parcourus la plage de long en large à la recherche de minuscules cailloux de charbon minéral venant de la mer, de la taille de perles, pour faire une bordure extérieure à mon bassin. Plus tard, je créai deux autres pièces d'eau avec des blocs de granit noir et des galets gris. Parfois je plaçais les galets et l'assemblage était parfait du premier coup, d'autres fois je les posais et les déplaçais pendant des jours et des jours. Je ne trouvais la composition idéale qu'après avoir commis pas mal d'erreurs. Des chemins de cailloux longeant les pièces d'eau menaient d'une partie de mon jardin à une autre. Je me lançai dans des plantations plus ambitieuses.

Les gens se mirent à s'arrêter pour admirer mon travail. Ils repassaient avec leurs amis. Ils venaient de la plage ou du terrain de golf, parfois même ils s'arrêtaient en revenant du travail. Un été, je façonnai des carillons avec des outils cassés et des objets en fer rejetés par la mer. Je tendis une corde à linge pour délimiter mon terrain et y accrochai les carillons de manière à ce qu'on puisse les entendre de la plage. Les gens m'apportaient des vieilleries dont ils n'avaient plus besoin. Je mettais chaque objet dans mon jardin. Il prenait de l'ampleur au fil des saisons.

Les visiteurs en parlaient comme d'un travail d'une grande beauté, une œuvre magique. Et en toute honnêteté, cela me faisait plaisir. Il m'arrivait de m'agenouiller au milieu du jardin pour déplacer un caillou, par exemple, ou l'orienter vers le soleil, mais sans rien faire de particulier ; j'attendais juste que quelqu'un s'arrête. Je fabriquais de minuscules poissons bleus avec des coquillages et je les plongeais dans les bassins à côté des patelles vert émeraude.

Les sculptures arrivèrent quand le jardin fut à son apogée. La première que je fis te représentait, bien sûr. Je te plaçai à côté du rocher noir, en plein centre. Puis vint David, à qui j'offris un lit de roses pimprenelles. D'autres suivirent. Après tout, je disposais d'autant de temps que je voulais. J'écumai la plage, choisissant chaque chose avec soin, et si je ne trouvais pas ce que je souhaitais, je m'interrompais pour reprendre ma quête un autre jour. Finalement, Napier fut un petit morceau de silex brillant qui me faisait rire, et Maureen, un fragile morceau de bois avec un trou dans le cœur. Pour Sheila, je trouvai deux superbes blocs de pierre bien dodus. Mon père était une longue bêche penchée vers une branche bien solide qui incarnait ma mère. (Je lui mis un magnifique chapeau d'algues.) Les artistes femmes de Soho étaient représentées par sept plumes qui s'envolaient sans arrêt.

Même le Fumier avait un petit coin humide à lui. Je fis une place pour chacun d'eux parce qu'ils avaient fait partie de ma vie et, même s'ils en étaient sortis, je ne voulais pas les laisser derrière moi. Au clair de lune, les sculptures brillaient et semblaient prendre vie.

Mais c'était celle qui trônait au centre de mon jardin que j'aimais le plus.

Cloches de mariage

Un jeune malade était en compagnie de son fiancé dans la salle de jour. Il portait un pantalon de jogging et un T-shirt qui tombait sur ses épaules. Son fiancé avait un costume bleu.

— Bonjour tout le monde, dit le fiancé. Ça ne vous dérange pas qu'on s'assoie avec vous ?

— Allez-y, dit Finty.

Elle repoussa ses formes prédécoupées et replia avec soin sa banderole « BIENVENUE, HAROLD FRY ».

— Harold Fry ? dit le fiancé. Je crois que j'ai entendu parler de lui.

— Oui, il marche pour nous, dit Finty en désignant tous ceux qui se trouvaient dans la pièce. Nous l'attendons d'un jour à l'autre.

Le fiancé aida son compagnon à s'asseoir et demanda si nous avions besoin de quelque chose, comme de l'eau ou une couverture. Son compagnon leva la main pour dire : « Non, ça va. » Il posa sa tête sur l'épaule du fiancé. Ce dernier lui caressa la joue et chuchota à son oreille. C'étaient juste de petits mots, comme « Là, là », « Okay », « Je t'aime », « Je suis là ».

— Vous êtes gays, vous deux ? l'interrompit Finty.

Le fiancé demanda :

— Vous voulez qu'on s'assoie ailleurs ?

— Merde, non ! dit Finty. Vous êtes le premier homme que je vois avec des cheveux depuis des semaines. Restez là.

— Peter et moi, on se marie aujourd'hui, dit le fiancé. Vous pouvez tous venir si vous voulez.

— Je ne crois pas que nous allons pouvoir atteindre l'église, grogna le roi Nacré.

Il désigna le sac en laine bleue contenant sa seringue qui était posé sur ses genoux.

— Nous n'irons pas non plus, dit le fiancé. Sœur Philomena a eu une réunion avec le personnel. Ils sont d'accord pour que nous puissions recevoir la bénédiction dans la salle de jour.

— Et Dieu ? demanda monsieur Henderson.

— Sœur Philomena est d'avis que Dieu a une vue plus large des choses.

— Un mariage ? cria Finty. Ça veut dire que je peux emprunter un nouveau chapeau ?

En fait, personne n'eut le temps d'emprunter des chapeaux. Ni d'apporter des confettis. Une heure plus tard, nous étions assis en cercle, au centre duquel se trouvaient le nouveau malade et son fiancé. Les infirmières nous rejoignirent ainsi que quelques-unes des religieuses. On donna à celles qu'un mariage gay dans un centre de soins palliatifs catholique n'enthousiasmait pas la possibilité d'aller travailler ailleurs. Le fiancé glissa une alliance au doigt amaigri de Peter, puis il aida Peter à lui passer aussi la bague au doigt. Une femme en tailleur pantalon fuchsia célébra une brève cérémonie. Elle nous dit à quel point c'était important pour Peter que nous soyons présents à son mariage.

— Je ne l'aurais manqué pour rien au monde, sanglota Finty. Vous avez l'air si heureux tous les deux.

— Tu m'entends, Peter ? chuchota le fiancé. Tu entends que je suis ton mari maintenant ?

Peter sourit et ferma les yeux.

Finty vida une boîte entière de mouchoirs en papier malgré son format familial. Elle déclara que c'était vraiment dommage qu'ils ne fassent pas de fête, et le nouveau mari de Peter haussa gentiment les épaules.

— Mais nous allons faire une fête pour Harold Fry quand il arrivera, dit-elle. Vous pourrez venir. Vous connaissez cet autre type qui est gay ? Comment s'appelle-t-il déjà ? Ce chanteur ? Peut-être qu'il pourrait venir aussi.

Le mari embrassa Peter sur le front et dit en riant qu'il ne connaissait aucun chanteur, qu'il soit gay, hétéro ou même bisexuel.

— Peu importe, dit Finty. Vous pouvez vous joindre à nous et attendre Harold Fry, si vous voulez.

Le mari de Peter replia sa main droite et regarda son alliance avec émerveillement, comme s'il n'avait jamais rien vu d'aussi beau.

Peter n'était pas sur sa chaise ce matin.

Dans le jardin du Bien-être, sœur Philomena serrait son mari dans ses bras. Elle lui montra les arbustes en fleurs. Elle souleva une branche de seringa et il se pencha pour en respirer l'odeur orangée.

L'entrepreneur des pompes funèbres gara sa camionnette et vint à leur rencontre.

Un choc

— NOM DE DIEU ! VENEZ VITE !

J'étais dans ma chambre avec sœur Mary Inconnu. Je n'écrivais pas dans mon carnet, je ne pensais à rien de spécial, je regardais juste un gros pigeon qui essayait de tenir en équilibre sur une branche particulièrement étroite quand nous avons été interrompues par un cri provenant de la salle de jour.

— Il y a Harold Fry à la télé ! Vite, venez vite !

Sœur Mary Inconnu hochait la tête avec lassitude lorsque sœur Lucy se précipita dans la chambre. La jeune nonne me porta de mon lit à mon fauteuil roulant. Alors que nous filions dans le couloir, d'autres portes s'ouvrirent et des malades en sortirent, aidés par leur famille ou des bénévoles.

Quand j'arrivai dans la pièce, les gens se tournèrent et me firent une place devant. Sœur Philomena prit la télécommande et monta le son.

Il y avait apparemment une fête. Nous avons vu un groupe de gens qui marchaient sur une route de campagne, certains équipés comme des professionnels avec, entre autres, des bâtons et des chaussures de randonnée, et d'autres qui jouaient de la musique avec des clochettes et des tambours. À la tête de cette procession marchait un homme de haute taille à la peau hâlée par le grand air, qui avait peu de cheveux et une barbe très imposante.

C'était toi.

Mon cœur fit une embardée comme si je venais de rater une marche et que j'allais tomber.

— Le type à la télé dit qu'Harold Fry est accompagné de gens nouveaux maintenant, s'écria Finty.

Elle se leva et toucha l'écran de ses doigts noueux. Plusieurs personnes se plaignirent qu'elle leur cachait la vue et qu'elles ne pouvaient pas voir sans risquer de tomber de leur fauteuil roulant, mais elle les ignora et continua à désigner du doigt le groupe de marcheurs.

— Regardez, il y a un gorille, et un idiot avec un chapeau. Et il y a ce jeune homme qui a l'air d'être un vrai connard, et cette femme qui pince les lèvres comme si elle suçait un citron. Ils viennent de dépasser Harrogate. Ils marchent tous pour nous sauver.

Mon cœur fit un autre bond. C'est le garçon à côté de toi qui me bouleversa. Pendant un moment, j'aurais juré que tu marchais avec David.

Ne pas mentionner David Fry

Je ne savais pas quoi faire, Harold, quand j'ai entendu la nouvelle. Les représentants parlaient de toi dans le couloir.

— Vous avez entendu ce qui est arrivé à Harold Fry ?

Ils semblaient pressés de s'échanger la nouvelle, parce que c'était une histoire terrible, une tragédie, mais ça ne les concernait pas vraiment. J'écoutai, immobile, glacée. Je me souviens de m'être sentie vidée. Ma première impulsion fut de me rendre directement chez toi. Je voulais tout t'avouer. Mais au lieu de ça je suis allée aux toilettes et me suis presque évanouie. J'étais sous le choc. J'avais l'impression que le monde venait de se percer d'un grand trou et que, même si personne ne le savait, c'était entièrement ma faute. J'arrivais à peine à marcher droit.

— Tu as une mine épouvantable, dit Sheila. (Elle posa sa main sur mon front quelques instants, puis elle murmura :) Mon Dieu, tu es brûlante.

Son geste me rappela ma mère, et je fus bouleversée de penser à elle. Pour la première fois depuis des années, elle me manquait désespérément, exactement comme elle m'avait manqué juste après sa mort. Je voulais qu'elle et mon père me tirent de cette situation. Je voulais sentir le poids de sa main d'homme sur la mienne.

— Tu devrais rentrer chez toi, dit Sheila.

Je n'ai aucun souvenir du trajet du retour en car cet après-midi-là. Je ne sais même pas si j'ai payé mon ticket ou si j'ai parlé à quelqu'un. Je me rappelle la chaleur, ça oui. Plus que tout, j'avais besoin d'être seule. Mais quand je pénétrai dans mon appartement, je me sentis encore plus mal.

C'était si calme. Mes yeux tombèrent sur le fauteuil dans lequel David s'asseyait toujours. Regarder ce siège où il n'était pas assis, c'était comme regarder sa mort en face. Dehors, il y avait des voitures, des mouettes, des gens qui faisaient une promenade de fin d'après-midi le long de l'estuaire. Tout était comme d'habitude. Sauf qu'il n'y avait pas de David Fry. Je pensai à toi, à lui, et je pleurai pendant des heures.

Cette nuit-là, je me couchai tout habillée, les bras serrés autour de mes genoux, en boule. J'avais beau me couvrir, rajouter des couches de vêtements, je ne pouvais pas m'arrêter de trembler. Quand je fermais les yeux, je ne voyais que David, bleu dans l'obscurité, se balançant au bout de la poutre centrale de ton abri de jardin. Si seulement je n'avais pas entendu les représentants en parler. Les images se bousculaient dans ma tête. Je le voyais faire le nœud, chercher quelque chose sur lequel grimper, seul avec sa douleur. Voulait-il vraiment mourir ? Même lorsqu'il étouffait ? Avait-il espéré être sauvé ? Comme j'avais envie qu'il donne un coup de pied dans ma porte, qu'il crie mon nom à travers la fente de la boîte aux lettres. Si je dormis, ce ne fut que brièvement.

Quand je me réveillai, tôt le lendemain, j'avais si chaud que je pouvais à peine bouger. J'avais l'impression d'être prise dans du béton. Je parvins à me lever et je fus incapable de tenir en place. Je passai de pièce en pièce : cuisine, salle de bains, salon, entrée. Je m'arrêtai à peine. Je m'habillai en vitesse. Je ne pouvais pas supporter de rester seule une minute de plus. J'avais besoin de retourner à la brasserie.

J'entendis les représentants dire que tu serais absent au moins deux semaines. Il y aurait une autopsie avant les obsèques. Il n'était pas nécessaire de penser à ça, dit Sheila. Apparemment, il n'était pas non plus nécessaire d'en parler parce qu'il n'en fut plus question.

J'ignorais complètement si je pourrais un jour te regarder à nouveau en face. Je savais que si je t'avouais la vérité, tu me haïrais. Et je savais aussi que de tous les hommes que je croisais dans la rue, dans le bus, à la cantine, celui que j'avais le plus besoin de voir, c'était toi.

C'est un après-midi terriblement chaud. Une semaine s'est écoulée depuis la mort de David. Je me sens encore plus mal. Je ne dors pas. Je n'ai pas d'appétit. Je ne peux pas cesser de penser à lui. Je ne t'ai pas vu depuis la veille de sa mort.

Je prends le car pour aller au funérarium. Je dois commémorer sa mort parce que c'est une torture de faire comme si je n'en étais pas responsable. Le soleil me brûle les yeux. Le ciel, le trottoir, les voitures… tout est trop blanc, trop lumineux. Je pousse la porte du funérarium. L'endroit a l'odeur glacée et douceâtre de l'embaumement. C'est comme d'entrer dans un univers différent. Mes pas résonnent sur le sol froid. Je regrette de ne pas avoir pris de manteau.

Un homme en costume me salue. Il me demande s'il peut m'aider. Il porte une cravate noire, des boutons de manchettes ; il a une manière très professionnelle de porter le deuil, rien à voir avec le chaos qui nous habite, nous autres amateurs. Je suppose que c'est l'entrepreneur des pompes funèbres.

Je demande à voir David Fry. À ces mots, le visage de l'homme s'adoucit, et pour la première fois, j'ai l'impression que quelqu'un peut comprendre ma douleur. Qu'il y a ici de la place pour cette souffrance.

— Vous avez rendez-vous ? me demande-t-il.

J'explique que je n'ai pas vraiment de rendez-vous mais que je suis une amie de la famille. Je répète que je voudrais voir David. Que j'ai besoin de le voir.

Ce n'est pas la bonne réponse. Il a l'air mal à l'aise. Il s'éloigne de quelques pas pour aller chercher une sorte de bloc-notes et un stylo à plume. J'ai la bouche sèche. Il dit qu'il doit téléphoner à son client. Je ne peux pas rendre visite au mort sans rendez-vous.

— Mais il ne risque pas d'aller où que ce soit, réponds-je en haussant le ton.

Mais à peine ai-je terminé ma phrase que je fonds en larmes, passant sans aucune transition d'un état normal à celui d'un être accablé de chagrin. Le visage de l'homme se durcit. Peut-être me soupçonne-t-il d'être une journaliste. Qui sait ?

— Je ne peux pas vous permettre de rester, madame.

Il se dirige déjà vers la porte, l'ouvre pour moi, mais la chaleur et la lumière extérieures m'agressent aussi violemment que s'il s'agissait d'un bruit assourdissant. Je veux rester à l'intérieur. Je ne peux pas supporter d'être mise dehors alors qu'il m'a fallu tant d'énergie pour me résoudre à venir, et à présent que je suis là, de n'être arrivée à rien.

Peut-être que l'entrepreneur des pompes funèbres réalise à quel point je souffre, car il me demande si j'ai apporté quelque chose pour le cercueil. Il le passera à son client ; c'est tout ce qu'il peut faire pour moi. J'imagine qu'il demande de l'argent, comme c'est la coutume à l'église quand on fait circuler l'assiette en argent, et ma culpabilité, ma douleur sont telles que je donnerais tout ce que je possède jusqu'au dernier sou si ça pouvait t'apporter un quelconque réconfort. Je suis en train d'ouvrir mon sac quand un autre homme en costume sort d'une pièce à l'autre bout de la réception. Je ne vois presque rien de cette pièce ; un mur bleu pâle et derrière, le vernis d'un cercueil en bois, et ses poignées. J'ignore s'il s'agit du cercueil de David. Mais c'est comme si j'avais reçu un coup.

J'ai mal partout. Jusque dans la poitrine.

Je demande à l'entrepreneur des pompes funèbres de donner à David ses mitaines rouges. Elles sont dans mon sac. Elles y sont depuis le jour où je les ai trouvées. Appartenaient-elles au défunt ? Oui, elles appartenaient au défunt. L'homme va consulter son client. « Ne vous donnez pas cette peine, dis-je. Prenez-les, d'accord ? » Juste le temps que je les sorte de mon sac. Parce que je suis à la torture, ici. C'est trop. Je lui laisse les mitaines et me précipite dehors avant qu'il ait eu le temps de me les rendre. La chaleur est comme une chape de plomb.

J'attends à l'arrêt du car quand ta voiture s'arrête devant le funérarium. Je te vois en sortir et te diriger vers la portière du passager, mais avant même que tu ne l'atteignes, celle-ci s'ouvre brusquement, manquant te heurter, et une petite femme toute mince, un peu plus grande que moi, se jette hors de la voiture. Maureen porte une robe d'été noire et des lunettes de soleil sombres, et elle tient un oreiller et un ours en peluche. « Quelque chose pour le cercueil », bien sûr. Elle marche vite et nerveusement. Elle est impatiente d'entrer dans le funérarium. Toi, tout au contraire, tu te déplaces lentement. Tu marches derrière elle, les mains vides, et tu sembles incapable de relever la tête. Maureen s'arrête devant la porte et te dit quelque chose, tu hoches la tête et restes dehors. Une fois seul, tu sors une cigarette et tu demandes du feu à un passant. J'entends un cri, un terrible cri poussé par une femme et qui vient du funérarium. Je suppose que l'entrepreneur des pompes funèbres a emmené Maureen dans la pièce dont il m'a refusé l'entrée. Tu cours jusqu'au coin du bâtiment et tu vomis dans une poubelle.

De l'autre côté de la rue, je vois toute la scène. Mais toi, tu ne me vois pas.

Nous nous sommes rencontrés quelques jours plus tard. Cette fois, impossible de t'éviter. J'étais à la pharmacie, cherchant sur les rayons quelque chose pour m'aider à dormir, quand tu as ouvert la porte. Tu demandas à voix basse au préparateur derrière le comptoir la prescription figurant sur l'ordonnance de ta femme. Tu essayais d'être discret, mais l'atmosphère de la boutique était devenue si pesante et solennelle à ton arrivée que c'était comme si tu y étais le seul être vivant. Quand je te vis, mon cœur se serra et fit des bonds dans ma poitrine.

Le pharmacien se dépêcha d'aller chercher les médicaments de Maureen. En te donnant le sachet, il dit :

— Je vous présente mes condoléances, monsieur Fry.

Et puis une autre femme, la cliente qui était la plus proche de toi, répéta, mal à l'aise, qu'elle aussi était désolée pour « votre perte ». Personne ne semblait avoir les mots justes à sa disposition et il était donc plus sûr de ne rien dire ou de s'en tenir aux formules les plus banales. Tu hochas la tête d'un air las, comme si tu avais hâte que tout le monde arrête avec ça et te laisse partir.

Tu étais un autre homme, Harold.

Tes épaules, si droites auparavant, étaient toutes recroquevillées. Ta veste était tachée de graisse, et tes cheveux n'étaient pas coiffés. Tu t'étais rasé, mais des poils drus couvraient encore le creux de ta joue gauche. Peut-être ne t'en étais-tu pas rendu compte. Ou alors, pendant que tu te rasais, tu as pensé à David en te demandant : « Quelle importance ? Quelle différence que je sois rasé ou que je me laisse pousser la barbe ? » Mais ce sont tes épaules voûtées qui m'ont bouleversée. Ça et ta cravate.

On dit parfois de quelqu'un qu'il est rentré dans sa coquille ou qu'il n'est plus que l'ombre de lui-même, mais aucune de ces expressions ne pouvait s'appliquer à toi. Tu n'avais plus aucune consistance. Impossible de t'imaginer en train de rire ou de danser ou de jouer à figue-balle. L'homme capable de faire tout ça avait disparu. Tu paraissais plus petit, plus lent, plus âgé aussi, et presque simple d'esprit. Tu étais réduit à l'essentiel. Tu pris les médicaments et te dirigeas vers la porte.

— Oh bonjour, dis-tu.

J'avais dû bouger. Peut-être même avais-je fait du bruit. Tu me souris de l'autre bout de la pharmacie. J'étais la coupable, la femme qui vous avait trahis, toi et ton fils, l'amie qui s'était mêlée de ta vie et avait menti et encore menti, et toi, tu étais là, avec ta veste et ta cravate marron, et tu me souriais.

Tu as demandé si je voulais marcher un peu sur High Street. Du moins, je pense que tu me l'as demandé. Les gens s'écartèrent pour nous laisser passer tandis que nous nous dirigions vers la porte. Sans dire un mot. Je me souviens de ça. Tu rivais tes yeux au sol, cherchant cette chose qui avait quitté ta vie, quand un client se précipita pour ouvrir la porte et nous libérer.

— Comment va Maureen ? demandai-je.

— Pardon ?

Tu essayas de sourire de nouveau mais ton visage n'y arrivait pas. Tes yeux se remplirent de larmes.

— Mon fils est mort, dis-tu. (Tu répétas :) David est mort.

C'étaient après tout les seuls mots qui comptaient. Je dis que je savais. Je l'avais appris. J'étais désolée. Vraiment désolée.

— Oui. (Tu fixas le trottoir.) Oui.

— Je peux faire quelque chose pour toi ?

— Faire ?

Tu répétas ce mot comme si tu en avais provisoirement oublié le sens, et en étais chagriné.

— Pour aider ?

Tu fermas les yeux et les rouvris lentement. Puis tu dis avec douceur :

— C'est très gentil, Queenie, mais je ne crois pas. Pas maintenant.

Tu me demandas comment les choses allaient et je répondis que ça allait moyen.

— Moyen ? répétas-tu.

— Oui, dis-je.

Et ton visage se fripa alors que tu m'expliquais lentement que tu t'excusais mais que tu ne te souvenais pas de quoi on était en train de parler. Tu me tournas le dos pour continuer ton chemin. Et c'est parce que je pensais que tu étais sur le point de partir que j'ai osé demander :

— Comment vas-tu, Harold ?

Tu pleurais à présent, et tu ne voulais pas que je le voie, alors je regardai mes pieds pour te faciliter les choses, mais je regrette, je regrette de ne pas avoir eu le culot de te prendre dans mes bras et de te laisser pleurer sur mon épaule.

— C'est pire, bien sûr, pour Maureen, dis-tu. C'est toujours pire pour la mère.

Tu t'excusas et tu partis d'un pas lourd comme si ça te faisait mal de bouger. Pour éviter une femme avec une poussette, tu fis un écart et perdis un peu l'équilibre. La forme d'une bouteille d'alcool se dessina dans la poche de ton manteau. Tu t'étais mis à boire.

Quelques jours plus tard, je lus dans le journal local que l'enterrement de David se déroulerait dans la plus stricte intimité. Juste en présence de la famille. Je compris que cela signifiait toi et Maureen. Tu n'avais pas d'autre famille. On ne parla plus de David à la brasserie. Ton fils était mort, le monde avait digéré cette information et la vie continuait. Je n'entendis plus personne parler de lui après la première semaine.

Tu enterras donc ton fils. Et la seule fois où je ne te vis pas en costume marron, ce fut ce fameux après-midi où tu revins travailler en costume noir.

— Harold, demandai-je gentiment, tu crois que ta place est ici ?

Les représentants tentaient de t'éviter. Tu te recroquevillas comme un homme qui vient de recevoir une correction, s'attend à en recevoir une autre et essaie pourtant de se montrer courageux.

— Oui, dis-tu.

Et ce fut tout.

Merci, merci, merci

Ces trois derniers jours, ç'a été difficile, Harold, de t'écrire ou de penser à mon jardin du bord de mer. Ç'a même été difficile de rester tranquillement assise avec sœur Mary Inconnu pour regarder les nuages par la fenêtre. Il y a eu tant d'autres choses à faire. Les murs de la salle de jour sont couverts de cartes postales d'admirateurs. On nous a livré tant de fleurs que plusieurs des bénévoles ont le rhume des foins. Ce matin j'ai déjà écrit dix mots de remerciement. Mon œil est fatigué par l'effort que cela demande. Ma main me fait mal. En plus, je ne dors pas la nuit. Personne ne dort.

— Il va y avoir une veillée nocturne, dit Finty.

C'était mardi, je crois. Elle travaillait à sa banderole.

— Une quoi ? demanda le roi Nacré.

Il essayait d'aider mais la plupart du temps il dormait.

— C'est un des nouveaux malades qui me l'a dit. Il l'a entendu à la radio. Les gens vont apporter des bougies et ils prieront pour nous dehors.

En fait, la veillée nocturne se transforma en fête. Chaque fois que les infirmières de nuit venaient voir si j'allais bien, elles avaient l'air agacées et fatiguées.

— Comme si on n'avait pas assez à penser, dit l'une d'entre elles.

Ça n'arrangeait pas les choses que Finty soit debout toute la nuit à chanter avec eux de sa fenêtre. Les organisateurs de la veillée ont l'intention de rester jusqu'à ton arrivée.

— Ils n'ont pas de maison à eux ? dit l'infirmière de garde.

Après toute cette excitation, Finty s'est mise au lit.

La perte d'un jardin

Je ne regrettais pas d'être venue à Embleton Bay, de m'être installée dans cette maison ou même d'y avoir créé un jardin. Pourtant ça commençait à être terriblement fatigant. Tous ces gens. Toute cette agitation.

Parfois j'avais envie de transformer le jardin pour en faire quelque chose de nouveau. Ce n'était plus le jardin de l'amour. C'était une attraction. Et ça n'avait rien à voir avec moi. Ça concernait d'autres gens et les choses que, d'après moi, ils s'attendaient à voir.

Maintenant que mon jardin était si précieux, ou du moins maintenant qu'il portait le poids de tant d'espoir, il fallait que je pense à le protéger. Après tout, le petit port de Craster servait bien à mettre les bateaux de pêche en sécurité. Je me mis à ramasser des pierres pour élever un mur, des grosses pour le bas, des plus petites pour le milieu et des coquillages pour le dessus. Il me fallut un autre été pour le construire, notamment parce que les gens commencèrent à m'aider. Ils passaient leurs week-ends au soleil à chercher des pierres sur la plage et après ils m'aidaient à monter le mur. Mais il y avait un problème : ils ne m'écoutaient pas quand j'expliquais qu'il fallait mettre de grosses pierres en dessous et des coquillages sur le dessus. Il m'arrivait de passer toute une nuit à défaire ce que d'autres avaient fait et à jeter tous les coquillages écrasés que quelqu'un avait mis au milieu. Tu vois ce que je veux dire. Mon jardin n'était plus celui que j'avais créé au début.

Une nuit, alors que dans mon lit je pensais à une nouvelle idée pour mon jardin, je mesurai à quel point il restait fragile, malgré le mur de pierres et mes efforts pour le protéger. Et si le vent ou les mouettes le détruisaient ? Le lendemain matin, je pris le car pour Berwick-upon-Tweed et j'achetai à la quincaillerie des carrés de bâche agricole. J'utilisai des pierres pour les fixer et peignis un panneau en bois priant les gens de faire attention en les contournant. Même quand je n'étais pas dans mon jardin du bord de mer, même dans mon sommeil, je continuais à réfléchir aux moyens de le protéger. J'avais tort, pourtant, de penser que la menace viendrait du vent ou des mouettes. Il y a cinq ans, l'attaque vint d'ailleurs.

D'un troupeau de moutons.

Apparemment ils s'étaient échappés d'une ferme des alentours. Ils avaient mangé ce qu'ils pouvaient sur le terrain de golf puis ils avaient avancé en file indienne le long du chemin côtier. Ils avaient sauté par-dessus mon mur.

Je regardai mon jardin saccagé, les pierres éparpillées, les pièces d'eau défoncées, les tuteurs brisés, les algues éparpillées et les coquillages écrasés, et c'était si douloureux que j'en perdis la tête. Mes bâches avaient disparu. À la place de mon jardin, il n'y avait plus à présent que trente moutons somnolents.

Je pleurai longtemps. Je restai cloîtrée dans ma maison, là où personne ne viendrait me déranger ou me proposer de m'aider. Pendant des jours et des jours je ne trouvai pas la force de regarder mon jardin. Chaque fois que je quittais la maison je tournais le regard vers le ciel parce que ça me faisait trop de peine de voir cet endroit dévasté – tout ce travail pour rien. Je me demandai même si je n'allais pas vendre et aller m'installer ailleurs, mais je n'avais plus le cœur à reprendre la route. C'est à peu près à ce moment-là que je sentis une grosseur au niveau de ma mâchoire. Mes voisins ont été très gentils lorsqu'ils ont su que j'allais être hospitalisée. Mais au bout d'un moment, comme mon état de santé empirait, il est devenu plus simple pour moi de fermer ma porte et de me cacher du monde.

Environ un an plus tard, je ramassai un bout de bois flotté au cours de l'une de mes promenades sur la plage. Je m'en servis comme d'un bâton de marche pour remonter le chemin. Quand je rentrai chez moi, je le plantai dans la terre.

Le lendemain matin, il scintillait dans la lumière comme un mât doré. Mon jardin renaissait. Mais cette fois c'était un soulagement de n'avoir rien à protéger, et je n'avais plus de raison d'avoir peur de le perdre. Je n'avais plus besoin de montrer aux gens la beauté de mon amour. J'étais malade et j'avais juste assez d'énergie pour garder mon amour à l'intérieur de mon cœur.

Monsieur Henderson me surprend

— Il y a une photo de vous dans *La Gazette de Berwick*, dit monsieur Henderson.

— Montrez, montrez ! cria Finty.

Le journal passa de l'un à l'autre avant qu'il n'arrive entre mes mains. L'image montrait une jeune femme sortant de l'adolescence, le visage entouré d'une masse de cheveux bruns. La photo avait dû être prise à Oxford. Je ne peux pas croire qu'il s'agissait de moi.

Monsieur Henderson désigna une autre photo. Un homme de haute taille en T-shirt avec une barbe fournie.

— Et vous avez vu ? dit monsieur Henderson. Vous avez vu ce que cet homme a aux pieds ?

— Pas... ? (Je me mis à sourire.) Pas... ?

— Des chaussures de bateau !

Il se tint le ventre et hurla de rire.

C'était la première fois que je voyais monsieur Henderson si heureux.

Alors merci pour ce moment.

La manière de nommer des chaussures

Aujourd'hui, Harold, j'ai pensé à toi avec tes chaussures de bateau. Tu pourrais sans doute acheter des chaussures de marche, mais comme je suppose que tu n'en as jamais porté et que tu as toujours mis des chaussures de bateau, tu ne devrais sans doute pas acheter quelque chose qui ne te correspond pas.

J'ai passé l'après-midi avec sœur Mary Inconnu à me rappeler chaque paire de chaussures que j'ai eue. C'est un exercice d'humilité. Tu ne t'en rappelles sans doute pas, mais mes pieds sont petits et larges. Les chaussures que je voulais ne m'allaient jamais.

J'ai déjà fait allusion aux chaussures que j'avais achetées à Kingsbridge – mes chaussures de comptable. Elles avaient un bout rond, de larges talons et elles donnaient une impression de robustesse. Tu te souviens ?

À part celles-là, j'ai compté trois paires de chaussures à lacets que je mettais à Oxford, des sandales à semelles en liège que ma mère détestait, des tongues, des chaussures à talons rouges (à peine portées), des chaussures de danse en velours que j'ai laissées derrière moi, des bottes, des chaussures de jardinage, des tennis en toile, deux paires d'escarpins bleus (pourquoi ?), et des tennis blanches que j'ai portées presque tout le temps ces cinq dernières années. C'étaient les chaussures de danse que je préférais. Ça ne fait aucun doute.

J'ai mesuré ma vie au nombre de paires de chaussures pour femme que j'avais eues.

Un jour j'ai rencontré une femme près de mon jardin du bord de mer. C'était après les moutons. J'avais commencé à le recréer, mais il était à présent moins beau et plus simple. On pouvait passer devant et ne pas le remarquer, ou voir seulement des pierres et des bâtons. Les gens avaient oublié qu'ils venaient le visiter auparavant. J'avais laissé la mer envahir les marches de sable.

La femme s'appuyait contre mon mur pour enlever quelque chose de sa chaussure. Je ne vis pas comment elle était chaussée. Je vis seulement sa veste blanche avec des épaulettes et des boutons dorés. Quand je demandai si elle avait besoin d'aide, elle sursauta. Elle s'exclama en riant qu'elle ne m'avait pas vue. Ou plutôt, elle m'avait prise pour une des pierres de mon jardin. Elle me dit qu'elle participait au mariage qu'on célébrait au pub et qu'elle s'était échappée pour fumer tranquillement.

— Ces saloperies de talons, dit-elle.

Elle me raconta qu'elle changeait toujours de chaussures quand elle n'avait pas le moral.

— C'est le son qu'on émet dans la vie qui constitue la clé du bonheur, conclut-elle.

Elle portait des talons léopard de dix centimètres. Quand elle s'éloigna, ses pieds faisaient *ping, ping, ping* sur les pierres.

Je l'aperçus de nouveau un peu plus tard. Cette fois elle me faisait signe d'un peu plus bas sur la baie. En regardant mieux, je découvris que son talon était pris entre deux rochers. Elle était coincée.

Nous sommes remontées chez moi – pieds nus dans son cas – pour prendre un thé. Mais en réalité, nous avons bu du gin dans le jardin en regardant les vagues. Elle était professeur de physique. Ce qui prouve qu'il ne faut jamais juger une femme d'après son talon.

Chaleur

Je n'ai de nouveau pas été très bien. Les organisateurs de la veillée sont dehors toutes les nuits, et je sais que c'est gentil de leur part de prier pour nous et de danser, mais je préférerais qu'ils le fassent en silence.

Aujourd'hui je me suis battue contre la chaleur. Le soleil tombait de la fenêtre en une large bande lumineuse qui arrivait tout droit sur moi dans le lit, et cette lumière était si vive, si blanche et étouffante que ça me donnait mal à la tête. L'infirmière de service ouvrit la fenêtre mais ça ne faisait aucune différence. L'air au-dehors était immobile et lourd. Sœur Lucy me mouilla la tête mais même l'eau paraissait chaude.

LE DOCTEUR SHAH : Elle ne souffre pas ?

L'INFIRMIÈRE : Je n'arrive pas à la rafraîchir.

LE DOCTEUR SHAH : C'est plus enflé.

L'INFIRMIÈRE : Elle a eu un patch antidouleur ce matin.

LE DOCTEUR SHAH : Elle peut encore absorber des liquides ?

L'INFIRMIÈRE : Un peu.

LE DOCTEUR SHAH : Vous pouvez augmenter la dose orale et passer à une prise toutes les quatre heures.

Que je me tourne dans un sens ou dans l'autre, les draps paraissaient trop serrés, trop rêches sur ma peau. La chaleur était comme une force vive qui me pompait toute mon énergie. Je passai la matinée à lutter contre la chaleur, les draps et la frustration qui m'envahissait. Tout ce que je voulais, c'était m'échapper.

— Vous devez *être* la chaleur, dit sœur Mary Inconnu.

Si j'en avais eu la force, je lui aurais jeté un oreiller au visage.

Elle rit comme si elle m'avait entendue penser.

— La chaleur est là, et rien de ce que vous ferez ne l'arrêtera.

Alors je cédai aux assauts de la chaleur. Je sentis la moiteur sur ma peau et les démangeaisons en dessous, la sécheresse de ma gorge et cette blancheur aveuglante sur mes yeux. Je n'étais pas une vieille femme qui ne voulait pas avoir chaud : j'étais la chaleur, je l'incarnais. La différence est infime, mais je réussis à m'endormir.

— Vous vous sentez un peu mieux maintenant ? demande sœur Mary Inconnu.

La lumière a disparu et un vent frais agite les rideaux. J'entends les feuilles de l'arbre bruisser.

— Je sais que tout a été très gai ces derniers jours. Toutes ces cartes de soutien. Toute cette agitation. Mais vous devriez peut-être vous remettre à votre lettre, mon petit cœur.

Les clowns de Murano

Je savais que c'était toi, Harold, qui t'étais introduit dans la brasserie. Je savais que c'était toi qui avais brisé les clowns en verre de Napier. Je l'aurais deviné même si je n'avais pas été là, mais en fait j'étais là. J'ai tout vu.

Après l'enterrement de David, j'avais du mal à quitter la brasserie le soir. Ou plutôt, j'avais du mal à rentrer chez moi. Je m'inventais toutes sortes de prétextes pour rester dehors. J'allais voir le même film plusieurs fois de suite. Je marchais le long du quai (mais je faisais attention de ne pas regarder le banc où je m'étais assise avec David et où je lui avais donné mes mitaines). J'aurais fait n'importe quoi pour retarder le moment où je glisserais ma clé dans la serrure et où je verrais le fauteuil sur lequel s'asseyait David. Tu avais beau être revenu travailler, Napier ne nous avait pas renvoyés sur la route. J'étais soulagée. Je n'étais pas prête à rester seule avec toi.

Un soir, j'essayai de travailler tard. J'avais trouvé une boîte de vieux livres de comptes et ils avaient beau dater de dix ans, je me dis que je devais les consulter. J'étais seule dans le bâtiment depuis quelques heures, ne regardant même pas les chiffres que j'avais sous les yeux, absorbée dans mes pensées, quand j'entendis un craquement à l'étage du dessous. Le bruit me ramena à la réalité et je pris conscience que j'étais plongée dans une quasi-obscurité. La seule lumière venait du sillage argenté de la pleine lune que la fenêtre laissait passer.

Je tendis l'oreille mais ne perçus aucun autre bruit. J'essayai de me concentrer sur mon travail.

Puis cela recommença. Un martèlement contre une porte intérieure. Quelqu'un était en train de forcer une porte fermée à clé.

J'enlevai mes chaussures et me déplaçai en silence. Les murs des couloirs étaient sombres et froids contre mes doigts, presque humides. Je me dirigeai aussi vite que je pus en direction des escaliers. Je sursautais à chaque craquement ou claquement. Quand je m'approchai de la cage d'escalier, une cascade de lumière venant du rez-de-chaussée se déversa dans l'obscurité. Je me retrouvai en pleine lumière et j'avais du mal à voir au-delà. Je descendis lentement les marches, retenant ma respiration pour ne pas rompre le silence.

J'entendis des sanglots. Tes sanglots. Je compris à ce son plein de larmes, et d'abandon, et de fatigue aussi, que tu pleurais depuis longtemps. Je savais exactement où te trouver.

Je m'éloignai de la lumière de l'escalier et me dirigeai vers le bureau de Napier. La dureté du carrelage sous mes pieds céda la place à la douceur d'un tapis. Les murs étaient à présent recouverts de lambris. Je tournai à l'angle et je te vis. Je me plaquai sur le côté.

Tu secouais la poignée de la porte de Napier, frappant le battant de tes poings, donnant des coups de pied. Par moments, tu appuyais ta tête contre la porte, épuisé par le chagrin. Puis tu reculais d'un bond et t'acharnais à nouveau dessus. À un moment, tu dus avoir une autre idée, car tu fis quelques pas en arrière pour pouvoir te jeter contre la porte de toutes tes forces. La porte émit un craquement et tu disparus de ma vue, dans le bureau de Napier. Je m'approchai doucement.

Je pus enfin distinguer ton visage, même si la lune était voilée par un nuage. Tu ressemblais plus à un animal qu'à un homme. Ta bouche était étirée en un large cri et l'ombre projetait des stries sur ton visage. Tu tenais tes poings serrés au-dessus de ta tête et arpentais la pièce de façon désordonnée, sans aucune logique. Comme si ta peine ne savait pas où se mettre. Le nuage laissa place à la pleine lune et les clowns en verre de Napier étincelèrent brièvement, prenant vie. Je les aperçus au même moment que toi. Je te criai d'arrêter mais c'était trop tard. Tu n'entendis pas.

Tu pris deux des figurines en verre. Une dans chaque main. Tu levas les mains très haut, comme quand on tire un enfant assis sur une balançoire pour le propulser en avant, et tu jetas les figurines sur le sol. Elles se fracassèrent à tes pieds. Puis tu en pris deux autres, et encore deux autres. Tu ne t'arrêtas que quand tu en eus brisé une vingtaine. Tu les piétinas. Leur donnas des coups de pied. Sans jamais cesser de hurler.

Je ne t'arrêtai pas. Comment l'aurais-je pu ? Tu ne voulais pas laisser ton fils partir en douceur. Tu voulais hurler ta rage. Et puis, tu étais plongé dans ton monde. Après quelques instants de cette folie furieuse, tu t'arrêtas brusquement et réalisas ce que tu avais fait. Pris dans la lumière froide du clair de lune, tu plongeas la tête dans tes mains.

J'étais sur le point de m'avancer vers toi lorsque tu titubas vers la porte. Tu es passé juste à côté de moi. Nous nous sommes presque touchés, Harold. Ton pied était proche du mien. Ta main était proche de la mienne. Mais tu m'as dépassée d'un pas lourd comme si je n'étais rien d'autre qu'une partie du mur. Tu sentais l'alcool. Quand je t'entendis sortir bruyamment du bâtiment, je m'approchai de la fenêtre de Napier. Tu te déplaçais comme une ombre dans la cour de la brasserie. Tu t'arrêtas une fois pour regarder la fenêtre mais tu ne me vis pas, et tu remontas dans ta voiture.

Je balayai la pièce pour rassembler les morceaux de verre, essayant de faire au mieux. Puis je regagnai mon bureau et attendis le matin.

Quand Napier entra dans le bâtiment et vit le saccage, il se mit à hurler. Je te le dis parce que tu n'étais pas là. Tu ne l'as donc pas entendu traverser l'immeuble en rageant. Il renvoya la femme de ménage avant que j'aie pu le rejoindre. Des groupes de représentants se mirent rapidement à fouiller la brasserie. C'était un peu comme si on ne pouvait se sentir en sécurité ou innocent que si on cherchait activement la seule personne qui ne l'était pas. On chuchotait dans les coins. On chuchotait dans l'escalier. À la cantine, un suspect au moins fut emmené pour être interrogé et revint de la cour en se tenant le bras.

Je passai la matinée à te guetter. Dès que j'aperçus ta voiture, je me précipitai à ta rencontre. Tu t'en souviens ?

— Il s'est passé quelque chose à la brasserie. Cette nuit, dis-je.

Je dus t'agripper par la manche parce que tu n'arrivais même pas à tenir droit. Je n'osais pas aller plus loin et te prendre la main. Tu levas les yeux vers les miens. Ils ressemblaient à des litchis. Aussi nus et fragiles.

— Tu m'écoutes ? C'est grave, Harold. Très grave. Napier ne laissera pas tomber l'affaire.

Tu blêmis de peur. Tu transpirais la culpabilité. Ta cravate pendait le long de ton cou comme un collier. Les boutons du haut de ta chemise étaient défaits. Et tes mains, Harold, tu n'avais même pas pris la peine de les laver ou de mettre des pansements. À quoi pensais-tu ? Elles étaient couvertes d'égratignures et de coupures. Et je compris que tu voulais que Napier te démasque. Tu étais revenu parce que tu voulais qu'il te voie et qu'il te jette dehors.

— Rentre chez toi, dis-je. Laisse-moi m'occuper de cette histoire.

— Tu ne comprends pas.

Tes paroles étaient à peine audibles.

— Tu ne devrais pas être ici, Harold. C'est trop tôt. Rentre chez toi.

Tu me tournas lentement le dos. Je te regardai marcher dans le couloir, te cognant parfois l'épaule quand tu perdais l'équilibre, les genoux flageolants, la tête basse. Tu marmonnas quelque chose. Je n'entendis pas. Je regrette de n'avoir rien dit en te voyant t'éloigner. « Au revoir. » « Pardonne-moi. » « Je t'aime. » Mais je ne savais pas que c'était la dernière fois. J'étais sûre que je te reverrais.

Tu tournas à l'angle, et voilà… Tu avais disparu de ma vue. J'inspirai profondément et me dirigeai vers le bureau de Napier.

L'homme mystérieux

Il y a trois jours, le roi Nacré n'est pas apparu. Un colis a été livré pour lui, mais il n'était pas là pour l'ouvrir.

— J'ai une triste nouvelle, dit sœur Philomena.

— Oh non ! dit Finty. Non, non. Pas lui. Non.

— Un vrai gentleman, déclara monsieur Henderson.

Ce matin nous étions assis avec quelques-uns des bénévoles dans la salle de jour quand un bruit de sabots déchira le silence. Un corbillard tiré par des chevaux passa devant la fenêtre et s'arrêta devant le panneau « INTERDIT DE STATIONNER ». Les chevaux noirs étaient parés de plumes mauves. Le corbillard avait un dôme de verre si transparent qu'il brillait sous le soleil d'été. Il était rempli de couronnes. L'entrepreneur des pompes funèbres sortit et tira quelque chose de sa poche qu'il donna à manger aux chevaux.

— Ça alors ! dit l'une des bénévoles.

Finty regardait, les mains sur la bouche.

Au cours de la matinée, beaucoup de proches du défunt arrivèrent pour remercier sœur Philomena et l'équipe de St. Bernardine. Il y aurait une procession d'ici à Londres où le roi Nacré serait enterré. Les religieuses essayèrent de s'occuper des invités dans le jardin mais il se mit à pleuvoir. Comme les organisateurs de la veillée bloquaient la chaussée dehors et que tous les nouveaux patients et leur famille occupaient les chambres, le seul endroit où il y avait de la place était la salle de jour.

Les nonnes apportèrent du thé. Les proches du défunt parlaient fort. Ils étaient habillés dans le même style que le corbillard. Des plumes, des voiles noirs, des chapeaux melons et des costumes de deuil. Ils n'avaient appris la maladie du roi Nacré que lorsqu'on leur avait annoncé sa mort.

— Pourquoi n'a-t-il rien dit ? demanda une femme dont la voix ressemblait à un grognement et que nous avons prise pour l'une de ses filles.

En fait le roi Nacré avait dit à ses amis et à sa famille qu'il était en vacances à Malte.

— J'adorais cet idiot-là, dit Finty.

Elle n'avait pas travaillé à sa banderole.

C'était ma faute

— Vous avez fait quoi ? crie Napier.

Les veines qui saillissent de son cou ressemblent à de la cordelette violette. Je me tiens à l'entrée de la pièce. Il est debout derrière son bureau presque vide. Entre nous il y a des milliers d'éclats de verre multicolores. Il n'a pas autorisé Sheila à y toucher. Personne ne repartira d'ici avant qu'il ait trouvé le coupable.

Je m'agrippe à mon sac à main. J'ai mal à la tête. Je suis épuisée par le manque de sommeil.

— Je dis que c'est ma faute.

Il hurle de nouveau. Il abat son poing sur le bureau.

— Les clowns ? Les clowns en verre de ma mère ?

— C'était un accident.

Le visage de Napier prend la teinte du fromage blanc.

— C'est la seule chose que j'ai d'elle.

Il attrape quelque chose sur son bureau, et un instant plus tard, l'objet non identifié vole au-dessus de ma tête. Je me baisse pour l'éviter, et l'objet se fracasse sur le mur derrière moi, tombant avec un bruit sourd sur le sol où il rebondit plusieurs fois avant de s'écraser définitivement. C'est un lourd presse-papiers en verre. Je me demande comment tu as pu l'oublier.

Un torrent d'insultes. Il me traite de tous les noms possibles. Il les crache tout en arpentant la pièce, les doigts crispés. Il ne peut pas tenir en place. S'il laisse partir son bras droit, il jaillira et me frappera. Je n'ai jamais été frappée par un homme. Mais je le supporterai. J'y arriverai. Œil pour œil.

Je parle lentement.

— Je suis restée travailler tard. J'ai voulu apporter mon travail sur votre bureau avant de quitter la brasserie. Mais j'ai glissé. Et je suis tombée. Je suis désolée. Je suis vraiment désolée.

Je ne peux pas m'arrêter de dire ça. Je ne sais plus à qui je m'adresse.

Napier s'arrête. Il fait volte-face. Il ne bouge pas, souriant du sourire calme des puissants, ôtant de la poussière des épaules de sa veste. Je ne sais pas ce qui est le plus effrayant, son immobilité ou sa fureur.

— Vous avez glissé ?

— Oui.

— Et vous avez brisé tous mes clowns en verre ?

— Oui.

— Et après vous les avez piétinés ? Enfoncés dans le sol ?

Je ne peux pas le regarder. Je peux juste répéter ce que j'ai déjà dit.

— C'était un accident. Je suis désolée.

Napier s'approche de moi. Il sent la transpiration et la cigarette. Il me touche presque.

— Si vous n'étiez pas une femme, je vous briserais en mille morceaux. (Il parle à travers ses dents pointues.) Fichez le camp. Je ne veux plus jamais vous revoir. Vous comprenez ? Je ne veux pas vous entendre. Je ne veux pas vous sentir. Je ne veux même pas vous croiser dans la rue. Vous comprenez ? Pour votre bien, partez dès ce soir.

Il lève la main et je recule, m'attendant à recevoir un coup, mais il baisse la tête et agrippe la chaise près de moi. Il tremble tant que les articulations de ses doigts deviennent toutes blanches.

— Le poste d'Harold Fry ? chuchoté-je. (Mon pouls palpite dans ma bouche.) Il va le garder ?

Napier pousse un soupir qui ressemble à un rugissement. Je me demande s'il est sur le point de jeter un autre objet lourd, bien qu'en fait il ne reste pas grand-chose. Sauf s'il ramasse la chaise ou balance la table. Puis, sans bouger la tête, il grogne :

— Fichez le camp.

Les mots s'étranglent dans sa gorge. Je m'éloigne. Le plancher craque sous mes pieds. Arrivée à la hauteur de la porte, je remarque le trou plein d'échardes dans le battant, à l'endroit où tu as arraché la serrure à la force de ton épaule. J'ai la main sur la poignée lorsque Napier m'arrête avec une dernière question.

— Ce n'est pas vous qui avez fait ça, Hennessy, n'est-ce pas ?

Ma colonne vertébrale se glace. Je referme la porte cassée avec soin. *Clic.* C'est comme mettre un point à la fin d'une phrase, silencieusement.

Je vais chercher mon sac dans mon bureau. Je dis au revoir à Sheila. Qu'est-ce que je vais faire maintenant ? me demande-t-elle. Je lui dis que je dois retrouver Harold Fry.

C'est la dernière fois que je vois la brasserie.

Il y a une femme qui s'est arrêtée un jour pour regarder mon jardin du bord de mer. Elle était en vacances avec son mari dans le Northumberland et elle se promenait sur le chemin côtier pendant que lui jouait au golf. Ce couple habitait près de Kingsbridge et connaissait la brasserie. Je me souviens qu'elle avait un visage bienveillant, des yeux très doux, et elle a dû penser qu'elle m'avait fait de la peine.

— Non, non, dis-je en essuyant mes larmes. C'est juste que ça fait longtemps qu'on ne m'a pas parlé de la brasserie. Restez, je vous en prie.

Je servis du thé dans les tasses vertes et nous nous sommes assises sur des coussins posés sur le rocher. Elle parla de Napier aussi. « Un accident de voiture », expliqua-t-elle. Et je songeai que tu devais être au courant de tout ça alors que je ne savais rien. Elle sirotait son thé.

— Un homme si bon, murmura-t-elle.

Pendant un instant je crus qu'elle parlait de toi. Ma tasse trembla dans ma main.

— Je connaissais sa mère, Agnès. Il se mettait en quatre pour elle.

— Vous parlez de Napier ?

Elle sourit.

— Bien sûr.

Apparemment il avait appelé sa mère tous les jours jusqu'au soir de sa mort. Une fois par an il louait un minibus et emmenait sa mère et ses amies prendre le thé à Plymouth.

— Un homme plus que charmant, dit ma visiteuse.

Tu vois, les gens sont rarement tels que nous le pensons. Ils ont plusieurs facettes. Même les méchants de l'histoire peuvent finir par nous étonner.

J'aimais bien cette femme qui s'était arrêtée dans mon jardin et m'avait parlé de Kingsbridge. Je lui donnai une bouture de rose pimprenelle. Et parfois, oui, je t'imagine passant devant cette petite rose blanche et sentant son doux parfum.

Une invitation à dîner

Une autre surprise, Harold, hier soir au centre de soins palliatifs. Cela commença ainsi :

— Bon appétit, mademoiselle Hennessy, dit monsieur Henderson.

La salle à manger était pleine et les fenêtres étaient ouvertes. Plusieurs malades mangeaient avec leur famille. Les religieuses portaient des tabliers en plastique pour protéger leur robe, et les bénévoles étaient partis chercher d'autres chaises. Je regardais la douce pluie de juin crépiter sur les roses roses qui tremblaient un peu et diffusaient leur senteur sucrée et fraîche comme des serviettes de lin.

À la table voisine, monsieur Henderson leva son verre d'eau comme pour porter un toast, mais le verre vacilla dans sa main et sœur Catherine dut venir à son secours.

— Espèce de cruche, marmonna-t-il.

— Pardonnez-moi, monsieur Henderson.

— Non, non. C'est moi la cruche. Merci, ma sœur.

Il tourna lentement son visage vers le mien et fit des signes de tête comme s'il approuvait un certain nombre de critiques qui lui seraient adressées. Je secouai à mon tour la tête pour dire non. Non, vous n'êtes pas une cruche, monsieur Henderson. Nous faisons tous des erreurs.

— Je n'aurais jamais cru vivre assez longtemps pour voir ces roses, dit-il. Peut-être que votre ami Harold Fry m'a sauvé la vie, après tout.

Sœur Catherine alluma les bougies qui décoraient les tables, mais pour des raisons de santé et de sécurité, elle dut éloigner le patient avec la bouteille d'oxygène.

Elle donna à chacun de nous un petit vase d'œillets de poète venant du jardin du Bien-être. Elle m'aida à déplier ma serviette et à l'étendre sur mes genoux. Quand les entrées arrivèrent, monsieur Henderson réussit à avaler deux quartiers de pamplemousse. J'en avalai la moitié d'un.

On nous servit du consommé de poulet et monsieur Henderson me parla de sa carrière de professeur. Il reconnaissait, après coup, avoir été trop dur avec ses élèves. Il pensait qu'il avait projeté sur eux la déception qu'il éprouvait envers lui-même. Sa main faisait trembler sa cuiller et un peu de soupe éclaboussa son menton.

— Pardon, pardon, dit-il.

Quant à moi, je ne pouvais manger qu'avec l'aide de sœur Lucy. Et même avec son aide, j'avalais très peu. Pendant que monsieur Henderson parlait, elle murmurait des mots comme « Ah » et « Voyez-vous ça ».

Il dit :

— Autrefois, j'aurais choisi un bon steak. Avec des frites bien fines. Je suppose, mademoiselle Hennessy, que vous auriez demandé le poisson du jour.

Je souris. Pour ma part j'aurais aimé avoir des harengs fumés de Craster avec une tranche de pain noir. Nous nous serions assis dans mon jardin du bord de mer, nos assiettes sur les genoux, et nous nous serions servi un sauvignon bien sec. J'aurais peut-être allumé des bougies dans les lanternes turquoise que j'aurais accrochées aux branches, pour que partout dans le jardin il y ait des yeux bleu foncé.

— Je n'aime pas le poisson, dit sœur Lucy. Ce sont leurs têtes que je ne supporte pas. Je ne peux pas regarder. Ça me donne des frissons.

Pour le prouver, elle frémit, et son tablier en plastique bruissa. Monsieur Henderson nous parla de son ex-femme, Mary. C'était un mariage malheureux. Leur divorce avait été difficile. Monsieur Henderson se représentait lui-même devant la cour ; Mary avait engagé les services d'un avocat londonien qui était aussi un ami de la famille.

— Ç'aurait été tellement plus simple si elle avait choisi quelqu'un que je n'aimais pas. Ils m'ont plumé. (Il s'interrompit pour prendre ses médicaments.) Je les ai perdus tous les deux. Ma femme et mon meilleur ami. Je crains d'être devenu amer.

Ses yeux brillaient.

— C'est trop triste, monsieur Henderson, dit sœur Lucy.

— Ah, fit-il. Ainsi va la vie.

— Qu'est-ce que vous fabriquez tous les deux ? cria un fantôme qui portait un chapeau de paille à large bord. Vous faites des plans au sujet d'Harold Fry ? (Elle désigna un jeune homme à l'air embarrassé qui se tenait près d'elle avec un micro :) Je passe à la radio locale ce soir.

— Ça devient un peu pesant, vous ne trouvez pas ? dit doucement monsieur Henderson. (Et j'acquiesçai pour montrer que oui, ça l'était.) Je suppose qu'Harold Fry compte beaucoup pour vous.

L'irruption de sœur Catherine avec un chariot qui offrait un large choix de desserts nous interrompit.

— Je prendrai la gelée verte, ma sœur, dit monsieur Henderson. Mademoiselle Hennessy, qu'est-ce qui vous tenterait ?

Je désignai un petit bol en verre.

— Et mademoiselle Hennessy prendra la crème renversée.

— Crème Chantilly ? demanda sœur Catherine.

— Crème Chantilly ? répéta monsieur Henderson.

Je secouai la tête.

— Sa tasse déborde, dit monsieur Henderson.

— Sa tasse fait quoi ? dit sœur Lucy.

Elle regarda précipitamment et épongea le sol. Monsieur Henderson me passa une serviette propre.

— Il y a plusieurs années, raconta-t-il, j'aurais suggéré un vin délicat pour le dessert, suivi d'un café et de chocolats à la menthe. Après cela nous aurions pu aller nous promener le long de l'estuaire pour voir le coucher de soleil. Faisiez-vous ce genre de choses avec Harold Fry ?

J'étais si perturbée que je ne pus lever les yeux, mais je sentis qu'il m'observait longuement et profondément, comme s'il lisait dans mon cœur.

— Ah je vois, murmura-t-il enfin. Je vois. Ç'a dû être très dur pour vous.

— Les desserts ! annonça sœur Catherine en nous donnant les bols.

Monsieur Henderson mangea encore moins de dessert que moi. Il ne prenait sa gelée que par petites cuillerées et il avalait très peu. À la fin il l'écrasa avec sa cuiller et mit sa serviette sur le bol. Il s'assoupit brièvement pendant que j'avalais ce que je pouvais de ma crème.

— Je regrette que nous ne nous soyons pas rencontrés des années plus tôt, dit-il. On se serait sûrement bien amusés. Mais c'est la vie. Et peut-être qu'il y a des années, vous et moi ne nous serions même pas remarqués. Contentons-nous de ce que nous avons.

Il indiqua à sœur Catherine qu'il était prêt à partir et elle l'aida à se lever. Il enleva un œillet de poète de son vase et le posa sur ma table.

J'écrivis dans mon carnet pour que sœur Lucy lui montre le message. ***Merci d'avoir dîné avec moi, monsieur Henderson.***

— Je vous en prie, dit-il. Appelez-moi Neville.

Puis sœur Catherine le ramena dans sa chambre.

Ce matin Neville n'était pas assis dans son fauteuil inclinable dans la salle de jour. Il n'était pas là cet après-midi non plus.

La camionnette des pompes funèbres…

Tu connais la suite.

Je glissai la fleur de Neville entre les pages de mon carnet parce que je ne pouvais pas la replanter dans mon jardin.

Un message important et un panier à linge

J'avais un bouquet de fleurs dans les mains. Des chrysanthèmes blancs enveloppés dans du plastique.

— Excusez-moi ! appelai-je.

J'étais devant le portail de ton jardin. De l'autre côté, ta femme étendait le linge. Au début elle ne me remarqua pas. Elle attrapait chaque vêtement un par un dans son panier et les étendait sur le fil. Je me souviens qu'elle portait une robe d'intérieur et qu'elle était éclairée par un pâle soleil. Derrière elle étaient éparpillés des débris de planches en bois et il y avait du verre brisé partout dans l'herbe trop haute. Je compris alors que tu avais détruit ton abri de jardin. Je jetai un œil vers la maison, me demandant si tu m'avais entendue et si tu me regardais, mais de nouveaux rideaux masquaient les fenêtres. Il n'y avait aucun signe de toi.

Avais-tu détruit l'abri avant ou après avoir brisé les clowns en verre de Napier ? Un acte de violence n'avait clairement pas été suffisant. J'avais l'impression que Maureen et toi désiriez que votre jardin soit ainsi saccagé. Ou plutôt, que vous en aviez besoin. Vous aviez besoin de voir la dévastation qui vous habitait. De regarder par la fenêtre et de voir, non pas une pelouse et une barrière, mais le chaos.

Je savais qu'il serait difficile de me confronter à Napier, mais je savais aussi que la conversation avec lui n'aboutirait qu'à une seule chose, ma démission. Là c'était totalement différent. Je voyais ta femme avec son linge, tous ces débris autour d'elle, les rideaux masquant les fenêtres, et je ne savais pas du tout ce qui allait arriver. Je fis demi-tour pour repartir puis je pensai à nouveau à ce que j'avais fait. Je devais venir te trouver et te dire la vérité.

— Excusez-moi, répétai-je.

Cette fois Maureen leva la tête. Elle fronça les sourcils à cause de la lumière et se pinça les lèvres, comme si elle cherchait à savoir si elle était censée me connaître.

— Je m'appelle Queenie Hennessy. Je travaille à la brasserie.

Elle ne répondit pas. Elle tira une taie d'oreiller de son panier et l'accrocha sur son fil avec deux pinces à linge.

Les cheveux de Maureen avaient été coupés court, comme ceux d'un garçon, mais c'était un massacre. Je me demandai si elle avait fait ça toute seule et je pensai aux cheveux de David, la dernière fois que je l'avais vu. Son visage était mince et très pâle.

Je lui tendis mes fleurs. Je ne savais pas si j'avais l'intention de les laisser pour toi, de les lui donner ou si, étrangement, elles étaient en réalité destinées à David. Je ne savais pas du tout pourquoi j'avais acheté ces fleurs en venant chez toi.

— Harold est à la maison ? demandai-je.

J'ignorais si elle m'inviterait à franchir votre portail. Elle ne le fit pas.

— Harold ?

Elle répéta ton prénom comme si je l'avais prononcé d'une façon bizarre. Je lui dis que j'avais quelque chose à dire à son mari. C'était très important.

— Mais il n'est pas là.

Ce n'était pas la réponse que j'attendais. Il ne m'était pas venu à l'esprit que je ne te verrais pas.

— Où est-il ?

— Je n'en ai aucune idée. Dehors. À son travail. Aucune idée.

Maureen retourna à sa lessive. Elle sortit une serviette du panier, et celle-ci avait dû s'entortiller avec le reste du linge, car le visage de ta femme se crispa d'agacement. Elle tira dessus avec force, la jeta par-dessus le fil, prit deux pinces dans sa poche et accrocha la serviette.

— Vous savez quand il sera de retour ?

— Non, répliqua-t-elle sans me regarder. Aucune idée.

Au-dessus de nous, des mouettes s'envolèrent bruyamment. L'une d'elles tenait quelque chose de grand dans son bec – un croûton de pain peut-être – et elle faisait un bruit sauvage qui ressemblait à « Va-t'en, va-t'en ». Les autres tournèrent et se rassemblèrent en criant autour de celle qui avait le pain. Nous avons toutes les deux levé la tête, Maureen et moi.

— Saloperie d'oiseaux, dit Maureen. C'est de la vermine.

Elle me regarda avec insistance. Les yeux qui se mesuraient aux miens étaient larges et intenses, non pas pleins de douleur comme j'aurais pu m'y attendre, mais vifs et chargés de colère. C'était encore l'été mais je sentis un frisson parcourir ma colonne vertébrale.

— Qu'est-ce que vous voulez ? fit-elle.

Je lui demandai hâtivement si elle pouvait te faire passer un message. Je lui expliquai que tu avais été mêlé à un problème à la brasserie. C'était réglé, dis-je. Elle n'avait pas besoin de s'inquiéter. Je n'avais pas eu l'intention de lui raconter toute l'histoire mais comme elle gardait le silence et me regardait avec cet air furieux, je lui révélai tout. J'espérais l'émouvoir, j'espérais qu'elle me manifesterait de la sympathie, et plus elle se taisait, plus je parlais. J'expliquai que tu avais détruit les clowns en verre de Napier, que j'avais prétendu être la coupable et que je devais quitter Kingsbridge. Je dis que la douleur transformait terriblement les gens. Mais tout en prononçant ces mots, je me sentais ridicule. Qui étais-je pour sortir des platitudes alors qu'elle souffrait tant de la mort de son fils ?

Elle me dévisageait, le regard dur. Je remarquai qu'elle serrait les poings.

Je tendis les fleurs.

— S'il vous plaît. Elles sont pour vous.

— Pour moi ?

— Je suis tellement désolée.

Sur ce, je me mis à pleurer. C'était la dernière chose dont elle avait besoin, c'est certain. J'essayai de me moucher et de m'essuyer les yeux mais je vis à sa manière de me regarder qu'elle s'était radoucie. Peut-être avait-elle besoin que quelqu'un d'autre pleure pour avoir une vraie conversation.

Elle s'approcha. Elle s'arrêta en face de moi, de l'autre côté du portail. Maintenant que nous étions proches l'une de l'autre, je voyais le bord rougi de ses yeux. De toute évidence elle n'avait pas dormi.

— Pourquoi ? Pourquoi êtes-vous désolée ? Ce n'était pas votre faute.

J'étais sur le point de crier.

— S'il vous plaît. Prenez-les.

Elle prit les fleurs. Elle effleura les pétales blancs.

— Les fleurs des morts, murmura-t-elle. (Elle émit un rire amer comme si la plaisanterie n'avait de sens que pour elle.) Vous êtes Queenie Hennessy, n'est-ce pas ?

Je me demandai si elle avait écouté quoi que ce soit de ce que je lui avais dit.

— Vous voulez bien informer votre mari que je suis passée lui dire au revoir ?

Elle ne répondit pas, elle se contenta de me dévisager de ses yeux verts comme de la mousse.

— Je suppose que vous êtes amoureuse de lui.

Sa voix était calme, contrôlée. À l'inverse, mon visage était en feu. Maureen ne tressaillit pas et continua à me fixer.

— Il le sait au moins ?

Je balbutiai :

— Non. Pas du tout. Je ne dirai jamais…

Je n'allai pas plus loin. Je ne savais pas comment formuler les choses.

— Oh ! murmura-t-elle comme si malgré moi je lui avais raconté toute l'histoire. Eh bien, prenez-le. Si vous le désirez tant. Entrez dans la maison. Faites sa valise. Allez-y.

Elle jeta un regard par-dessus son épaule, vers les fenêtres. Puis elle se tourna vers moi avec ses yeux sauvages et furieux.

— Allez-y, cracha-t-elle. Et fichez le camp.

J'étais stupéfaite. Soudain je nous vis, toi et moi, côte à côte, toi avec tes gants de conduite et moi assise sur le siège passager. Incapable de me contrôler, je me mis à trembler. Même si les feuilles commençaient à jaunir, nous étions au soleil, Maureen et moi. Et pourtant je ne sentais que le froid. Il avait envahi mes mains, ma peau, mes cheveux.

— Ou alors c'est *moi* qui pars, dit-elle avec un rire amer. Qu'en pensez-vous ? Ça vous conviendrait mieux ?

Elle fit demi-tour et retourna à sa lessive. Elle jeta mes fleurs dans le panier mais quelque chose attira son attention, elle se pencha et, délicatement, en sortit un T-shirt. Je sus tout de suite qu'il avait appartenu à David.

Pour la seconde fois, son visage s'adoucit lorsqu'elle l'accrocha, lorsqu'elle l'arrangea et le lissa sur le fil, comme si David portait son T-shirt et qu'elle traquait les faux plis.

Je pris conscience que son chagrin était aussi infini que le ciel. C'était une forme de folie sans vraiment l'être. Peu importe où Maureen allait, ce qu'elle faisait, ce qu'elle disait, ce qu'elle regardait, son deuil était partout. Elle ne pouvait pas y échapper.

— Je n'ai pas de bonnes photos de lui, dit-elle.

Pendant un instant je crus qu'elle parlait toujours de toi, puis je compris, bien sûr, que ce n'était pas le cas. Dans son esprit, seul David comptait.

— Et maintenant je commence à oublier à quoi il ressemblait. Ça fait seulement quelques semaines que je l'ai perdu mais quand j'essaie de le voir dans ma tête, des petites parties de lui sont déjà brouillées et je n'arrive pas vraiment à le retrouver. Comment ma tête peut-elle me faire ça ?

Elle avait dit ça avec étonnement. Je ne savais pas quoi dire. En te racontant cette histoire maintenant, je me rends compte que Maureen ne s'attendait pas à ce que je réponde. Elle ne le souhaitait pas non plus. Elle avait juste besoin de prononcer ces mots et que quelqu'un les entende. Elle n'attendait pas de moi que je l'aide, parce que personne ne pouvait l'aider. C'était moi qui étais face à elle mais ç'aurait tout aussi bien pu être un voisin ; pour elle, c'était du pareil au même, puisque nous n'étions pas David.

Elle arrangea les manches du T-shirt.

— Mon fils s'est rendu à Lake District. Il allait bien à cette époque. J'avais une photo de l'endroit où il était. Quand la nuit tombait, je pouvais me dire : « C'est la nuit pour lui aussi. » Même chose avec le jour. Mais maintenant, je n'en ai plus la moindre idée. Je ne sais pas du tout où il est. Tout ce que je sais c'est que je ne le reverrai plus jamais.

Elle se mit à pleurer. Ce fut très discret au début, mais très vite cela se transforma en petits sanglots saccadés, comme des cris de détresse. Elle était debout sous le ciel bleu pâle, et sa silhouette menue était secouée de spasmes de chagrin. J'étais mal à l'aise d'être là, c'était trop intime. Mais ç'aurait été l'abandonner que de partir. Alors je restai simplement là, près du portail, essayant de ne pas baisser la tête et de ne pas pleurer avec elle. Quand elle eut fini de pleurer, elle s'essuya rageusement le visage.

Elle dit :

— Alors si vous voulez mon mari, prenez-le. Mais sinon, sortez de notre vie.

Maureen se pencha vers son panier. Cette fois elle étendit une collection de chaussettes pour homme. C'étaient les tiennes. La douceur avec laquelle elle avait étendu le T-shirt de David avait disparu. Elle sortait les chaussettes une par une et les balançait sur le fil, laissant un grand espace entre elles, si bien qu'on aurait dit une enfilade de pieds séparés. Ce linge avait un côté nu et solitaire. Elle regarda ce qui était probablement un panier vide avec des chrysanthèmes. Et alors qu'elle venait de finir d'étendre son linge, elle se mit à retirer les pinces et à arracher les chaussettes pour les remettre, une par une, dans son panier. Quelques minutes plus tard, il n'y avait plus rien sur le fil. Je me demandai si elle expliquerait ce qu'elle venait de faire mais elle ne le fit pas, elle jeta un œil mauvais au panier de linge mouillé qui contenait toujours mes fleurs, comme si elle détestait tout ça.

— Vous vous rappellerez ? Vous lui direz que je suis venue lui faire mes adieux ? demandai-je.

J'avais le cœur au bord des lèvres. Elle tourna la tête vers moi. Ses yeux étincelaient de colère.

— Vous n'êtes pas encore partie ? hurla-t-elle.

Je reculai en vitesse. Je descendis si vite Fossebridge Road que je sentis mes jambes trembler, mais je n'allais pas encore assez vite. Ce n'est qu'une fois arrivée au bas de la colline que je m'arrêtai et regardai en arrière. Elle était là, devant le fil, étendant de nouveau son linge. Je me dis qu'elle faisait peut-être ça depuis des heures. Cela pourrait durer des jours et des jours. Et même si elle m'avait dit qu'en fait elle ne t'aimait pas, que je pouvais te prendre si je voulais, je voyais le poids énorme qui pesait sur ses épaules et je savais que, quoi qu'il arrive, elle avait raison. Je ne voulais pas t'arracher à elle. Je n'avais jamais voulu ça.

J'avais entrepris de t'aimer tranquillement, en retrait. Et au lieu de ça, je m'étais mise au beau milieu de votre vie, et j'avais tout gâché.

Je jetai un dernier regard à Maureen. Elle s'essuya les yeux et se moucha. Puis elle souleva son panier vide. Elle le porta sur sa hanche jusqu'à la porte arrière de la maison, passant avec précaution au-dessus du verre cassé et des morceaux de bois. Elle ne se retourna pas.

Je te laissai partir, Harold, parce que tu n'étais pas à moi et que tu ne le serais jamais. Tu appartenais à ta femme.

La dernière à partir

Dans la nuit, ma porte s'ouvrit et un rai de lumière traversa la chambre. Une minuscule silhouette apparut, si petite que je crus tout d'abord qu'un enfant me rendait visite.

— Je dois trouver mon lit.

C'était Finty. Elle courait dans la chambre comme un lutin. Elle était nue. Elle n'arrêtait pas de bouger. Elle regarda dans mon placard et derrière mes rideaux. Elle n'avait pas l'air de savoir que j'étais là.

— Où est-il parti ? Bordel, où l'ont-ils mis ?

— Non, non, dis-je.

J'essayai de l'appeler par son prénom, mais ça ne l'arrêta pas. Elle vérifia derrière la porte et, n'y trouvant pas son lit, elle se mit à quatre pattes et chercha sous mon fauteuil. Ses fesses nues n'étaient plus que deux articulations pointues.

Se tournant tout à coup, elle remarqua mon lit. Mais elle ne vit pas que j'étais dedans. Elle tira les couvertures et sauta à mes côtés. Son corps était blanc et froid. Elle claquait des dents.

— J'ai tellement chaud, dit-elle.

Elle rejeta les couvertures. Son corps luisait dans la lumière pâle. Même couchée elle ne tenait pas en place. Elle n'arrêtait pas de tirer sur les draps et de les repousser avec ses pieds et ses mains.

— Finty ? dis-je. Sois la chaleur.

Je ne sais pas comment mais elle m'entendit. Elle tourna son visage vers le mien, et ce fut comme si elle venait de m'apercevoir, parce qu'elle sourit. Elle ne portait pas de rouge à lèvres, et ses sourcils n'étaient pas dessinés au crayon. Son visage ressemblait à un masque.

— J'ai des flammes dans la tête, Queenie.

— Je sais, je sais. Sois les flammes.

— Je ne me sens pas très bien.

— Ne lutte pas contre la chaleur, Finty. Tu m'entends ? Deviens une partie de la chaleur.

Elle se tint soudain si immobile que je pensai qu'elle s'était endormie. Peut-être dormit-elle un peu. Puis j'ai tourné la tête pour vérifier et le blanc de ses yeux, aussi grands que des balles de ping-pong, brillait dans le noir. Elle me fit un sourire. Sans dents, bien sûr. Je me demandai si elle commençait à aller mieux. Sa main n'était plus aussi froide. Je sentais la chaleur de ses pieds.

— Tiens-moi, ma fille, me demanda-t-elle.

Je l'entourai de mon bras. Elle était aussi menue qu'un os.

— Chante, ma fille.

Je ne savais pas quoi faire d'autre alors je me mis à fredonner une comptine. *Trois Souris aveugles.* La seule chanson qui me vint à l'esprit. J'entendais le râle qui sortait de sa poitrine.

— J'ai passé les meilleurs moments de ma vie ici, dit-elle.

Puis elle se figea pour prendre une nouvelle inspiration. C'était comme si on traînait un objet très lourd sur le plancher. Face au silence qui suivit, je craignis d'avoir entendu son dernier souffle, je ressentis sa perte au plus profond de moi et je faillis hurler de chagrin, mais elle lâcha un autre souffle, aussi long et pesant que le précédent. Je la serrai dans mes bras.

J'écoutai sa respiration laborieuse jusqu'à ce que la mienne suive la sienne et que nous respirions enfin au même rythme. Puis je laissai mon esprit vagabonder. Je pensai à ce matin où ta première lettre était arrivée et où tout avait changé. Je me rappelai le jour où Finty m'avait obligée à prendre une boisson protéinée. Je pensai aussi à ce que nous avions fait ensemble, elle et moi. L'organisation de nos enterrements et la banderole. Je revis les chapeaux de Finty. Le turban vert, le chapeau de pêcheur jaune, le chapeau en feutre rose. Elle sourit. Du moins je le crus. Peut-être était-ce une grimace de douleur. En tout cas, elle ferma les yeux. Je gardai sa main dans la mienne et je m'endormis.

Quand je me réveillai, sœur Lucy me portait dans le couloir. Elle n'avait nul besoin du fauteuil roulant. La lumière du matin tombait dans le couloir comme des flaques de soleil. Il ne fallait pas que je le prenne trop mal, répétait-elle.

Je n'eus pas besoin de demander pourquoi.

On était le 22 juin.

L'entrepreneur des pompes funèbres arriva au moment du café du matin.

Une carte postale

Trois jours se sont écoulés depuis la dernière fois que je t'ai écrit. Je n'étais pas assez bien pour quitter ma chambre, mais j'ai offert un bel enterrement à Finty par la pensée. J'ai posé sur son cercueil des roses trémières de mon jardin. J'ai aussi mis du romarin pour le souvenir et des giroflées. Je lui ai trouvé un chœur de gospel pour chanter la chanson du *Titanic* de Céline Dion, *My Heart Will Go on.* Il y avait des sodas alcoolisés dans des verres avec des pailles, les gens étaient habillés de rouge et de jaune et dansaient dans le parking, exactement comme elle le souhaitait. Depuis, ma mauvaise santé m'a empêchée de t'écrire tranquillement.

Mes pèlerins se sont échappés et ont continué sans moi. Je pense à Finty en train de mourir à côté de moi et ça ne me fait pas peur, mais il y a des tas de mots que j'aurais voulu lui dire au lieu de lui chanter *Trois Souris aveugles.* Je ne sais pas si les choses se terminent ou si elles disparaissent. Je ne sais pas si elles commencent ou si elles apparaissent. On pense qu'on aura le temps de dire adieu mais les gens ont tendance à partir sans crier gare. Et je ne parle pas seulement de ceux qui meurent.

Je vais rarement dans la salle de jour et quand j'y vais, je m'installe loin des autres, près de la fenêtre. Je n'apprends pas les prénoms des nouveaux patients. Je ne vais pas aux séances de musicothérapie et je ne laisse pas sœur Lucy me faire les ongles. Je reste assise et j'attends, et chaque jour je me demande où tu es et si tu vas arriver, et parfois c'est épuisant de penser autant à l'avenir, de me poser toutes ces questions.

— Harold Fry a envoyé une carte postale, dit sœur Lucy. Il a quitté Newcastle. Maintenant il se dirige vers Cambo. Il est presque arrivé, Queenie. Tu veux voir l'image ?

Je regarde mais j'avoue que tout est brouillé et que je ne vois rien. Juste la main de sœur Lucy, toute rose et pleine de vie.

Le chien couleur feuille-morte

Un chien est apparu. Il est teigneux, avec des poils drus et une queue recourbée, et il a la couleur d'une feuille d'automne. Il m'apporte sans arrêt des pierres. Il les pose sur mon lit et attend que je les lui jette.

— Va-t'en, lui dis-je. Je ne joue pas.

Mais après ça je bouge et les pierres tombent de mon lit et roulent à travers la chambre. Le chien va les chercher. Il prend une pierre dans sa gueule et revient près de mon lit. Il se met sur ses pattes arrière et pose avec précaution la pierre entre mes doigts. Ensuite il s'assoit et fixe ma main, haletant un peu, la tête penchée sur le côté, comme s'il fallait écouter avec attention lorsqu'on attend une pierre.

— Tu vois, tu aimes mon jeu, dit le chien. On s'amuse vraiment quand on a pigé le truc.

Le chien lève la patte.

— Oust, dis-je, rentre chez toi. Ou joue avec le cheval là-bas. Il mange les rideaux. Je ne veux pas de toi.

Le chien remue la queue.

— Je peux attendre aussi longtemps que tu veux, répond-il. C'est si amusant d'attendre, une fois qu'on a pigé le truc. Ça fait partie du jeu finalement.

Beaucoup d'agitation et de dérangement

Je faisais la sieste au soleil quand je fus réveillée par des chants et un orchestre. Ça ne semblait pas venir des sœurs et ça ne ressemblait pas non plus à une séance de musicothérapie. D'autres malades s'aperçurent du bruit et regardèrent vers le portail du centre. Leurs amis et leurs familles traversèrent la pelouse vers l'entrée pour aller voir. De l'autre côté du portail, il y avait un groupe de gens sur le trottoir, avec des banderoles, des drapeaux et des panneaux. Il y avait beaucoup de couleurs vives, des costumes de théâtre et des instruments de musique. Il y avait apparemment aussi un stand de hot dogs et un gorille qui dansait avec une femme en maillot de bain.

Je me dis que j'avais de nouveau une hallucination à cause des médicaments.

— Qu'est-ce qui se passe dehors ? demanda sœur Philomena en levant le nez de son livre.

Je portai mes mains à mes yeux pour les protéger du soleil. Sur le trottoir un homme coiffé d'un chapeau demanda le silence à l'aide d'un mégaphone. Je n'entendis pas grand-chose de ce qu'il disait parce que le vent s'était levé dans le jardin et que les arbres s'agitaient, leurs branches claquaient. Ce que je parvins à saisir, c'est : « Nous avons réussi. Nous sommes là. » Plusieurs fois. Puis, bizarrement, ils se mirent à scander mon nom. « Queenie, Queenie. »

— Excusez-moi un instant, dit sœur Philomena.

Elle ôta ses lunettes et se mit debout. Je la regardai remonter énergiquement l'allée en direction du portail. La foule l'aperçut et se tourna vers elle comme les membres d'une famille accueillant un médecin venu leur annoncer des nouvelles décisives et affichant leur plus beau sourire comme si ça pouvait avoir un quelconque effet sur le diagnostic. Il y eut de nouveaux applaudissements, mais sœur Philomena leva la main pour demander le silence et secoua la tête avec agacement. Elle pressa le bouton pour ouvrir le portail et passa de l'autre côté, refermant soigneusement derrière elle. Le flash d'un appareil photo crépita à son arrivée.

Je ne sais absolument pas ce qu'elle dit au groupe mais je vis l'homme de haute taille lui prendre la main en hochant la tête avec gravité. Il frappa légèrement dans ses mains, et je ne sais comment, mais cela entraîna une salve d'applaudissements qui semblaient lui être destinés. Il y eut d'autres flashes, d'autres voix dans le mégaphone, d'autres salves d'applaudissements. Le groupe commença à s'éparpiller, certains se dirigeant vers le bord de mer, d'autres vers la ville. Je les vis se faire leurs adieux, se taper dans le dos et dans les mains, tout en se souhaitant un bon retour. Quelques-uns se déplaçaient les bras en l'air et les mains jointes au-dessus de la tête en signe de victoire.

Quand sœur Philomena nous rejoignit dans le jardin, elle portait un nouveau panier plein de petits pains et un bouquet de lis. Son visage était empourpré, comme si elle venait de courir un marathon.

— Ce type est un insupportable connard, déclara-t-elle. (Elle me regarda et me fit un clin d'œil.) Je n'ai évidemment pas dit ça.

Ce soir sœur Lucy m'a amenée dans la salle de jour pour que je voie les nouvelles à la télévision. Nous nous sommes tous réunis, les malades, leurs familles et amis, les bénévoles et les religieuses. L'homme au chapeau a fait un discours face à la caméra, et on a vu ensuite sœur Philomena devant le portail.

— C'est vous ! dit l'un des malades. Vous êtes célèbre !

— J'espère bien que non, répondit doucement sœur Philomena.

Derrière elle la caméra montra une vue du jardin et d'un homme arrosant le gazon.

— C'est moi ! s'écria un bénévole.

Quelqu'un l'a acclamé, et une image de toi apparut sur l'écran. Le silence s'était installé. Tu marchais le long d'une route mais tes épaules étaient voûtées comme si tu portais une charge invisible et tu avais l'air terriblement fatigué. Tu te trouvais sur une voie très fréquentée. Les voitures faisaient des écarts pour t'éviter.

L'homme au chapeau était de retour et il disait au journaliste que c'était dommage. C'était dommage qu'Harold Fry ait dû abandonner.

— À cause de la fatigue et pour raisons personnelles. Mais Queenie est en vie, c'est l'essentiel. C'est une chance que j'aie pu être là avec mes amis.

Deux jeunes garçons surgirent et l'homme les souleva comme s'ils étaient des trophées humains.

— Oh, ça suffit avec ces idioties.

Sœur Philomena s'empara de la télécommande et éteignit la télévision. Personne ne parla. Nous étions tous soudain très occupés, scrutant nos mains, la vue par la fenêtre, ce genre de choses. Peu à peu les malades et leurs proches commencèrent à s'en aller. Même les sœurs et les bénévoles s'affairèrent. Je restai seule au milieu de la pièce, regardant l'écran vide et noir de la télévision. Je revoyais ton visage, l'air douloureux de tes yeux, tes joues creuses, ta barbe fournie.

L'un des bénévoles se dirigea d'un air résigné vers le coin Harold Fry et se mit à enlever les punaises. Il retira les cartes postales une à une et roula la banderole de BIENVENUE de Finty.

Sœur Lucy s'agenouilla à mes côtés. Elle essuya mes larmes.

— Voulez-vous m'aider à finir mon puzzle ? demanda-t-elle.

Nous avons placé les dernières pièces près de la frontière écossaise. Elle dit qu'elle réfléchissait au puzzle qu'elle allait choisir à présent. Et au bout d'un moment elle ajouta :

— Il est toujours en train de marcher, Queenie. Je le sens au fond de moi.

Les organisateurs de la veillée sont partis. Ce soir je n'entends que le frémissement des feuilles et la mer.

Il n'y a plus que nous. Moi, qui attends. Toi, qui marches. Depuis que je t'ai vu, Harold, nous sommes revenus à l'essentiel.

Un dernier effort pour arrêter de penser

— Vous croyez que vous êtes la seule personne au monde à attendre ? demanda sœur Mary Inconnu.

Elle marchait de long en large. J'aurais voulu qu'elle s'arrête parce que la lumière qui filtrait par la fenêtre était vive et qu'il est parfois difficile de suivre une religieuse qui déambule de long en large. J'avais constamment l'impression de perdre sa trace.

— Le monde est plein de gens comme vous, qui attendent que ça change. Ils attendent un travail. Un amant. Ils attendent de pouvoir manger un morceau. Boire un verre d'eau. Toucher le billet de loterie gagnant. Alors ne pensez pas à la fin. Visualisez ces gens. Visualisez leur attente.

J'avoue que je poussai un soupir. Je secouai la tête.

— Comment ça peut m'aider ? dis-je avec les yeux.

Elle s'assit. Au moins elle avait cessé de bouger. Puis elle dit :

— Si vous imaginez des gens comme vous, vous ne serez plus seule. Et quand on peut partager, on constate que son chagrin n'est pas si gros ni si extraordinaire après tout. Vous êtes juste une personne parmi d'autres à être triste, et bientôt ça passera et vous serez une autre personne, une personne joyeuse. Je trouve que ça atténue les choses de la vie de voir qu'on n'est pas seul.

Sœur Mary Inconnu sortit un sac de bonbons de sa poche et en suça un pendant un long moment. Ça devait être agréable parce qu'elle n'arrêtait pas de balancer ses pieds d'avant en arrière. Elle reprit enfin :

— Dans quelques jours, Harold arrivera et vous terminerez votre lettre. Mais vous savez ce que vous devez faire pour y arriver ? Pour continuer à attendre ?

Je gémis. Je ne savais pas mais je me doutais déjà que ça ne me plairait pas. Elle se pencha un peu plus près. Son haleine sentait l'anis.

— Ça ne sert à rien de se projeter dans l'avenir. Ça ne sert à rien de penser que la vie s'améliorera quand on aura une nouvelle télévision ou un nouveau travail. Vous devez arrêter d'espérer un changement. Vous devez simplement *être* le changement.

Être le changement ? C'était trop pour moi.

Sœur Mary Inconnu ramassa ses feuilles et fit quelques modifications avec son stylo correcteur.

— Je suis là. Vous êtes là. Il y a un pigeon dans l'arbre. Et oui, en effet, aujourd'hui est une journée difficile.

La nuit est tranquille. Elle est à l'écoute. Un oiseau crie, peut-être un hibou. L'une des infirmières de service dit que la garde a été longue.

— Quelqu'un veut une tasse de thé ? propose-t-elle.

— J'ai hâte de pouvoir allonger mes jambes, dit une autre.

Je me représente l'infirmière qui voudrait allonger ses jambes. Par la pensée, je vais lui chercher une chaise puis me dirige vers ma maison du bord de mer et fais bouillir de l'eau pour son thé, exactement comme je l'aurais fait si elle s'était arrêtée dans mon jardin et que nous avions commencé à bavarder, elle et moi.

Je nous vois assises côte à côte, l'infirmière qui attend de pouvoir allonger ses jambes et moi, la femme qui attend Harold Fry. Et ensuite, d'autres personnes se joignent à nous. Un homme qui attend de bonnes nouvelles. Un étudiant qui attend les résultats d'un examen. Une femme qui attend un enfant. Prenez un siège. Prenez un siège. Regardez mon jardin du bord de mer pendant que vous attendez.

Nous attendons. Nous attendons. Ce n'est plus si difficile à présent. Sœur Mary Inconnu avait raison.

Je me demande qui je suis maintenant

— Vous ne seriez pas Queenie Hennessy ? demanda une femme dans la salle de jour. Celle qu'Harold Fry voulait sauver en marchant ?

La femme rendait visite à un patient. Elle avait apporté un ours en peluche bleu.

Interlude poétique

Il était une fois un homme tendre
Qui ne voulait pas que son amie meure.
Il lui enjoignit de l'attendre,
Et dès lors n'écoutant que son cœur
Il sortit de chez lui sans rien prendre.

Il était une fois un garçon très gentil
Qui n'avait pas beaucoup d'amis.
De noires pensées emplissaient sa tête
Alors un soir il se rendit dans l'abri où il se pendit
Et ses lèvres rouges devinrent violettes.

Il était une fois une nonne à cornette qui disait
Qu'il est si simple d'attendre
Et que je ferais mieux d'écrire sur mon carnet…

— C'est ce qui vous arrive quand vous prenez ces médicaments, dit sœur Mary Inconnu. Ce que vous dites n'a plus aucun sens.

Elle range sa machine à écrire et mange une orange.

Une mouche

J'ai entendu une mouche bourdonner.

Elle se déplace en petites lignes droites comme si elle était retenue à l'intérieur d'une boîte invisible au-dessus de ma tête. Elle bourdonne en se dirigeant vers le nord, s'arrête brutalement, vire vers l'est, tourne encore et s'oriente vers le sud. Là, elle vire de nouveau et bourdonne en traçant une ligne qui va vers l'ouest jusqu'à ce qu'elle rejoigne son point de départ. Elle a fait ce même manège toute la journée. Elle n'a pas l'air de se fatiguer. Elle bourdonne juste dans le calme.

L'arbre qui fait rire

Il faisait chaud ce matin-là et sœur Lucy se dit que j'apprécierais d'être assise dehors.

— Ça me ferait du bien, dit-elle, de sentir un peu de soleil sur mon visage.

Elle m'installa avec douceur dans mon fauteuil et m'emmena dans le jardin. Elle alla chercher une chaise et s'installa près de moi à l'ombre d'un arbre. Elle me tenait la main.

Elle se mit à me parler de son enfance. J'essayais de toutes mes forces de rester attentive mais j'avoue que de temps en temps je fermais les yeux et je me perdais dans mes pensées. Si elle n'avait pas été appelée par Dieu, elle aurait été esthéticienne. J'ouvris les yeux, je souris et elle sourit aussi. Elle dit :

— On peut aimer Dieu et avoir de beaux cheveux.

Puis elle ajouta que c'était son anniversaire mardi, et j'ai pensé que je ne serais pas là. Que je ne serais pas là mardi. Je suis déjà presque partie. Mardi me paraît être à des mois de distance. Presque une autre saison.

Quand je me réveillai le soleil avait bougé et sœur Mary Inconnu avait pris la place de sœur Lucy. Nous sommes restées un moment comme ça. Sans rien dire. Contemplant juste le jardin, assises à l'ombre de l'arbre géant.

Soudain sœur Mary Inconnu eut un hoquet. Elle plaqua sa main sur sa bouche mais un autre hoquet suivit, puis un autre. Je compris qu'elle riait.

— Qu'y a-t-il ? demandai-je, ou quelque chose de ce genre.

Elle eut un nouvel éclat de rire et celui-ci fut accompagné d'un énorme postillon. Elle dut se tenir le ventre et lever les pieds. Tout en essuyant ses larmes de joie, elle désigna quelque chose au-dessus de nos têtes. Puis elle pointa son doigt vers l'arbre. Elle riait tant qu'elle ne pouvait pas parler.

Pourquoi était-ce si drôle ? L'arbre ? Mais alors que je me posais cette question, je jetai un coup d'œil dans cette direction, et je me mis à sourire.

— Regardez les branches. Regardez les feuilles. Si on regarde vraiment, on voit que c'est magnifique. C'est tellement parfait qu'on ne peut que rire !

Maintenant qu'elle l'avait dit, je me demandai pourquoi je ne l'avais pas remarqué plus tôt. L'arbre audessus de nous ressemblait à une voûte de feuilles brillantes vert citron, chaque feuille ayant la forme d'un œil aux bords parfaitement réguliers. Là où le soleil se posait, elles étaient d'un vert lumineux alors que celles qui étaient dans l'ombre étaient d'un vert plus soutenu. Je considérai le torse solide que formait le tronc, les ondulations et les rides dans l'écorce grise, la laiteuse couche de mousse aux endroits que le soleil n'atteignait pas. Je contemplai l'énorme nœud que formaient les cinq branches centrales, comme de solides épaules, puis je regardai l'enchevêtrement de branches et de feuilles. J'observai les insectes dans les fleurs, les oiseaux sur les branches supérieures. Sœur Mary Inconnu avait raison. Cet arbre était une merveille. C'était hilarant.

Nous étions assises là à pleurer de rire. Puis le vent se leva, les grandes branches tremblèrent et les feuilles s'agitèrent.

— Ha ha ! faisait l'arbre. Regardez ces drôles de dames. L'une avec une cornette, l'autre dans un fauteuil roulant. Regardez comme elles sont belles.

Sœur Mary Inconnu s'essuya les yeux avec son mouchoir.

— Mon Dieu. Nous devrions nous asseoir et rire des arbres plus souvent.

Une mauvaise nuit

Je n'arrive pas à dormir. Je reste allongée tranquillement, mais je n'en peux plus de cette tranquillité, je ne la supporte plus, je dois me lever. Quand je suis debout pourtant, ça ne va pas non plus. Je ne sais pas ce que je cherche, rien sans doute.

La nuit dernière j'étais désorientée. J'ai dû me lever à un moment parce que l'infirmière de garde m'a retrouvée dans le couloir. Elle m'a aidée à me recoucher, et pendant un instant, j'ai pensé que le sommeil viendrait.

Mais j'avais tort. Rester allongée était hors de question. C'était comme d'être suspendu la tête en bas quand on est censé être sur ses pieds, et je me levai de nouveau. Je dis que je devais trouver sœur Mary Inconnu.

C'est là que j'ai ouvert mon placard. Ma force me surprit. Je me dis que j'allais peut-être mieux et que mon état avait dû s'améliorer. Je n'étais pas fichue de me rappeler l'endroit où on rangeait sœur Mary Inconnu.

L'infirmière de garde me prit par le bras.

— Vous avez besoin de dormir, Queenie. Rappelez-vous, Harold Fry est presque arrivé. Nous l'attendons pour demain.

J'avoue que je ne savais absolument pas de quoi elle parlait. Je pensais juste à finir la lettre, tu comprends.

L'infirmière de garde me guida jusqu'à mon lit. Elle mit des bandages propres sur ma plaie. Elle baigna mon œil fermé. Elle me nettoya la bouche et alla chercher un patch antidouleur.

Un peu plus tard, sœur Mary Inconnu vint aider. Elle s'allongea à mes côtés sur le lit, et quand j'essayai de me lever elle s'étendit sur moi, son visage près du mien, les bras et les jambes écartés.

Je pensai : « À l'aide, à l'aide, à l'aide ! Une religieuse d'un mètre quatre-vingts qui porte une cornette pointue est en train de m'étouffer. »

Puis je la sentis toute proche de moi, je perçus sa respiration, et je m'endormis.

Le visiteur

Quand je me suis réveillée ce matin, j'ai senti une griffe plantée dans mon bras puis j'ai compris que c'était ma propre main. Sœur Mary Inconnu me frotta les doigts et souffla sur les articulations, mais ça n'allait toujours pas. Je pouvais à peine lever les mains. J'essayai de lui écrire un message mais c'était difficile et je laissais sans arrêt tomber le crayon. Comment allais-je continuer ma lettre ?

Je ne veux pas que HF me voie comme ça. Après tout, j'avais fait ce que je devais faire. J'avais attendu.

— Mais il doit vous voir. C'est la fin de son voyage. Ça ne sera jamais terminé s'il ne vous voit pas.

Vous ne pouvez pas lui dire que je suis morte ?

Elle lut mon message et se mit à rire.

— Non, dit-elle, vous êtes drôle ! Bien sûr que je ne peux pas. En plus, vous n'avez pas terminé votre lettre. Vous n'avez pas non plus terminé votre voyage, Queenie Hennessy.

Je commençais à pleurer et ne voulais pas qu'elle s'en aperçoive. Pendant tous ces jours que j'ai passés à t'écrire, une partie de moi est restée calme, parce que tant que j'avais autre chose à te dire, je n'avais pas besoin d'écrire la fin. Mais à présent, il ne me reste plus que la dernière partie de ma confession à coucher sur le papier, et je croyais que je n'aurais plus peur mais je me trompais, Harold. Je suis désolée.

Sœur Mary Inconnu remit le crayon dans ma main mais il glissa de mes doigts. Elle essaya encore. Même chose. Le soulagement m'envahit. Je pensai : « Je ne peux pas le faire. Je suis trop faible pour aller jusqu'au bout. Elle va s'en apercevoir. »

Nous avons été interrompues par des pas rapides dans le couloir. Ma porte s'ouvrit brusquement.

— Harold Fry arrive ! Il est ici ! cria sœur Lucy en faisant irruption dans ma chambre. Je viens de le voir !

— Bien, si vous voulez bien nous excuser, dit sœur Mary Inconnu, un peu contrariée.

Mais la jeune religieuse était tellement excitée qu'elle courut jusqu'à la fenêtre et tira le rideau. Les anneaux crissèrent sur la tringle. Se tenant sur la pointe des pieds, elle regarda vers l'entrée du centre, les doigts écartés sur le rebord de la fenêtre.

— Oui, Queenie ! C'est lui ! Il est enfin arrivé !

Mon corps me parut très froid comme si j'étais en proie aux assauts du vent de la mer du Nord. « Non, non, je ne suis pas prête, songeai-je. C'est trop tôt. Ma lettre. Ma lettre n'est pas terminée… »

De son poste d'observation à la fenêtre, sœur Lucy commentait ton approche.

— Il marche très lentement. Mais… Il a une barbe. Et ses cheveux sont longs. Ses chaussures sont… (Elle plissa les yeux.) Oh, mon Dieu ! Ses chaussures, elles sont… Ses chaussures sont scotchées à ses pieds. Elles sont scotchées avec un truc bleu. Pauvre homme. Je me demande pourquoi.

À chacune de ses remarques, sa voix devenait plus faible. C'était comme d'entendre quelqu'un qui n'avait plus de batterie.

— Oh, mon Dieu, chuchota-t-elle. Il a une mine épouvantable.

Pendant un petit moment, elle se tut. Nous sommes restées silencieuses toutes les trois, attendant que retentisse la sonnette de la porte d'entrée, attendant ton arrivée. Sœur Mary Inconnu pencha la tête sur le côté. J'entendis le craquement d'une conduite d'eau usée, le pépiement d'un oiseau dans le jardin du Bien-être. Et même un rire d'enfant. Mais pas de sonnette.

Sœur Lucy porta ses mains à sa bouche.

— Oh non. Qu'est-ce qu'il fait ? Il s'en va.

Il s'en va ? Je regardai sœur Mary Inconnu, mais elle hocha la tête comme si ça n'avait rien de surprenant.

— Pourquoi ? demanda sœur Lucy. Pourquoi n'est-il pas entré ?

Elle secoua les plis de sa robe, comme si quelque chose s'y était accroché.

— Il reviendra sûrement, dit-elle. J'en suis sûre. Je vais aller me renseigner. Attendez ici, Queenie.

Comme si je risquais d'aller où que ce soit. Je souris. Sœur Mary Inconnu sourit aussi.

Je savais. Je savais pourquoi tu n'étais pas entré. C'était pareil pour nous deux, n'est-ce pas ? Nous étions aussi effrayés l'un que l'autre. Et tu sais, si je pouvais revenir en arrière et refaire dans l'autre sens tout le chemin parcouru, je le ferais probablement. Les fins, apparemment, ne sont pas aussi bien qu'on le pense.

— Vous allez devoir faire le premier pas, Queenie, dit sœur Mary Inconnu.

Je fronçai les sourcils comme si je ne comprenais pas, mais elle ne fut pas dupe.

— Il est temps que vous racontiez votre dernière histoire à propos de David.

Quand sœur Lucy vint fermer mes rideaux pour la nuit, elle ne reparla pas de ta visite. Elle ne dit pas que tu étais reparti. Je montrai ma main. Je désignai les bandages sur la table de nuit. Je montrai le crayon.

Sœur Lucy fronça les sourcils. Elle jeta un œil vers la porte comme si elle craignait que quelqu'un entre. Elle dit :

— Non, non Queenie, je ne peux pas faire ça.

L'infirmière de garde nous interrompit pour examiner mon visage. Elle nettoya les lésions et baigna mon œil. Elle demanda si je préférais de la morphine ou des patchs antidouleur mais je secouai la tête. J'avais besoin d'avoir les idées claires.

Quand l'infirmière fut sortie, sœur Lucy s'assit près de moi. Sa robe blanche immaculée craqua légèrement.

— D'accord Queenie, je vais le faire.

Elle prit ma main et le crayon et, pendant qu'elle déroulait la bande, j'observais son visage. Les mèches de cheveux bruns au-dessus de ses oreilles, les poches pâles sous ses yeux. Elle avait l'air fatiguée. Elle enroula la bande autour de ma main et du crayon, la lissant avec soin pour qu'il n'y ait pas de pli susceptible de me blesser.

— Ça fait si longtemps que j'ai envie de vous comprendre, Queenie. Mais ce soir je préférerais presque que ce ne soit pas le cas. Vous voulez votre carnet ?

Elle me le passa et tourna la page pour que j'aie suffisamment de place.

J'écrivis pour elle : ***Bon anniversaire.*** Je mis un moment à m'habituer au crayon attaché à mes doigts.

Regardant ce que j'avais noté, sœur Lucy fronça les sourcils.

— Mais ce n'est pas aujourd'hui. C'est la semaine prochaine, vous vous souvenez ?

Je fis un signe de la main pour qu'elle arrache la page. Je la pliai en deux puis encore en deux et la glissai entre ses doigts. Elle avala sa salive et secoua doucement la tête, comme pour empêcher les larmes d'envahir ses yeux.

Elle demanda si j'avais besoin d'autre chose, si elle pouvait me brosser les cheveux pour m'aider à me détendre, mais je fis non de la tête.

— Voulez-vous que je reste avec vous ? demanda-t-elle. Je peux rester le temps que vous voulez.

De nouveau, je fis non de la tête.

La lumière qui vient de la fenêtre baisse. La nuit est presque tombée. Je dois continuer à écrire.

La dernière confession de mademoiselle Queenie Hennessy

Il y a vingt ans, Harold, tu as enterré ton fils. Et ce n'est pas quelque chose qu'un père devrait faire. Et c'est ma faute, c'est ma faute.

Tout au long de ma vie, j'ai fait des tas de choses pour me décharger de ma culpabilité. J'ai sauvé ton travail. Je me suis enfuie. J'ai vécu seule. J'ai créé pour toi un jardin du bord de mer. Et il y a eu des moments, c'est vrai, où ma douleur n'a pas été trop intense. Elle était vaguement présente, comme une ampoule à faible consommation dans un couloir. Mais il y a eu beaucoup d'autres jours, d'autres nuits, où, quoi que je sois en train de faire, je ne pouvais échapper à la seule chose que je voulais fuir – et je ne lui échapperai jamais parce que, bien sûr, cette chose, c'est moi.

David était avec moi la nuit où il est mort.

Tu ne le sais pas, ça.

Sans moi, peut-être qu'il serait...

Je ne peux même pas l'écrire.

En vingt ans, je n'ai jamais réussi à le dire. Pourquoi le ferais-je maintenant ? Sœur Mary Inconnu est assise à mes côtés et chaque fois que je repousse mon carnet et mon crayon, elle sourit et chuchote :

— Continuez.

Je dois te livrer la dernière partie de l'histoire, dit-elle. Il est temps que je mette mes affaires en ordre et que je lâche prise.

Pardonne-moi, Harold Fry.

La dernière confession de mademoiselle Queenie Hennessy (Deuxième tentative)

C'était la fin de l'été. David avait vingt et un ans.

Il était revenu de son voyage à Lake District.

Une semaine s'écoula sans qu'il vienne me voir. Il ne me téléphona pas non plus. Peut-être allait-il mieux ? Je m'étais même demandé s'il n'était pas reparti en randonnée. Je t'avais posé la question :

— Comment va David ?

Et tu avais regardé tes mains avant de répondre :

— Bien, bien.

Un jour, assez tôt dans la soirée, mon téléphone sonna dans l'entrée. Quand je décrochai, je perçus des *bip*, comme si quelqu'un essayait de mettre des pièces dans un téléphone public. Une demi-heure plus tard, j'entendis des coups frappés contre ma porte, comme si quelqu'un essayait de l'enfoncer à coups de pied. J'avoue que je n'avais pas envie de voir David. J'avais eu une longue journée de travail. J'étais très fatiguée.

Je n'essaie pas d'excuser ce que j'ai fait après. Je voudrais simplement expliquer quelle était la situation. Les coups reprirent de plus belle. Je tournai ma clé dans la serrure et ouvris la porte.

David avait encore perdu du poids, mais ce qui me choqua, ce furent ses cheveux. Il les avait rasés de si près qu'on avait l'impression qu'il avait subi une agression et qu'on s'en était pris à sa tête. Ça semblait douloureux. On voyait des petites coupures rouges là où le rasoir avait effleuré son cuir chevelu. Je lui dis que j'étais contente de le voir. J'essayais d'être polie et d'aborder des sujets qui ne portaient pas à conséquence. Il demanda s'il pouvait entrer et me parler.

Ses mains tremblaient. Il avait une bouteille de gin mais pouvait à peine la tenir. Je la lui pris. Elle était à moitié vide.

Il vacilla dans la lumière de l'entrée, et ce n'est qu'à ce moment-là que je remarquai que ses yeux étaient rouges, tellement à vif que la peau autour paraissait contusionnée. Il avait dû beaucoup pleurer.

— Je peux récupérer ma bouteille ? demanda-t-il.

Il resta très calme pendant toute une partie de la soirée, et parlait de façon presque inaudible, cherchant ses mots. Il était assis dans le fauteuil près du radiateur, recroquevillé dans son manteau qu'il n'avait pas quitté. Il m'annonça qu'il espérait pouvoir s'engager dans l'armée, d'où sa coupe de cheveux. Je songeai : « L'armée ? Tu ne marches même pas droit. »

Il me raconta que le médecin lui avait donné des cachets.

— Le médecin ?

— Ouais, le médecin.

Et quand il me demanda de cesser de le dévisager, je lui dis que j'étais soulagée, c'est tout. J'étais contente qu'il ait vu un médecin.

À un moment, alors que je parlais de musique – je venais d'emprunter à la bibliothèque un disque de Purcell –, il dit soudain :

— Ça ne vous fait rien que je prenne mes cachets maintenant ? J'ai la dépression.

Il avait dit ça aussi simplement que s'il m'avait annoncé qu'il avait un rhume. Il demanda si je m'y connaissais en dépression, et je répondis qu'en effet, je me sentais parfois abattue aussi, comme beaucoup de gens. Est-ce que j'avais des cachets ? demanda-t-il.

— Non, répliquai-je, ça ne marchait pas comme ça pour moi.

Je ne voulais pas me confier à lui. J'essayais de me protéger. Mais c'est vrai, je n'avais jamais eu besoin de cachets. Nous réagissons tous différemment. Parfois je pense que la dépression doit ressembler à une sorte de danse dans nos têtes, et que n'importe quoi peut la déclencher, si on connaît cette danse.

David sortit trois flacons de comprimés de sa poche. Il lut les étiquettes à haute voix et m'expliqua à quoi ils servaient. Il fit tomber des comprimés sur ses genoux et les avala avec du gin.

— Tu n'as pas besoin d'eau ?

Il se mit à rire. J'étais inquiète qu'il absorbe tant de cachets.

— Tes parents savent que tu prends tout ça ?

Il me dit que Maureen l'avait accompagné chez le médecin mais qu'il avait préféré qu'elle reste dehors.

— Maman est contente quand je suis heureux.

Il essaya de remettre les flacons dans sa poche mais il ne trouvait pas l'ouverture et je finis par le faire pour lui.

Un peu plus tard, il demanda de nouveau ce que je savais sur la dépression et comment je pensais qu'il devait y faire face. Je répliquai par une banalité du genre :

— Tu sais, ça finit toujours par passer.

— Ouais, fit-il.

Il avait de toute évidence cessé de m'écouter. Il ne dit rien pendant un long moment. Il resta assis dans le fauteuil alors que je rangeais et faisais la vaisselle. Chaque fois que je passais près de lui, je le voyais prendre une gorgée de son gin. Je mis un disque.

David leva brusquement la tête, comme un chien qui entend du bruit venant de l'extérieur.

— Qu'est-ce que c'est, cette musique ?

C'était la chanson *Ô solitude.* Il me demanda de la remettre. Encore et encore. Je ne l'avais jamais réellement écoutée jusqu'à ce jour. C'était juste une musique de fond agréable et raffinée.

David releva les genoux et baissa la tête.

— Comment ce type arrive-t-il à rendre la solitude si sympa ? Pour moi, c'est juste un vide qui envahit tout.

Je lui demandai :

— Tu veux autre chose ?

J'avais envie qu'il parte. Mais il se leva. Il se mit à onduler sur la musique. Quand il me demanda de danser avec lui, je répliquai que je ne savais pas danser sur cette musique. C'était une chanson baroque, pas une valse.

— Eh bien, vous écoutez la musique et vous bougez, hurla-t-il.

Il était passé de l'apathie à tout autre chose, une sorte d'agitation. Il remuait la tête comme s'il avait encore des cheveux longs qu'il pouvait balancer d'un côté à l'autre. Tout en bougeant il buvait son gin au goulot, mais comme il était debout il titubait et renversait de l'alcool sur son manteau et mon tapis.

— Je crois que tu dois arrêter de boire maintenant, lui dis-je.

Je tentai de lui prendre la bouteille mais il la souleva au-dessus de ma tête et rit, comme il l'avait fait avant de partir à l'université quand il avait pris ma lettre, mes poèmes et mon batteur à œufs. Puis il arrêta de rire et fit la moue.

— Dansez ! hurla-t-il.

Je reculai. J'avais peur. J'improvisai une valse à l'autre bout de la pièce. Dans mon désarroi, mon désir de toi, je levai les bras comme si tu étais là. Je les posai sur tes épaules et plongeai mon regard au fond de tes yeux si bleus.

Quand le disque s'arrêta, je me rendis compte que je me tenais toujours comme si tu étais là, levant les yeux vers toi.

Le bruit que fit David résonna comme un cri haut perché. Je me retournai pour lui faire face. Il me montrait du doigt. Il pouffait. Il était littéralement tordu de rire.

— Pauvre vieille conne, cria-t-il. Mon père ne vous aimera jamais.

Tout sembla s'évanouir autour de moi. Le sol, les murs. Je tendis les mains en avant pour me rattraper à l'encadrement de la porte de la cuisine.

— Je ne vois pas ce que tu veux dire.

Il cracha ces mots :

— Bien sûr que si. Vous l'aimez. Vous l'avez toujours aimé.

Mon cœur battait la chamade, la tête me tournait et j'essayai d'analyser mes sentiments. De la colère. Je me sentais trahie. Bête. Si bête. Mais je ressentais surtout une intense douleur. David connaissait mon secret. Bien sûr. Il avait toujours su. Quand il m'avait demandé à qui mes poèmes s'adressaient et que j'avais répondu que je les avais écrits pour un homme de mon passé, il ne faisait que jouer avec moi. C'était un jeune homme intelligent. Il avait beau être égoïste, il avait l'esprit aussi affûté qu'un couteau. Bien sûr qu'il avait deviné la vérité. Ma réponse et mon embarras n'avaient fait que confirmer ses soupçons. Je pensais avoir percé David à jour. Mais il m'avait cernée lui aussi.

Et il avait raison. Il avait raison de dire que tu ne m'aimerais jamais. Quoi que je fasse, quel que soit le nombre d'années pendant lesquelles je garderais le silence, je serais toujours la femme qui s'asseyait dans ta voiture, qui racontait des blagues carambar, qui chantait à l'envers et qui te proposait des bonbons à la menthe. Je m'étais dit pendant près de quatre ans que ça me suffisait, que je pouvais vivre ainsi. Que je pouvais rester à côté de toi et ne rien demander en retour. Mais alors que ton fils se moquait si fort de moi, je me vis à travers ses yeux, je me vis à travers tes yeux, la femme au tailleur en laine marron, et je sus que je ne pouvais pas continuer ainsi. Plus maintenant. Ce fut comme un choc. Un choc terrible et douloureux. J'avais espéré être à l'abri en t'aimant, et voilà où cela m'avait menée. Je n'étais qu'une farce.

J'allais à tâtons de la porte de la cuisine jusqu'à l'évier pour me servir un verre d'eau. Il fallait que je m'éloigne de lui. Il arrive qu'on rejette les gens qui disent la vérité non pas parce qu'ils ont tort, mais parce que cette vérité cst trop insupportable à entendre.

Je laissai le robinet ouvert. Je regardai l'eau déborder de mon verre et bouillonner au-dessus de mes mains. L'eau devint de plus en plus froide. De la glace. Mes doigts me brûlaient à cause du froid. Mais rien ne pouvait égaler la douleur que je ressentais à l'intérieur.

— Qu'est-ce que vous faites ?

David se tenait dans l'embrasure de la porte, me bloquant le passage. Il sortit une cigarette. Il l'alluma, et deux volutes de fumée sortirent de ses narines. Il était comme l'orage, il m'oppressait. Depuis, j'en ai observé, des orages, quand je travaillais dans mon jardin du bord de mer. J'ai remarqué les nuages de pluie recouvrant la terre comme une nappe noire, le vent frappant la mer et malmenant les mouettes tels de vulgaires bouts de papier blanc. Je suis restée debout face à ces orages, trempée, songeant à David.

— S'il te plaît, laisse-moi maintenant, David, je ne me sens pas très bien, lui dis-je.

Mais il ne partit pas. Au contraire, il s'approcha de moi. Il se cramponna à mon épaule et baissa la tête. Ses doigts me rentraient dans la peau. Je ne voulais pas qu'il reste ainsi agrippé à mon épaule, c'était douloureux. Je n'avais aucune idée de ce qu'il allait faire ensuite.

— David, tu me fais mal !

— Je ne me sens pas bien non plus.

Il parlait à voix basse. J'inspirai profondément. Je dis gentiment :

— C'est parce que tu es saoul. Tu dois rentrer chez toi. Tu ne devrais pas boire du tout avec les comprimés que tu prends.

— Oh, foutez-moi la paix. J'ai l'impression d'entendre mes parents.

Il me lâcha brusquement pour s'éloigner, se cognant contre la table, puis il retrouva son équilibre et se précipita hors de la cuisine.

Je le suivis parce que j'avais peur pour lui. Il courut vers le mur et le roua de coups, puis il donna un coup de pied si violent au fauteuil que celui-ci décolla du sol et tomba en arrière, ses quatre petits pieds en l'air tel un animal couché sur le dos. Les yeux de ton fils étaient sombres et écarquillés, comme s'il était au bord d'un précipice et qu'il regardait en bas. Mon sac à main était ouvert sur la table. Il avait de nouveau fouillé dedans. Il dit :

— Je veux rester ici cette nuit.

— Ici ?

— Je peux dormir sur ce fauteuil ?

J'aurais pu dire oui. Ça ne m'aurait rien coûté. J'aurais pu aller au lit et le laisser dormir sur le fauteuil, et le lendemain aurait été un autre jour. Ça fait vingt ans qu'il m'a posé cette question, et je l'ai retournée un nombre incalculable de fois dans ma tête en y apportant une réponse différente à chaque fois. Je l'ai vu endormi dans mon fauteuil et l'ai enveloppé dans une couverture pour qu'il n'ait pas froid, et il a vieilli en même temps que moi, mais au moins je l'ai gardé en vie. « Oui, David », ai-je crié en rêve. Oui, oui, oui.

Ne sachant pas ce qui allait se passer, voilà pourtant ce que j'ai fait...

J'ai regardé ton fils tanguant dans mon salon. J'ai regardé mon sac ouvert, mon fauteuil renversé, et mon sang n'a fait qu'un tour. J'ai crié :

— Non ! Va-t'en. J'en ai assez.

Ma tête me faisait mal. J'avais la gorge en feu. Et les phrases continuaient à sortir de ma bouche, tout ce que je n'avais jamais dit à David. Ces mots qui m'avaient fait des trous dans le cœur. Je ne pouvais pas m'arrêter.

— Tu mens. Tu mens tout le temps. Tu prends. Tu prends. Tu ne fais que prendre. À moi. À ton père. Tu rends ta mère folle d'angoisse. Et qu'est-ce que tu fais exactement ? À quoi tu sers ?

Je pouvais à peine respirer. J'étais si bouleversée que je dus me réfugier dans la cuisine. Pas de verre d'eau cette fois-ci. Je me versai un brandy. Quand je revins, le fauteuil était à sa place près du radiateur. Il était vide, mes mitaines rouges posées dessus. C'était si calme tout à coup que ce silence rugit à mes oreilles.

— David ?

Il était parti. Je n'avais même pas entendu la porte d'entrée.

Je vois encore ce fauteuil, vide, sans lui, et c'est comme s'il avait fondu, ne me laissant que cet objet dérisoire qui m'avait appartenu.

Le jour suivant, j'étais à mon bureau lorsque j'entendis l'une des secrétaires mentionner ton nom. Monsieur

Fry avait téléphoné pour dire qu'il était malade. Tu n'avais jamais fait ça de toute ta vie.

En sortant de chez moi, David était allé se pendre dans ton abri de jardin.

Absolution finale

— Ça va, Queenie ? Vous nous entendez ? Pouvez-vous lever la main si vous souffrez ?

Je dormais.

Le cheval est de retour. Ainsi que la femme au pamplemousse. Le chien a sa pierre mais il a renoncé à me l'apporter. Il regarde juste la pierre, la tête penchée sur le côté, une oreille en l'air, prêt à attendre éternellement.

J'ai eu autrefois une paire de... salle de bal (?) Salle de bal (?) Comment s'appellent ces choses qu'on se met aux pieds ? Je ne me souviens plus. Quoi qu'il en soit, j'en avais.

Des petites beautés. Je les adorais.

Sœur Mary Inconnu lève la tête de sa machine à écrire.

— Vous savez que ce n'est pas votre faute ?

Je ne sais absolument pas de quoi elle parle.

— Toutes ces années, vous vous êtes crue responsable, mais la mort de David n'était pas de votre faute. Vous n'auriez pas pu l'arrêter. Les gens font ce qu'ils veulent.

Je me mets à pleurer. Ce ne sont pas des larmes de douleur. Ce sont des larmes de soulagement. Maintenant que j'ai donné vie aux chansons que j'avais dans la tête et que je les ai posées sur une page, maintenant que mon crayon les a transformées en signes, je peux les laisser partir. Il n'y a plus de tumulte dans ma tête. Le chagrin est toujours là mais je n'ai plus mal.

Sœur Mary Inconnu sourit.

— Bien. C'est très bien.

De l'autre côté de la fenêtre, la lumière s'écoule à travers les feuilles de l'arbre et envoie des ondulations argentées sur le mur blanc. Une nouvelle journée commence.

Une sortie menée par une religieuse

— Nous avons une visite, annonça sœur Philomena en ouvrant ma porte en grand et en s'y adossant. Comme c'est excitant.

Vingt années d'attente. Douze semaines et demie dans un centre de soins palliatifs. Et quand tu arrives enfin, qu'est-ce que je fais ? D'abord je tombe presque de mon lit et puis, au moment le plus palpitant, je m'endors.

Sur le seuil de ma chambre, tu hésitas, regardant à l'intérieur, à côté de sœur Philomena. Ton visage était si hâlé que tes yeux ressortaient encore plus. (J'avais tort à propos des iris, Harold. Tes yeux ressemblaient à des coquelicots bleus.) Pas de trace de barbe à part une tache plus claire sur ta peau autour de la bouche, et une ou deux touffes de poils oubliées. Pas de chaussures de bateau à tes pieds, seulement des chaussettes, et à travers l'une d'elles apparaissait ton gros orteil, enflé et contusionné. Les sangles de ton sac à dos flottaient sur tes épaules voûtées. Je ne voyais pas ma lettre dans tes mains. Je dus détourner les yeux.

Je gardai la tête orientée vers la fenêtre, espérant que tu ne me verrais pas. Je me demandais si sœur Mary Inconnu t'avait montré ma lettre. Je me demandais si tu me détestais. Mon cœur battait à tout rompre à l'intérieur de ma poitrine. Je t'entendis dire :

— Mais elle n'est pas là !

Et d'après le ton vif et léger de ta voix, je devinai que tu étais soulagé. Je pensai : « Pars maintenant. Ça m'a suffi de te voir à la porte. Ça m'a suffi de savoir que tu as fait tout ça pour moi. »

Sœur Philomena éclata de rire.

— Bien sûr que si, elle est là !

Elle dit autre chose que je n'entendis pas. Je ne percevais que ma respiration qui s'était transformée en râle. Je me rappelai les premiers mots de ma lettre et ma promesse de tout te dire. Pas de mensonges.

Tandis que les pas de sœur Philomena s'éloignaient dans le couloir, tu avanças prudemment. Je suivais ta progression même sans regarder. J'avais trop peur pour bouger. Un pas feutré, puis un autre. Puis tes yeux ont dû se poser sur mon visage et malgré toi tu émis une sorte de gémissement à peine perceptible :

— Non.

Je tournai mon visage vers le tien tout en essayant de te cacher le pire.

Et je vis tout, Harold. Le choc. L'horreur. La pitié aussi. Puis la culpabilité que ma vue ait provoqué en toi tous ces sentiments. Tu avais marché tout ce temps et tu pensais que je serais jolie ? Je suis désolée, Harold, que tu aies eu à affronter la réalité. Tu avais ôté ton sac à dos de tes épaules et tu le maintenais contre ton ventre comme s'il pouvait te protéger. Je tentai de bouger la main pour ne pas t'imposer ce spectacle plus longtemps, mais à cause de tous les efforts que j'avais faits pour écrire, je n'arrivais plus à la soulever ; il faut m'excuser. Tu dis enfin, rassemblant ton courage :

— Bonjour, Queenie.

Bonjour, Harold, dis-je sans un mot.

— C'est Harold, Harold Fry, poursuivis-tu. Nous travaillions ensemble, autrefois. Tu t'en souviens ?

Comment est-ce que je t'aime ? Laisse-moi compter toutes les manières dont je t'aime. Une larme s'échappa de mon œil fermé.

— Tu as eu ma lettre ?

Tu as la mienne ?

— Mes cartes postales ?

Tu peux me pardonner ?

Tu fouillas dans ton sac à dos.

— Je t'ai apporté des petits souvenirs que j'ai glanés en route. Il y a un morceau de quartz qui fera bien, suspendu à ta fenêtre. Il faut juste que je le retrouve.

Tu sortis divers objets et je crois que tu mentionnas du miel et des crayons, mais pendant ce temps, je pensais : « Fais-moi un signe. Dis-moi que tu me pardonnes. » Tu sortis un sac en papier froissé de ton sac à dos et quand tu regardas à l'intérieur, ton visage s'éclaira. Tu le déposas un peu à gauche de mes doigts comme un pont entre toi et moi, et puis tu reculas de nouveau. Je ne bougeai pas. Ta main plongea en avant et tu donnas une tape amicale au sac comme pour dire : « N'aie pas peur, petit sac en papier, tout va bien, vraiment. »

Une pensée me tourmenta soudain. Peut-être ne t'avait-on pas remis ma lettre ? Peut-être n'avais-tu pas vu sœur Mary Inconnu ? Peut-être ne connaissais-tu pas la vérité, après tout ? Je ressentis une douleur lancinante dans la tête, parce que c'était ce qui était convenu, souviens-toi. Tu devais tout savoir.

Je tentai de montrer la valise pleine des pages de mon carnet sous le lit, mais mon idiot de corps se mit à glisser sur le côté. Impossible de m'arrêter. Je lus la panique sur ton visage. Tu levas les mains comme pour m'aider, mais à présent tu étais plaqué contre la fenêtre et de là tu ne pouvais pas faire grand-chose. Je n'éprouvais rien d'autre que l'immensité de mon amour pour toi, parce que je voyais combien c'était pénible de rendre visite à quelqu'un et de découvrir qu'on préférerait partir. Je me remémorai l'habitude que tu avais de détourner le regard quand je montais dans ta voiture comme si tu avais peur que je me ridiculise. Ce que je voulais par-dessus tout, c'était pouvoir me tenir droite comme n'importe quel être humain digne de ce nom.

— Excusez-moi, elle...

Tu demandas de l'aide, d'abord discrètement puis plus fort. Cette chère sœur Lucy arriva, mais je voyais bien qu'elle était nerveuse aussi, parce qu'elle était devenue toute rose et qu'elle disait des bêtises sur les morgues et les visiteurs. Je songeai : « La pauvre, elle va bientôt te proposer de te faire les ongles. » Elle me releva d'une poigne solide et me remit en position assise. Je ne l'avais jamais entendue parler aussi fort. Elle était si affolée qu'un petit duvet de sueur perlait au-dessus de sa lèvre supérieure. Visiblement, elle en avait aussi oublié ton prénom.

— Henry est apparemment venu à pied ! De loin. De... Vous venez d'où, Henry ?

(Vous le savez ça, sœur Lucy, vous le savez.)

Tu ouvris la bouche comme pour répondre mais tu la refermas aussitôt, car sœur Lucy sembla soudain se rappeler d'où tu venais.

— Du Dorset, avez-vous dit ?

Espérons seulement que l'on ne demande jamais à sœur Lucy d'être guide de randonnée.

À présent, tu criais aussi. Tu avais l'air de dire que oui, tu habitais dans le Dorset et qu'en effet, tu t'appelais Henry. Sœur Lucy était dans un tel état de nerfs qu'en voulant demander si nous pouvions t'offrir quelque chose à boire, elle te proposa en fait un coup à boire. Là encore, je ne l'avais jamais entendue utiliser ce genre d'expression auparavant. Elle cria :

— Ç'a été très prenant pour nous, avec toutes ces lettres et ces cartes postales ! La semaine dernière, une dame a même écrit de Perth.

(Elle voulait dire Penge.)

— Elle vous entend, dit-elle en me désignant.

Elle sortit en vitesse de la chambre. Nous étions de nouveau seuls. Toi et moi. Tu pris la chaise de sœur Mary Inconnu et tu t'assis. Tu glissas tes mains entre tes genoux et le profil que tu me présentas me parut tout à coup très soigné.

— Bonjour, commenças-tu de nouveau. Tu as l'air bien, je dois dire. Ma femme – tu te souviens de Maureen ? –, ma femme t'envoie ses amitiés.

En entendant son prénom, je me sentis légère comme l'air. Je songeai : « Elle me pardonne. »

Mais tu parlais encore. Tu jetas un œil vers la porte et je compris que tu mourais d'envie que sœur Lucy revienne nous interrompre. Ensuite tu t'affairas à sortir quelque chose du sac en papier. Puis tu te levas et te précipitas à la fenêtre. Tu y restas un long moment, et je te vis tendre les mains vers le rebord, comme pour ne pas perdre l'équilibre. Tu posas les yeux au-delà de l'arbre dans son manteau de verdure en direction du jardin et doucement, très doucement, tu te mis à pleurer.

Vingt années d'exil s'envolèrent et je vis tout ce qui m'avait amenée ici. Quelque chose de rose pendait à ma fenêtre. Une fois encore tu te tournas pour me regarder et je levai mon visage à la rencontre du tien. Je ne me cachai pas.

Cette fois il n'y avait pas de neige entre nous. Pas de rue. Pas de fenêtre.

— Regarde-moi, Harold, dis-je.

Et tu t'exécutas. Tu me regardas encore et encore, et tu me vis. Tu ne reculas pas. Tu ne poussas pas de cri. Tu t'approchas.

Tu pris place près de moi sur le bord du lit. Sans rien dire, tu tendis la main et pris la mienne. Et je dois dire que je ressentis des décharges électriques, mais ce n'était pas du désir ; c'était beaucoup plus profond que ça maintenant. Je refermai les doigts autour des tiens.

Tu étais là, assis à ma droite et regardant droit devant toi alors que j'étais assise à ta gauche. Tu conduisais et j'étais à tes côtés. Je pouvais imaginer le soleil à travers le pare-brise. Je t'entendis prendre tes gants de conduite. Je sentis ton odeur de citron et de café. Je sentis les bonbons à la menthe dans mon sac.

— Où allons-nous mademoiselle Hennessy ?

Lorsque tu tournas ta clé de contact, mon cœur se gonfla de bonheur.

Toutes ces années, Harold, j'ai attendu pour te dire que je t'aimais. Toutes ces années, j'ai cru qu'une partie de ma vie manquait. Mais elle était là depuis tout ce temps. Elle était là lorsque j'étais assise près de toi dans ta voiture et que tu démarrais. Elle était là quand je chantais à l'envers et que tu riais ou quand je préparais un pique-nique et que tu mangeais tout jusqu'à la dernière miette. Elle était là lorsque tu me disais que tu aimais mon tailleur marron, quand tu m'ouvrais la portière, quand tu me demandas un jour si j'avais envie de rentrer par le chemin le plus long. Elle vint ensuite dans mon jardin. Quand je regardais le soleil et que je le voyais briller sur mes mains. Quand un bouton de rose apparaissait pour la première fois quelque part. Elle était dans les gens qui s'arrêtaient et parlaient de tout et de rien au-dessus du mur de mon jardin. Et juste quand je me suis dit que ma vie était finie, elle reparut encore de temps à autre au centre de soins palliatifs. Mon bonheur était partout – quand ma mère chantait pour que je danse, quand mon père prenait ma main pour que je me sente en sécurité –, mais c'était quelque chose de si petit et de si simple que je le pris pour quelque chose d'ordinaire et que je ne le reconnus pas. On s'attend à ce que le bonheur s'annonce avec un panneau et des cloches, mais ce n'est pas le cas. Je t'aimais et tu ne le savais pas. Je t'aimais et c'était suffisant. Tu dis enfin :

— L'époque où je t'ai trouvée dans ce placard à fournitures est bien loin, n'est-ce pas ?

Tu ris à la Harold Fry.

CANTINE, pensai-je. On s'est rencontrés à la CANTINE.

Mais quelle importance ? J'ai écrit au début de ma lettre que tu devais tout savoir. Il y a si longtemps que je ressens le besoin de me confesser que c'était devenu comme une maladie. Mais maintenant que j'ai attendu ici et raconté toute mon histoire, je ne la vois plus comme du gâchis. Je vois seulement différentes parties de ma vie. C'est comme si j'étais une enfant au bord d'une rivière, laissant chaque bout de son existence dériver, aussi petits que des fleurs sur l'eau.

Je pressai mes doigts autour des tiens et fermai les yeux. Je souris. J'espère que tu t'en es aperçu. Je souris si profondément que je me sentis remplie de ce sourire. Jusqu'au tréfonds de mon corps, je souriais. Et ce que je voulais par-dessus tout, c'était dormir. Je n'avais plus peur.

Quel boucan ! C'est sœur Lucy et son thé. J'ai l'horrible impression qu'elle t'a encore appelé Henry. Elle se bagarre avec le plateau et la porte, alors elle pousse le battant avec ses coudes puis avec son derrière, et finalement avec le plateau. Tu parles sans t'adresser à quelqu'un en particulier :

— Cela vous ennuie si je ne prends pas le thé ? Il faut que je m'en aille, maintenant.

J'ouvris mon œil assez longtemps pour voir ton haut profil dans l'encadrement de la porte. La chambre commença à se brouiller et quand je regardai de nouveau, tu étais parti et sœur Lucy aussi.

Tu as marché assez loin. S'il te plaît, mon ami, rentre chez toi.

Une fin heureuse

Sœur Mary (?) est assise sur ma chaise. Elle n'est pas passée par la porte. Elle n'a pas de machine à écrire.

Je prends des notes mais je suis lente. J'ai du mal à soulever le (?) et je perds mes mots.

Je me rappelle qu'elle est censée m'aider et je désigne ses genoux. Elle dit :

— Mais nous avons terminé.

Je peine à distinguer son visage parce que tout ce que je vois, c'est la lampe près de la fenêtre. Les murs ont disparu et je sens la mer. J'entends les feuilles de l'arbre et le bourdonnement d'une mouche. Sœur Mary Inconnu me demande :

— Vous souffrez, chère Queenie ?

Je me souviens que j'ai souffert dans le passé. Mais je ne souffre plus. Elle dit :

— Je peux rester aussi longtemps que vous le souhaitez. Si vous voulez terminer votre page.

J'acquiesce. J'ai encore un peu à faire, mais c'est aussi léger qu'un souffle. Quand je relève les yeux, elle se tient près de la fenêtre. J'aimerais la toucher. Elle sourit.

— Vous avez réussi. Tout le monde croit qu'on doit se déplacer pour faire un voyage. Mais ce n'est pas nécessaire, voyez-vous. On peut rester dans son lit et voyager aussi. Qu'est-ce qu'il y a de si drôle ?

Je ne peux pas m'en empêcher. J'écoute mais je ris, je ris, je ris.

— Arbre, dis-je.

Je le dis ? Je ne suis pas sûre. Après tout peu importe, elle sait déjà. Son sourire explose.

— Oh oui. L'arbre !

Elle se tient le ventre et hurle de rire. Je vois sœur Mary Inconnu et je vois d'autres choses. Le centre de soins palliatifs. Le jardin du Bien-être. L'eau qui est en fait la mer. Et tant de gens qui vivent leur vie, des millions de gens ordinaires, qui font des choses simples que personne ne remarque, à propos desquelles personne ne chante, mais ils existent et ils sont pleins de vie. Je vois mon père, ma mère. Je vois David. Je vois Finty, Barbara, le roi Nacré, et monsieur Henderson. Des malades dont je n'ai jamais su le nom. Sur la plage, je te vois, je vois Maureen. Je vois la salle de jour et sœur Lucy qui se précipite dans le couloir, vers ma chambre. Je vois l'entrepreneur des pompes funèbres prendre ses clés de voiture et sa femme lui tendre son déjeuner.

— À plus tard, dit-il.

— Passe une bonne journée, répond-elle.

Je sens le vent dans mon jardin du bord de mer et j'entends mille coquillages tinter. C'est tout, tout au fond de moi.

— Queenie ? Où es-tu ? Où est cette petite fille ?

— Je suis là ! Je suis là ! J'ai toujours été là. J'étais là depuis le début.

Une lumière s'enroule à la fenêtre et une pluie d'étoiles remplit l'air. Elles ont des tas de couleurs. Rose et jaune et bleu et vert. Oh, tant de beauté. En une si petite chose.

— Vous êtes prête ? demande sœur Mary Inconnu en me tendant la main. C'est comme de toucher la lumière. Posez le crayon. Posez le carnet. Dormez maintenant.

Voilà. C'était le moment.

LA TROISIÈME LETTRE

12 juillet

Cher monsieur Fry,

Je joins à ma lettre des pages écrites par Queenie Hennessy au cours des douze dernières semaines de sa vie. Elle a commencé quand elle a su que vous aviez entrepris une marche et elle a terminé durant la dernière heure de sa vie.

Vous verrez que les pages ne sont pas composées de mots, mais principalement d'une série de gribouillis, de points et de marques. L'une de mes collègues pense que ces hiéroglyphes sont de la sténographie, une autre pense que c'est un code en morse. Mais comme je ne lis ni l'un ni l'autre, j'ai bien peur de ne pas pouvoir vous en dire plus. Il n'y a que quelques mots qui sont reconnaissables et votre nom est l'un d'eux. Nos malades laissent souvent des cartes et des messages pour leur famille et leurs amis, mais c'est la première fois que je vois une telle prolifération de pages.

Je voulais que vous sachiez que Queenie est morte en paix. Peu de temps avant sa mort, sœur Lucy est passée devant sa porte et elle a entendu un éclat de rire, comme si une autre personne était avec elle et lui avait dit quelque chose de très drôle. Sœur Lucy est certaine d'avoir entendu les mots *Je suis là*. Elle est venue me chercher. Quand nous sommes entrées dans la chambre, quelques minutes plus tard, Queenie était seule et paisible. Il n'y avait pas trace d'un visiteur.

Sœur Lucy m'a dit plus tard que Queenie avait réclamé plusieurs fois une bénévole, une religieuse avec un nom français, dont elle disait qu'elle l'aidait à écrire sa lettre. Aucune bénévole au nom français n'a jamais travaillé au centre de soins palliatifs.

J'ai rassuré sœur Lucy en lui disant qu'elle avait certainement mal entendu. Après tout, c'était difficile de comprendre Queenie. Et puis la jeune femme s'était profondément attachée à notre malade, ce qui a peut-être brouillé son objectivité. Sœur Lucy a temporairement cessé de travailler au centre pour explorer ses talents d'esthéticienne. (C'est une jeune femme très douée.) Sa collègue, sœur Catherine, est partie en pèlerinage à Saint-Jacques-de-Compostelle.

Malgré tout, les observations de sœur Lucy me sont restées en tête, tout comme votre étrange pèlerinage, et j'ai évidemment été très touchée par le courage de cette femme qui vous a attendu en silence. Tout ça m'a fait réfléchir de manière plus approfondie à la nature de ma foi.

Je suis arrivée à la conclusion suivante : si nous travaillons dans ce sens, il est toujours possible de trouver une explication rationnelle à ce que nous ne comprenons pas. Mais peut-être est-il plus sage d'accepter de temps en temps le fait que l'on ne comprend pas tout et de s'en tenir là. À trop expliquer les choses on court parfois le risque de les déprécier. Et quelle importance si je crois une chose et vous une autre ? Nous partageons la même fin.

Les cendres de Queenie seront dispersées, comme elle le souhaitait, dans son jardin du bord de mer. Elle l'a légué, ainsi que la maison, aux habitants d'Embleton Bay.

Je vous prie de transmettre mon meilleur souvenir à votre épouse. Je ne pense pas que nos chemins se croiseront à nouveau, mais ce fut un plaisir de vous rencontrer, Harold Fry.

Sœur Philomena. Mère supérieure.
Centre de soins palliatifs St. Bernardine.

Remerciements

Je remercie :

Paul Venables, comme toujours, ainsi que mon éditrice Susanna Wadeson et mon agent Clare Conville.

Et aussi Benjamin Dreyer, Deborah Adams et Kate Samano pour leur travail de correction. Andrew Davidson pour avoir donné ses gravures sur bois à Queenie et Micaela Alcaino pour le plan de son jardin du bord de mer. Susan Kamil, Kristin Cochrane et Kiara Kent ; Larry Finlay, Clare Ward, Alison Barrow, Elspeth Dougall, Claire Evans et l'équipe de Transworld. Ainsi que vous tous chez Conville & Walsh.

Il y a un certain nombre d'autres personnes dont l'avis médical et les anecdotes ont joué un rôle considérable dans l'écriture de l'histoire de Queenie. Merci à Libby Potter, Charlie Hall, Jacqui Sparkes, Carol Chapman et au centre de soins palliatifs de Cotswold, dans le Minchinhampton. Le livre *Head and Neck Oncology Nursing** m'a constamment servi de référence, ainsi qu'un livre intitulé *End-of-Life Experiences : A Guide for Carers of the Dying***.

---

* FEBER Tricia, Éditions Wiley, 2000. [*Comment soigner le cancer de la tête et du cou*, traduction de l'éditeur français.]

** BRAYNE Sue et FENWICK Peter, 2008. [*Expériences de fin de vie : un guide pour les soins aux mourants*, traduction de l'éditeur français.]

Philip Pearson a prêté à mon imagination son bungalow en bois devenu la maison du bord de mer de Queenie et m'a offert de précieux conseils pour la réparer. Il m'a aussi fourni des plans et des guides de la côte du Northumberland. Je remercie, également, la communauté des Bernardines cisterciennes du monastère de Notre-Dame et de Saint-Bernard qui vit dans le même village que moi et dont la présence ici fait partie du paysage, comme les arbres ou le ciel.

Pour finir, je remercie du fond du cœur ma mère, Myra Joyce ; et Hope, Kezia, Jo et Nell. Et la mémoire de mon père qui vit un homme dans son jardin et tenta de rejoindre cet étranger avant de mourir.

À toi, cher Ami d'Harold Fry,

Lorsque *La lettre qui allait changer le destin d'Harold Fry arriva le mardi...* fut publiée, quelques personnes me demandèrent si j'écrirais une suite. Je répliquai immédiatement que ce ne serait pas le cas. J'avais le sentiment d'avoir dit tout ce que j'avais à dire au sujet d'Harold et de Maureen et qu'il était temps que je les laisse vivre leur vie sans que je sois là pour les observer en prenant des notes. Mais j'avais oublié Queenie Hennessy : la femme dont la première lettre inspira à Harold Fry cette marche qui changea sa vie et, d'une certaine façon, la mienne. Elle restait très discrète (ce qui est bien le genre de Queenie), mais d'une manière complétement inattendue, elle s'écria un beau jour : « Je suis là ! »

Pour moi, cela tombait mal. J'avais déjà écrit 20 000 mots d'un nouveau roman. Je travaillais aussi sur un scénario pour la radio. La dernière chose dont j'avais besoin, c'était de me mettre à écrire un autre livre. Mais voilà, alors que j'étais dans ma cuisine avec mes enfants, l'histoire de Queenie a surgi tout à coup. C'est l'une de ces idées qui arrivent en un flash, mais si précisément qu'on a l'impression qu'elles étaient déjà là depuis un moment. Je racontai l'histoire à mes enfants car elle était si exaltante que je ne pouvais pas la garder pour moi. Mes enfants me dirent quelque chose du genre : « Oui, très bien. Qu'est-ce qu'on mange à midi ? »

Cette nuit-là, je dormis à peine. Les mots de Queenie, son histoire, tournaient dans ma tête. Je ne savais pas si ces mots avaient un sens, mais je devinais que j'étais au début de quelque chose et qu'il me faudrait persévérer pour trouver toute l'histoire. Au matin, quand je me replongeai dans *La lettre qui allait changer le destin d'Harold Fry arriva le mardi…*, il me parut évident que cela faisait en fait longtemps que j'avais eu l'idée d'écrire selon le point de vue de Queenie. J'avais déjà un petit texte, un aperçu de sa voix, dans le chapitre « Queenie et le présent ». J'en avais eu l'idée mais je n'y avais pas vraiment prêté attention.

Ces dernières années, j'ai beaucoup parlé d'Harold Fry. Mais parfois on m'interroge aussi sur Queenie. Et j'avoue que quelques lecteurs m'ont demandé : « Pourquoi ? » Pourquoi avais-je doté Queenie d'un cancer défigurant ? J'explique toujours – aussi patiemment que je le peux, car c'est une réponse qui aujourd'hui encore me touche beaucoup – que c'est ce qui est arrivé à mon père et que je me devais d'être sincère. Mais ça me gêne de dire ça, car même si le cancer de mon père était affreux à voir à la fin, ce n'était pas *lui*. Quand je pense à lui maintenant, je pense à l'homme qu'il était avant la maladie. Je pense à lui en train de rire ou de me lancer un « Coucou, Rachel ! » ou de passer devant la fenêtre avec son échelle. C'est la même chose avec Queenie. Elle a eu une vie avant d'être la femme que nous retrouvons au centre de soins palliatifs à la fin du livre. Je voulais découvrir tout cela. Quand Queenie raconte l'histoire de son point de vue, elle n'utilise jamais le mot « cancer » et elle évoque rarement son apparence. Le cancer n'est pas son sujet. Son sujet, c'est la réparation. En racontant son histoire, elle devient entière.

Mon père est mort chez lui. Il ne souffrait pas. Alors pour écrire ce livre, j'ai passé du temps avec quelques infirmières et j'ai visité deux centres de soins palliatifs. Avant de m'y rendre, j'étais inquiète. Verrais-je ce que je ne devrais pas voir ? Aurais-je peur ? Est-ce que je serais ridicule et me mettrais à pleurer ? En réalité, ce qui me frappa, ce fut la vitalité des infirmières. Et la joie. Les centres étaient lumineux, ils bourdonnaient d'activité et d'éclats de rire. Les infirmières que je rencontrai avaient sans cesse des histoires drôles à raconter. Alors je décidai d'écrire un livre sur la mort qui soit plein de vie. Il me semble qu'on ne peut pas écrire sur l'une sans évoquer l'autre, comme on ne peut pas écrire sur le bonheur si on ne se confronte pas au chagrin. Je crois que c'est en regardant une chose dans sa totalité qu'on la voit telle qu'elle est.

Dans les centres de soins palliatifs, nous parlions beaucoup de la mort. Nous parlions aussi de mon père et de sa disparition. À la fin d'une réunion, le directeur me dit : « Il faut que vous écriviez ce livre. » J'ai pleuré, probablement parce que la journée avait été remplie d'émotion, mais sûrement aussi parce qu'il avait raison.

Alors je créai mon propre centre de soins palliatifs, St. Bernardine. Quelques malades arrivèrent, d'abord un peu obscurs dans mon esprit, mais prenant du volume et de la couleur au fur et à mesure que j'écrivais. Ils devinrent une sorte de chœur pour Queenie, les voix que l'on entend en écho, si vous préférez. Les religieuses qui s'occupent de ces patients m'ont été inspirées par une communauté de sept nonnes qui vivent dans notre village du Gloucestershire. J'ai aperçu l'une d'entre elles le jour où nous sommes venus visiter notre maison – une silhouette marchant dans la campagne en robe crème et tablier noir –, et cette apparition dégageait une telle sérénité que j'eus instantanément l'impression que ces religieuses faisaient partie intégrante de la région. Hier justement, tandis que j'ouvrais le portail pour prendre ma voiture, je trouvai une religieuse appuyée contre le mur de notre jardin. Elle avait l'air d'attendre quelque chose ou peut-être se mouchait-elle. Quoi qu'il en soit, elle semblait pleinement apaisée.

Pour trouver la maison de Queenie, sa maison du bord de mer, je suis allée une nouvelle fois à Berwick-upon-Tweed avec mon mari et mes enfants et nous avons découvert la superbe côte du Northumberland. J'y suis retournée encore deux fois. Et ce fut lors de notre dernière visite – un voyage que nous fîmes au cours du dernier week-end avant que je n'achève mon manuscrit – que nous trouvâmes Embleton Bay et les maisons en bois sur la falaise. J'ai inventé celle de Queenie, mais si vous passez par là, vous trouverez un escalier sculpté dans la dune qui aurait pu mener à son jardin.

Le jardin du bord de mer de Queenie est né ainsi, par quelques mots. C'est seulement après que j'eus étudié les extérieurs du Northumberland et ses chemins côtiers que mon imagination installa chez Queenie les fleurs et les sculptures en bois. Je suis heureuse qu'elle les ait eues. Elle a rempli son jardin avec les gens qui ont fait partie de son existence, tout comme je remplis mon écriture avec les gens qui m'accompagnent dans ma propre vie. Et au fait, mes enfants sont très contents de voir que notre vieux Border Terrier (Chien) est de retour.

Ce fut pour moi une expérience extraordinaire que de revisiter *Harold Fry* et d'écrire certains de ses chapitres sous un autre angle. De même, doter Maureen et David d'une voix propre était important. Comme de découvrir le Harold dont Queenie et Maureen sont tombées amoureuses. Pour moi, ce n'est pas seulement à Queenie que j'ai donné une vraie place, mais à eux aussi.

Et pour mémoire, je répète que je n'ai pas écrit une suite à *La lettre qui allait changer le destin d'Harold Fry arriva le mardi...* Il ne s'agit pas non plus des origines de cette histoire. J'ai écrit un livre qui accompagne Harold Fry. Car c'est véritablement ainsi qu'ils voyagent ; elle à la place du passager, lui au volant. L'un à côté de l'autre.

Je dirais de ce livre qu'il est un compagnon.

Rachel Joyce
2014

Composé par Nord Compo Multimédia
7, rue de Fives, 59650 Villeneuve-d'Ascq

N° d'édition : 2951/01
Dépôt légal : juin 2015

Imprimé au Canada